D1266444

Latin Flavors

xxxxxxxxxxxxxxxxxxxxxxxxxxxxxxxxxxxxxxxxx

a taste of our heritage

LATIN WOMEN'S INITIATIVE

HOUSTON

Bloody Maria

Agua de Jamaica

Cantaloupe Water

Cantaloupe water or aqua de melón is one of many common tropical fruit drinks served in Mexico as a refreshing and healthy alternative to soda pop.

1 ripe cantaloupe, skin and seeds removed, cubed
1/2 cup sugar
Water

Place cantaloupe and sugar in a blender, and add water to cover melon. Puree until smooth. Once blended, pour or strain juice into a 2 quart pitcher. Add enough water to fill pitcher and stir for a few minutes. Chill and serve.

Yields: 2 quarts

Tips: Amount of sugar may vary according to fruit sweetness, and sugar can be substituted with a non-sugar sweetener if desired. This fresh fruit water can be made with any kind of fresh melon such as watermelon or honeydew. It is also commonly made with pineapple, papaya, coconut, mango, guava, guanábana, peach or berries. Some of the juices can be "spiked" with lime juice.

Agua de Melón

El agua de melón es uno de los sabores tradicionales de aguas frescas en la cocina mexicana. Por ser refrescante y saludable es un sustituto perfecto a las bebidas gaseosas.

1 melón maduro entero sin cáscara ni semillas
1/2 taza de azúcar
Agua

Licuar la pulpa del melón, el azúcar y agua suficiente. Una vez bien licuada la fruta, colar y poner en una jarra de 2 cuartos de galón. Agregar agua al gusto y mezclar bien. Servir fría.

Rinde: 2 cuartos de galón

Tips: La cantidad de azúcar puede variar de acuerdo con lo dulce de la fruta o puede ser sustituida con endulzante. Este tipo de agua fresca se puede hacer con otras frutas como sandía, melón verde, piña, papaya, coco, mango, guayaba, guanábana, durazno, algunas variedades de moras, etc., y varias de éstas aderezadas con jugo de limón.

Jamaica Water

One of Mexico's most popular and unique flavored waters is made with dried hibiscus flowers. Jamaica (pronounced "hi-mi-ca") water is delicious unsweetened and is often kept in refrigerators similar to iced tea in the United States. Look for jamaica in small bags in the produce section. Ask your grocer to order it if it's not readily available.

4 quarts (1 gallon) water
2 cups dried jamaica
Sugar to taste

In a large pot, bring water to a boil. Add jamaica and boil for 15 minutes. Let cool. Remove jamaica by straining water into a pitcher. Sweeten with sugar to taste. Refrigerate.

Yields: 1 gallon

Tip: Like iced tea, it is often sweetened by the glass rather than by the pitcher.

Agua de Jamaica

Una de las aguas frescas más populares en México es el agua de jamaica. Esta bebida es deliciosa con o sin azúcar y frecuentemente se encuentra en el refrigerador de los hogares mexicanos, así como sucede con el té helado en Estados Unidos. La flor de Jamaica se puede encontrar en diferentes tiendas latinas.

1 galón de agua
2 tazas de flor de Jamaica seca
Azúcar al gusto

En una olla grande poner el agua a hervir. Agregar la flor de Jamaica a que hierva por 15 minutos. Dejar enfriar. Colar la jamaica y poner el agua en una jarra. Agregar azúcar al gusto y refrigerar.

Rinde: 1 galón

Tip: Al igual que el té helado, el agua de jamaica se puede endulzar vaso por vaso, de manera individual.

Cantaloupe Water

1 chapter one

drinks

table of contents

introduction 3

drinks 8

appetizers 28

salads & salsas 62

soups & pastas 96

main courses 128

sides 180

breakfast & breads 206

desserts 228

weights & measurements 252

acknowledgments & index 256

Latin Women's Initiative

Latin Women's Initiative (LWI) is a non-profit organization dedicated to making a difference in the lives of Latin women and their families through volunteer service and financial support. *Latin Flavors: A Taste of Our Heritage* will help serve LWI's mission by bridging communication and exchanging experiences as well as expanding the cultural and educational environment. Proceeds from the sale of *Latin Flavors* will help provide financial assistance to many charitable organizations that assist the needy in Houston's Latin community.

In 1997, Mexican Women's Initiative was created, and in 2003 changed its name to Latin Women's Initiative. Today, LWI is one of Houston's most recognized Latin organizations, and is best known for its multi-cultural membership comprised of women with varying Latin backgrounds from countries around the world who believe in its mission.

Latin Women's Initiative (LWI) es una organización sin fines de lucro dedicada a hacer una diferencia en la vida de las mujeres latinas y sus familias a través de servicio a la comunidad y ayuda financiera.

Sabores Latinos: El Sabor de Nuestra Herencia ayudará a LWI a alcanzar su misión intercambiando experiencias y cerrando brechas de comunicación, así como la ampliación del ámbito cultural y educativo. Las ganancias sobre las ventas de este libro se destinarán directamente a ayudar a las diferentes organizaciones caritativas que asisten a la comunidad Latina más necesitada de Houston.

En 1997 nació Mexican Women's Initiative y fue en el año 2003 cuando su nombre cambió a Latin Women's Initiative. Hoy, Latin Women's Initiative es una de las organizaciones latinas más reconocidas en Houston con miembros pertenecientes a diferentes países y culturas que creen en nuestra misión.

To our families and friends who
inspire us every day and have made a commitment to helping those
in our community who are less fortunate.

A nuestras familias y amigos quienes nos
inspiran cada día y junto a ellos nos hemos comprometido a ayudar
a las personas menos afortunadas de nuestra comunidad.

ISBN: 978-0-615-40497-4

Printed in the United States of America by Bayside Printing Company, Inc.
Proceeds from the sale of this cookbook benefit the charitable endeavors of the Latin Women's Initiative.

To order additional copies or for more information on *Latin Flavors: A Taste of Our Heritage*

The Latin Women's Initiative
5644 Westheimer PMB 336
Houston, Texas 77056
www.latinwomensinitiative.org

In the making of this book, every attempt has been made to verify names and facts. We apologize if any errors have been made.

Introduction

Latin Flavors: A Taste of Our Heritage

is the first cookbook of its kind – a beautiful, coffee-table style book with all recipes in Spanish and English. It is unique in that the recipes are treasured family favorites from Latin households that are not only from Mexican backgrounds but also Spain, Peru, Cuba and just about every other country in the world that speaks Spanish as its first language. Our recipes will help you explore the bold, complex and subtle flavors that make up Latin cooking. The recipes have been professionally translated and tested for excellence of flavor and ease of preparation.

Our elegant and sophisticated design magically blends the domestic arts of sewing and cooking, conveying the importance of pulling the threads of life together through food. Latin food is often spicy, flavorful and rich – just as everyday life should be filled with these same qualities. The fabric of Latin life is woven into our recipes, life where a table set with embroidered tablecloths and napkins is a sign of love and hospitality.

Throughout our book we have added cooking hints and food lore — do you know where the first margarita was made? Or that guacamole was enjoyed by the Aztecs more than 500 years ago? These helpful tips and bits of information make *Latin Flavors* fun to read as well as a useful guide to cooking and entertaining.

Introducción

Sabores Latinos: El Sabor de Nuestra Herencia

es el primer libro de cocina de este tipo, con una presentación de un gran atractivo con todas las recetas en español y en inglés. Su calidad es realmente única debido a que sus recetas han sido atesoradas por generaciones de familias latinas, que vienen no sólo de México sino de España, Perú, Cuba y de casi todos los países de habla hispana.

Nuestras recetas son una guía para explorar el llamativo, complejo y sutil mundo de los sabores que caracterizan la cocina latina. Las recetas han sido traducidas y probadas profesionalmente para lograr la excelencia en el sabor y la facilidad en la preparación.

Nuestro elegante y sofisticado diseño, combina mágicamente la importancia de tejer los hilos de la vida a través de la comida. La cocina latina tiene la tendencia a ser picante, llena de sabor y suculenta, tal como como debería ser la vida diaria si estuviera sazonada con estos mismos sabores.

En nuestro libro encontrará sugerencias y datos sobre tradiciones populares como el lugar donde se preparó la primera margarita o que el guacamole era un platillo que disfrutaban los aztecas hace más de 500 años.

Estas útiles sugerencias y datos curiosos hacen de *Sabores Latinos* una delicia, no sólo culinaria sino como una guía informativa muy entretenida.

Bloody Maria

Our Latin versión of the Bloody Mary changes up the usual vodka drink with tequila, Clamato and Maggi.

Salt and pepper to taste
Juice of 1 lime
1/4 cup (2 ounces) tequila
3/4 cup (6 ounces) Clamato
1/2 teaspoon Worcestershire
Dash of Maggi (found in the Asian or Latin section of the grocery store)
2-3 jalapeño-stuffed olives or celery sticks

Pour salt and pepper on a plate. Moisten rim of a tall glass with lime and rim with salt and pepper. Fill with ice. Pour in rest of ingredients and stir well. Garnish with jalapeño-stuffed olives or celery sticks.

Yields: 1 drink

Tip: Maggi and Clamato are unique ingredients that cannot be substituted. Both ingredients are trademarked and nothing in the marketplace replaces these special flavors.

Bloody María

Nuestra versión del Bloody Mary es un cambio a la mezcla usual de vodka, por tequila, Clamato y jugo Maggi.

Sal y pimienta al gusto
Jugo de un limón
1/4 de taza (2 onzas) de tequila
3/4 de taza (6 onzas) de Clamato
1/2 cucharadita de salsa inglesa
Gotas de jugo Maggi
2-3 aceitunas rellenas de jalapeño o ramas de apio

Mezclar un poco de sal y pimienta en un plato pequeño. Humedecer el borde de un vaso alto (highball) con limón y escarcharlo con dicha mezcla. Llenar el vaso de hielo y agregar el resto de los ingredientes. Mezclar bien y adornar con aceitunas rellenas de jalapeño o ramas de apio como agitadores.

Rinde: 1 bebida

Tip: El jugo Maggi y el Clamato son dos ingredientes únicos no sustituibles. Ambos son marcas registradas y no existe nada en el mercado que pueda reemplazar estos sabores tan especiales.

Cranberry Grapefruit Mimosa

Make them individually but serve them to all your guests for a special celebration toast.

1/8 cup cranberry juice, chilled
1/8 cup grapefruit juice, chilled
1/2 cup champagne or sparkling wine, chilled
Fresh raspberries

Pour juices into a champagne flute. Fill with champagne or sparkling wine. Garnish with 2 to 3 fresh raspberries.

Yields: 1 drink

Tip: Mix the juices ahead of time if you plan to serve them to a crowd.

Mimosa de Arándano y Toronja

Prepárelas individualmente pero sírvalas a todos sus invitados en una ocasión especial que requiera de un brindis.

1/8 de taza de jugo de arándano frío
1/8 de taza de jugo de toronja frío
1/2 taza de champaña o vino espumoso frío
Frambuesas frescas

Servir los jugos en una copa champañera y llenarlo con champaña o vino espumoso. Adornar con 2 ó 3 frambuesas frescas.

Rinde: 1 bebida

Tip: Mezcle los jugos con anticipación si el coctel se va servir a un grupo grande.

Caipirinha

Cachaça, made from sugarcane, is the most popular distilled liquor in Brazil. Outside Brazil, cachaça is used almost exclusively as an ingredient in tropical drinks, with the Caipirinha being the most famous cocktail.

Ice
1 lime, quartered
2 teaspoons sugar
1/4 cup (2 ounces) cachaça
Lime slices

Fill a double old fashioned glass with ice. In a cocktail shaker, muddle or mash lime wedges with sugar to release juices from limes. Add cachaça and fill with ice. Cover and shake vigorously. Pour over ice in glass and garnish with a slice of lime.

Yields: 1 drink

Caipirinha

Cachaça es el licor más popular en Brasil destilado de caña de azúcar. Fuera de Brasil, la cachaça es mayormente utilizada en la preparación de bebidas tropicales, siendo la Caipirinha el coctel más famoso.

Hielo
1 limón, cortado en cuartos
2 cucharaditas de azúcar
1/4 de taza (2 onzas) de cachaça
Rodajas de limón

Llenar un vaso tipo old fashion con hielo. En una coctelera, machacar los cuartos de limón con el azúcar para que el limón suelte todo el jugo. Agregar la cachaça y llenar la coctelera con hielo. Tapar y agitar vigorosamente. Servir en el vaso y adornar con una rodaja de limón.

Rinde: 1 bebida

Sangria

A simple, yet tasty drink perfect as a start to almost any Latin meal in our cookbook.

1 1/2 bottles dry red wine
1/2 cup pineapple juice
1/2 cup orange juice
1/2 cup dry white wine
1/4 cup gin
1/4 cup light rum
1/4 cup Cointreau or Triple Sec
1/4 cup brandy
2 tablespoons sugar
2 cups assorted fresh fruit, cut in small cubes (such as apples, oranges, plums, pineapple or grapes)

Combine all ingredients in a large pitcher. Refrigerate for 1 to 2 days before serving. Serve over ice.

Yields: about 10 drinks

Tip: Garnish the edge of the glass with any slice of fruit added to the drink.

Sangría

Aunque simple, la sangría es una bebida deliciosa que se lleva de maravilla con cualquier platillo de nuestro libro de recetas.

1 1/2 botella de vino tinto seco
1/2 taza de jugo de piña
1/2 taza de jugo de naranja
1/2 taza de vino blanco seco
1/4 de taza de ginebra
1/4 de taza de ron ligero
1/4 de taza de Cointreau (licor de naranja) o Triple Sec
1/4 de taza de brandy
2 cucharadas de azúcar
2 tazas de fruta mezclada y cortada en cubitos (tales como manzanas, naranjas, ciruelas, piña, uvas)

Combinar todos los ingredientes en una jarra grande. Refrigerar de 1 a 2 días antes de usarse y servir con hielo.

Rinde: 10 bebidas aproximadamente

Tip: Adornar el vaso con una rebanada o trozo de cualquiera de las frutas que componen la bebida.

Michelada

Michelada

Michelada is a famous beer recipe that has been around for years and is considered by many as the "best way to drink a cerveza" in Mexico!

Kosher salt
Juice of 2 limes
8-12 ounces beer (depending on size of glass)
Hot sauce to taste

Spread salt on plate. Moisten rim of beer mug or pilsner glass with lime and rim with salt. Fill mug half full with ice. Add lime juice, beer and hot sauce. Stir and serve.

Yields: 1 drink

Tip: A "Chelada" may be served the same way without the hot sauce.

Michelada

La michelada es una famosa receta que lleva varios años en circulación y está considerada por muchos como la mejor forma de beber cerveza en México.

Sal kosher
Jugo de dos limones
8-12 onzas de cerveza (dependiendo el tamaño del vaso)
Salsa picante

Colocar la sal en un plato pequeño. Humedecer el borde de un vaso o tarro para cerveza con limón y escarchar con sal. Llenar el vaso a la mitad con hielo y añadir el jugo de limón, la cerveza y la salsa picante. Revolver bien y servir.

Rinde: 1 bebida

Tip: La "chelada" se prepara de la misma manera sin la salsa picante.

Tequila en Bandera

En bandera – which means "like a flag" — is traditionally served in three tequila glasses (*caballitos*) or shooters. The name comes from the three colors of the Mexican flag, represented by the three glasses lined up in front of you to be enjoyed in sips from each one.

Green - Lime
Freshly squeezed lime juice should fill the first glass.

White - Tequila
Chilled white tequila should fill the second glass.

Red - Sangrita
Chilled sangrita should fill the third glass. Recipe follows.

Sangrita
1 dried ancho chile pepper
2/3 cup freshly squeezed orange juice
1/3 cup freshly squeezed lime juice
1 cup tomato juice
2 tablespoons minced white onion
2/3 cup olive oil
1 teaspoon Worcestershire
1/2 teaspoon Maggi (found in the Asian or Latin section of the grocery store)
Salt and pepper to taste

In a small skillet, cook ancho pepper in a dry pan until slightly toasted, 2 to 4 minutes. Cool and chop. In a blender, puree chile with juices, onion, oil, Worcestershire and Maggi. Salt and pepper to taste. Chill for an hour before serving.

Yields: 1 drink

Tequila en Bandera

El nombre de esta receta deriva de los tres colores de la bandera mexicana: verde, blanco y rojo. Se sirve en tres vasos tequileros o caballitos alineados para ser disfrutados en ese orden.

Verde: Limón
Jugo de limón fresco en el primer caballito

Blanco: Tequila
Tequila blanco frío en el segundo caballito

Rojo: Sangrita
Sangrita bien fría en el tercer caballito

Sangrita
1 chile ancho seco
1/3 de taza de jugo de limón fresco
2/3 de taza de jugo de naranja fresco
1 taza de jugo de tomate
2 cucharadas de cebolla blanca picada
2/3 de taza de aceite de oliva
1 cucharadita de salsa inglesa
1/2 cucharadita de jugo Maggi
Sal y pimienta al gusto

Asar el chile ancho en una sartén o comal hasta que empiece a dorase, alrededor de 2 a 4 minutos. Enfriar y picar. Licuar el chile con los jugos, la cebolla, el aceite de oliva, la salsa inglesa, el jugo Maggi y sazonar con sal y pimienta al gusto. Enfriar una hora antes de servir.

Rinde: 1 bebida

Orangerita

Good quality tequila contains 100% agave. We recommend spending the extra money to buy the best tequila. You will taste the difference.

1/2 Valencia orange
1 lime
1/2 lemon
1/2 ounce Patron Citronge tequila
2 ounces good quality white tequila
Splash sweet and sour mix
Splash lemon-lime soda
Orange slice for garnish

Muddle or mash orange, lime and lemon together in a bowl. Set aside. Fill a glass with ice and add tequilas. Pour juices through strainer and into glass. Add sweet and sour mix and lemon-lime soda to taste. Garnish with a slice of orange.

Yields: 1 drink

Tip: A muddle is a bar tool that looks like a baseball bat with a wide, flat end for mashing.

Orangerita

Para esta bebida se recomienda utilizar un tequila de alta calidad hecho 100% de agave azul. Su paladar reconocerá la diferencia.

1/2 naranja de Valencia
1 limón
1/2 limón amarillo
1/2 onza de tequila Patrón Citronge
2 onzas de tequila blanco de buena calidad
Unas gotas de *Sweet and Sour* (mezcla hecha a base de azúcar y jugo de limón)
Unas gotas de soda lima-limón
Rodajas de naranja para adornar

Machacar y mezclar la naranja y los limones en un tazón. Reservar. Llenar un vaso con hielo y mezclar los tequilas. Colar los jugos vertiéndolos en el vaso. Rociar al gusto con *Sweet and Sour,* la soda lima-limón y adornar con una rodaja de naranja.

Rinde: 1 bebida

Tip: En los bares para machacar la fruta, se utiliza un implemento generalmente de madera que parece un pequeño bate de béisbol o la mano de un mortero, llamado "muddler".

Margarita

Folklore says the margarita cocktail was created in the 1930s. One legend says a Texas couple, Margaret Sames and her husband, were entertaining in their villa in Acapulco. Margaret poured Mr. Conrad Hilton (of the hotel chain) some Cointreau mixed with tequila and lime-and the margarita was made! Her husband Bill used wide-mouthed glasses rimmed with salt and served them over ice.

4 cups crushed ice
3/4 cup (6 ounces) good quality tequila, chilled
1/2 cup (4 ounces) freshly squeezed lime juice
1/8 cup (1 ounce) or more limoncello, chilled
Kosher salt
Zest of 1 lime
1 lime cut in 6 wedges for garnish

Blend ice, tequila, lime juice and limoncello until desired consistency. Add more ice if necessary. Pour salt on a plate and sprinkle lime zest evenly over salt. Moisten rims of margarita glasses with fresh lime and dip in salt mixture. Pour drinks and garnish each glass with a lime wedge.

Yields: 6 drinks

Tips: Add more limoncello for a sweeter margarita.
Serve with salt or no salt, and frozen or "on the rocks."

Margarita

Margarita

Se considera que este coctel fue creado en los años 30, cuando una pareja de Texas, Bill y Margaret Sames, tuvieron invitados en su villa de Acapulco. Entre los invitados se encontraba el señor Hilton (de los hoteles), a quien Margaret le sirvió un poco de Cointreau mezclado con tequila y jugo de limón. Bill escarchó con sal unas copas de boca ancha y sirvió lo que ahora conocemos como coctel Margarita.

4 tazas de hielo picado
3/4 de taza (6 onzas) de tequila frío
1/2 taza (4 onzas) de jugo de limón fresco
1/8 de taza (1 onza) de limoncello frío
Sal kosher
Ralladura fina de 1 limón
1 limón cortado en cuartos

Licuar el hielo con el tequila, el jugo de limón y el limoncello hasta obtener la consistencia deseada. Agregar más hielo de ser necesario. En un plato mezclar la sal con la ralladura de limón. Escarchar 6 copas de boca ancha con jugo de limón y la mezcla de sal. Repartir la bebida entre las 6 copas y adornar cada una con un cuarto de limón.

Rinde: 6 bebidas

Tip: Agregar más limoncello para una margarita más dulce.
Se puede servir congelada, en las rocas, con o sin sal.

Mexitinis

Mexitinis

This cocktail is a blend of the festive margarita and the sophisticated martini.

2 cups freshly squeezed orange juice
2 cups sweet and sour mix
1 1/4 cups (10 ounces) tequila
1 1/4 cups (10 ounces) Triple Sec
Juice of 1 lime
Splash of olive juice (optional)
Splash of jalapeño juice (optional)
Jalapeño-stuffed olives or jalapeño slices for garnish

Combine ingredients in a pitcher and stir well. Pour 1/3 of mixture at a time into a martini shaker with ice and shake well. Pour and garnish with jalapeño-stuffed olive or jalapeño slices. Repeat.

Yields: 6 drinks

Tip: Sweet and sour mix is a blend of lemon, lime and sugar and can be found at most liquor stores.

Mexitinis

Este coctel es una mezcla de la margarita con la sofisticación del martini.

2 tazas de jugo de naranja fresco
2 tazas de *Sweet and Sour*
1 1/4 de taza (10 onzas) de tequila
1 1/4 de taza (10 onzas) de Cointreau o Triple Sec
Jugo de 1 limón
Jugo de aceitunas (opcional)
Jugo de chiles jalapeño en escabeche (opcional)
Aceitunas rellenas de jalapeño o rajitas de jalapeño para adornar

Combinar todos los ingredientes en una jarra grande y mezclar. Vaciar 1/3 del líquido en una coctelera con hielo y agitar bien. Servir y adornar con aceitunas rellenas de jalapeño o con rajitas de jalapeño. Repetir.

Rinde: 6 bebidas

Tip: El *Sweet and Sour* consiste en una mezcla de miel de azúcar y jugo de limón y se puede encontrar en la mayoría de los expendios de licores.

Tomatequila

Tomatequila

For decades Houstonians have been begging for this recipe and until now it has remained a guarded family secret. It's guaranteed not to disappoint you or your guests.

1 large red tomato, round and firm
Salt
Juice of 2 limes
1 teaspoon Maggi (found in the Asian or Latin section of the grocery store)
1 teaspoon Worcestershire
1/4-1/3 cup (2-3 ounces) good quality tequila, chilled
Dash of Tabasco, to taste
1 serrano chile pepper

Cut top of tomato off carefully. Scoop out insides until only outside walls of tomato are left. Rim tomato with salt (if desired). Pour lime juice, Maggi, Worcestershire, tequila and Tabasco into tomato.

Slice serrano pepper down middle lengthwise. Use to stir cocktail and as garnish.

Yields: 1 drink

Tip: For a less spicy drink, do not slice the serrano.

Tomatequila

Durante varias décadas los nativos de Houston han añorado conseguir esta receta que, hasta ahora, había sido un secreto de familia. Les garantizamos que no les va a desilusionar, ni a ustedes ni a sus invitados.

1 jitomate grande, redondo y firme
Sal
Jugo de 2 limones
1 cucharadita de jugo Maggi
1 cucharadita de salsa inglesa
1/4 a 1/3 de taza (2-3 onzas) de tequila frío
Salsa Tabasco al gusto
1 chile serrano

Rebanar la parte de arriba del jitomate con cuidado. Con una cuchara sacar el centro, dejando sólo las paredes exteriores. Escarchar el borde del jitomate con sal (opcional) y llenar con el jugo de limón, el jugo Maggi, la salsa inglesa, el tequila y la salsa Tabasco.

Cortar el chile serrano a lo largo y utilizarlo como agitador y adorno.

Rinde: 1 bebida

Tip: Para una bebida menos picante dejar el chile serrano entero.

Sparkling Mojito

Mojitos are a traditional Cuban cocktail, but the original Cuban recipe uses spearmint or hierbabuena, a mint variety very popular on the island.

1/2 lime, cut into 4 pieces
1/8-1/4 cup fresh mint leaves, torn
4 teaspoons sugar
1/4 cup (2 ounces) white rum
1/2 cup (4 ounces) club soda, chilled
Mint sprig (for garnish)

In a tall glass, muddle or mash pieces of lime with mint leaves and sugar until sugar is dissolved. Fill glass with crushed ice or ice cubes and stir in rum and club soda. Garnish with mint sprig and serve immediately.

Yields: 1 drink

Tip: Do not try making a pitcher of mojitos. If making more than one drink at a time, muddle a large batch of lime, mint and sugar using the same proportions as above then divide the mixture into glasses and top with ice, rum and club soda.

Mojito Espumoso

El mojito es un coctel tradicional cubano, cuya receta original se prepara con hierbabuena, una variedad de la menta muy popular en dicha isla.

1/2 limón cortado en 4 piezas
1/8-1/4 de taza de hojas de menta
4 cucharaditas de azúcar
1/4 de taza (2 onzas) de ron blanco
1/2 taza de agua (4 onzas) mineral fría
Una ramita de menta (para adornar)

En un vaso alto machacar el limón con las hojas de menta y el azúcar hasta que ésta se disuelva. Llenar el vaso con hielo y añadir el ron y el agua mineral. Adornar con la ramita de menta y servir.

Rinde: 1 bebida

Tip: No trate de hacer una jarra de mojitos. Para preparar más de una bebida a la vez, machacar mayor cantidad de limón con hojas de menta y azúcar, conservando las proporciones indicadas. Repartir en vasos y agregar el hielo, ron y agua mineral.

Sparkling Mojito

Pisco Sour

Pisco is a liquor distilled from grapes and is originally from Spain, but today it is made in the winemaking regions of Peru and Chile. Both countries now claim the Pisco Sour as their own, and the dispute over who owns the "rights" to the drink has become a legal matter.

3-4 ice cubes
1/4 cup (2 ounces) Peruvian pisco
1 tablespoon sugar
1 tablespoon fresh lime juice
1 teaspoon pasteurized liquid egg whites
Dash of bitters
Lime wedge

In a blender, mix ice cubes, pisco, sugar, lime juice and egg whites until smooth. Pour into a chilled martini glass and add a splash of bitters. Garnish with a lime wedge.

Yield: 1 drink

Tip: Pasteurized egg whites are found in the dairy section usually near the cartons of raw eggs.

Pisco Sour

El pisco es un licor destilado de uva originario de España que hoy en día se produce en las regiones vinateras de Perú y Chile. Ambos países reclaman al Pisco Sour como originalmente suyo y la disputa sobre los derechos del nombre de la bebida, se ha convertido en un asunto legal entre los dos países.

3-4 cubos de hielo
1/4 de taza (2 onzas) de pisco peruano
1 cucharada de azúcar
1 cucharada de jugo de limón fresco
1 cucharadita de claras de huevo líquidas pasteurizadas
Gotas de angostura
1/4 de limón

Licuar el hielo, el pisco, el azúcar, el jugo de limón y las claras de huevo hasta obtener una mezcla uniforme. Vaciar en una copa de martini y agregar unas gotas de angostura. Adornar con un cuartito de limón.

Rinde: 1 bebida

Tip: Las claras de huevo pasteurizadas se pueden encontrar en la sección de lácteos de los supermercados.

Burros

The perfect ending to a special meal – serve as a dessert with simple sugar cookies.

2 cups crushed ice
3/4 cup heavy whipping cream
1/2 cup (4 ounces) coffee liquor
3/4 cup (6 ounces) dark rum
3/4 cup (6 ounces) cream of coconut
3 bananas

Mix all ingredients in a blender until desired consistency. Add more ice if necessary.

Yields: 8-10 drinks

Tips: Garnish with chocolate shavings for an extra special touch.

Burros

Un final perfecto para una comida muy especial. Sírvalo como postre acompañado con galletas de azúcar.

2 tazas de hielo picado
3/4 de taza de crema espesa para batir
1/2 taza (4 onzas) de licor de café
3/4 de taza (6 onzas) de ron oscuro
3/4 de taza (6 onzas) de crema de coco
3 plátanos

Licuar todos los ingredientes hasta obtener la consistencia deseada, agregando más hielo de ser necessario.

Rinder: 8-10 bebidas

Tip: Adornar con hojuelas de chocolate o chocolate rallado para un toque especial.

Salud

Cilantro Mousse

2 chapter two appetizers

Cilantro Mousse

This is a light appetizer from Colombia. Easy to make. You will wow your guests with its beautiful presentation.

2 envelopes gelatin
1/4 cup cold water
2 cups beef broth, warmed
1 cup cilantro, stems removed
3 green onions or 1/4 white onion, coarsely chopped
2 large serrano chile peppers, coarsely chopped
1 cup mayonnaise
1/2 cup Mexican crema or heavy whipping cream
8 ounces cream cheese, room temperature

Grease a 6 cup or larger mold and set aside. Dissolve gelatin in cold water and add warm beef broth. In a blender, puree cilantro, green onions, peppers, mayonnaise, crema and cream cheese. Slowly add gelatin/broth mixture, occasionally stopping to scrape sides down. Pour into mold and refrigerate until firm, at least 4 hours or overnight. Unmold and invert onto a platter. Serve with crackers or pita chips.

Serves: 12

Tip: One small bunch of cilantro is about 1 cup loosely chopped leaves. Dip mold in warm water and run a knife around edges to loosen mold before removing.

Mousse de Cilantro

Esta receta colombiana es muy ligera y fácil de preparar. Su atractiva presentación provocará exclamaciones de admiración en sus invitados.

2 sobres de grenetina
1/4 de taza de agua fría
2 tazas de caldo de res caliente
1 taza de hojas de cilantro sin tallos
3 cebollines verdes ó 1/4 de cebolla blanca cortada en trozos
2 chiles serranos grandes y picados
1 taza de mayonesa
1/2 taza de crema mexicana
1 barra (8 onzas) de queso crema a temperatura ambiente

Engrasar un molde para 6 tazas o más y reservar. Disolver la grenetina en agua fría y mezclar con el caldo de res. En la licuadora moler el cilantro, los cebollines o cebollas, los chiles serranos, la mayonesa, la crema y el queso crema e ir agregando poco a poco el caldo de res ya mezclado con la grenetina. Apagarla ocasionalmente para ir desprendiendo lo que se va quedando pegado en los lados del vaso a fin de obtener un líquido espumoso y uniforme. Vaciarlo en el molde engrasado y refrigerar hasta que haya cuajado totalmente, por lo menos 4 horas. Desprender el mousse y volcarlo en un platón. Acompañar con galletas saladas o pedacitos de pan árabe.

Porciones: 12

Tip: Un ramo de cilantro equivale aproximadamente a 1 taza de hojas picadas. Para que el mousse se desprenda fácilmente, sentar el molde en agua tibia y pasar un cuchillo por las orillas.

Black Bean and Goat Cheese Terrine

The contrasting colors of black beans and white goat cheese make this an eye-catcher. The mild flavors make it easy to serve to guests of all ages.

1/4 white onion, finely chopped
2 large garlic cloves, minced
1 tablespoon olive oil
4 cups Refried Beans (see recipe page 204)
or 2 cans (16 ounces each) refried black beans
1 log (11 ounces) goat cheese

Preheat oven to 350 degrees. In a large skillet, sauté onions and garlic in olive oil over low to medium heat until softened but not browned. Stir in refried beans until thickened and hot throughout. Let cool. On a foil-lined baking sheet, spoon black bean mixture, forming an oval shape. Place goat cheese log in center of black beans. Using your hands, mold black beans to surround goat cheese until completely covered. Bake for 30 to 40 minutes. Remove log carefully, let cool slightly, and roll onto a platter. It will be soft. Reshape if necessary, covering exposed goat cheese with beans. Spoon Pico de Gallo (see recipe page 88) over the top. Serve with sliced French bread.

Serves: 8

Terrina de Frijol Negro y Queso de Cabra

El colorido contraste de los frijoles negros y el blanco del queso hace muy vistoso este platillo. Sus delicados sabores facilitan el poder servirlo a invitados de todas las edades.

1/4 de cebolla finamente picada
2 dientes de ajo grandes finamente picados
1 cucharada de aceite de oliva
4 tazas de frijoles refritos (página 204)
ó 2 latas (16 onzas c/u) de frijoles negros refritos
1 barra de queso de cabra (11 onzas)

Precalentar el horno a 175°C (350°F). En una sartén grande con aceite de oliva saltear la cebolla y el ajo a fuego medio bajo, hasta que suavicen. Añadir los frijoles refritos y mezclar hasta que hayan espesado y estén calientes. Retirar del fuego y dejar enfriar. En una charola para galletas cubierta con papel aluminio, extender la pasta de frijol dándole forma ovalada. Colocar la barra de queso en el centro a lo largo y usando las manos, envolverla con la pasta de frijol, hasta que quede completamente cubierta. Hornear de 30 a 40 minutos. Con mucho cuidado, porque el rollo estará suave, levantarlo utilizando el papel aluminio y rodarlo sobre un platón. De ser necesario corregir la forma con más frijol cubriendo cualquier parte del queso que haya quedado expuesto. Se puede adornar con Pico de Gallo (página 88) esparciéndolo encima del rollo. Servir con rebanadas de pan.

Porciones: 8

Corn Dip with Vinaigrette

A great low-fat dip, perfect for summer, but can be served year round. Everyone will ask for the recipe.

3 cups yellow corn, frozen or canned, drained
1 can (15 ounces) black beans, rinsed and drained
1/3 cup red wine vinegar
1/4 cup olive oil
1/2 teaspoon ground cumin
3 garlic cloves, pressed
3-4 fresh chiles jalapeños, seeded and finely chopped
2/3 cup fresh cilantro leaves, chopped
1 bunch green onions, thinly sliced
Juice of 2 limes
Salt and pepper to taste
1 large, ripe avocado, seeded, peeled and cubed

Combine all ingredients except avocado in a bowl and mix well. Gently stir in avocado. Serve with tortilla or corn chips.

Serves: 8-10

Tip: This dip can be prepared the day before without the avocado and refrigerated. Take out one hour prior to serving and add avocado just before serving. Works best with scoop chips.

Dip de Elote a la Vinagreta

Un dip delicioso con contenido bajo en grasa perfecto para el verano, pero que se puede servir todo el año. Todos los invitados le pedirán la receta.

3 tazas de elote amarillo, congelado o enlatado, colado
1 lata (15 onzas) de frijoles negros colados
1/3 de taza de vinagre de vino tinto
1/4 taza de aceite de oliva
1/2 cucharadita de comino en polvo
3 dientes de ajo prensados
3-4 chiles serranos frescos, sin semillas y finamente picados
2/3 taza de hojas de cilantro fresco picadas
1 manojo de cebollines verdes en rebanadas delgadas
Jugo de 2 limones
Sal y pimienta al gusto
1 aguacate maduro y firme cortado en cuadros pequeños

Combinar todos los ingredientes en un tazón excepto el aguacate y mezclar bien. Integrar el aguacate con cuidado y servir con tortillas de maíz calientes o tostadas.

Porciones: 8-10

Tip: Este dip puede ser preparado el día anterior sin el aguacate y refrigerarse. Sacarlo del refrigerador una hora antes de servir y agregar el aguacate justo antes de llevarlo a la mesa. Los chips en forma de “cucharita” son ideales para acompañarlo.

Jalapeño Pimento Cheese Dip

A traditional dish of the U.S. south infused with Latin America's favorite chiles jalapeños for a flavorful spicy dip.

16 ounces cream cheese, softened
2 cups (16 ounces) sharp cheddar cheese, grated
1 teaspoon garlic powder
1 teaspoon salt
1 teaspoon ground black pepper
1 jar (4 ounces) pimentos with juice, chopped
1 jar (12 ounces) pickled chiles jalapeños, drained and chopped

Using an electric mixer, blend all ingredients until mixed well. Serve as a dip or spread with crackers, chips or celery.

Yields: about 4 cups

Tip: Use the juice from the pimentos and drain the chiles jalapeños for a less spicy dip or use the jalapeño juice and drain the pimentos for a spicier dip.

Dip de Queso con Jalapeño y Pimiento

Un platillo tradicional del sur de Estados Unidos que, al añadirle los chiles jalapeños, le da un toque latino: picante y de mucho sabor.

16 onzas de queso crema suavizado
2 tazas (16 onzas) de queso cheddar fuerte rallado
1 cucharadita de ajo en polvo
1 cucharadita de sal
1 cucharadita de pimienta negra molida
1 lata (4 onzas) de pimientos morrones picados
1 lata (12 onzas) de chiles jalapeños picados

Combinar todos los ingredientes en un tazón y batir hasta quedar bien integrados. Servir como dip, untado en galletas saladas, totopos o barritas de apio.

Rinde: aproximadamente 4 tazas

Tip: Para un dip menos picante utilice el líquido de los pimientos y descarte el de los chiles jalapeños y viceversa si es que lo quiere más picante.

Black Bean Croquettes with Pasilla Salsa

Black Bean Croquettes with Pasilla Salsa

A healthy, vegetarian appetizer but also works well as a side dish. Both your vegetarian and non-vegetarian friends will be surprised at how good this tastes.

Croquettes

3 1/2 cups black beans, cleaned and soaked overnight in hot water to cover
Salt to taste
1 cup oil, divided
1 onion, chopped
1 bunch cilantro, finely chopped
1 package (17 ounces) cotija cheese, shredded
4 egg whites
Flour for coating
3 eggs, beaten
2 cups breadcrumbs

In a large pot over high heat, cook beans with enough water to cover them. Add salt and a little of the oil, and bring to a boil. Reduce heat and simmer until soft, about 45 minutes. Remove from heat and drain. In a large skillet, sauté beans, onions and cilantro in a little oil, add salt. In a blender, puree bean mixture until smooth. Place in a large bowl and let cool. Add cheese and egg whites, mixing well. Wetting your hands, mold croquettes into 1 to 2 inch rounds about 1/2 inch thick. Roll each croquette in flour, dip in beaten eggs and cover with breadcrumbs. In a large skillet over medium high heat, fry croquettes in remaining oil until golden brown and place on a plate with paper towels to drain.

Salsa

6 pasilla chile peppers, seeded and deveined
1/4 small white onion
3 garlic cloves
2 pounds tomatoes, cored
1 clove

In a large skillet over medium heat, roast chile peppers, onion, garlic and tomatoes in enough water to just cover bottom of pan, turning vegetables frequently until softened and browned. Peel tomatoes. Remove from heat and transfer to a blender. Puree until a thick sauce forms.

Serves: 4-6

Tip: The salsa can be prepared the day before and heated prior to use.

Croquetas de Frijol con Salsa Pasilla

Una entrada vegetariana muy saludable que puede también ser servida como guarnición. Tanto sus amigos vegetarianos como los no vegetarianos se sorprenderán gratamente por el rico sabor de estas croquetas.

Croquetas

3 1/2 tazas de frijol negro, limpio y remojado desde la noche anterior en suficiente agua caliente para que cubra los frijoles
Sal al gusto
1 taza de aceite vegetal
1 cebolla blanca picada
1 manojo de cilantro finamente picado
1 paquete (17 onzas) de queso cotija rallado
4 claras de huevo
Harina de trigo, la necesaria
3 huevos batidos
2 tazas de pan molido

Poner los frijoles a hervir en agua suficiente para cubrirlos, añadir la sal y un poco de aceite. Reducir el fuego y cocinar por 45 minutos o hasta que estén suaves. Retirar del fuego y escurrir el caldo. En una sartén grande saltear los frijoles, la cebolla y el cilantro en un poco de aciete. Licuar todo hasta obtener una mezcla espesa y dejar enfriar. Mezclar bien con el queso cotija y las 4 claras. Con manos húmedas, moldear las croquetas en tortitas de 1 a 2 pulgadas y 1/2 pulgada de espesor. Pasar cada croqueta primero por harina, después por el batido de 3 huevos y finalmente cubrirla con pan molido. Freír en aceite hasta dorar y colocar en un plato con papel absorbente para quitarles el exceso de grasa.

Salsa

6 chiles pasilla asados y desvenados
1/4 cebolla blanca pequeña
3 dientes de ajo
2 libras de jitomate sin el centro
1 clavo

En una sartén grande asar los chiles, la cebolla, el ajo y los jitomates con agua suficiente a que cubra el fondo de la sartén para que no se peguen, volteándolos constantemente hasta que se suavicen y empiecen a dorarse. Pelar los jitomates y licuar todos los ingredientes junto con el clavo hasta obtener una salsa espesa.

Porciones: 4-6

Tip: La salsa puede ser preparada el día anterior y volver a calentarse al momento de servirla.

Corn, Goat Cheese and Jalapeño Bars

An appetizer with a unique combination of sweet and spicy. The sweet is in the mix of mild goat cheese, corn and honey, and then heat is added with the chiles jalapeños, chili powder and cayenne.

Pastry
1 cup all-purpose flour
1/4 cup cornmeal
1 1/2 tablespoons sugar
1 teaspoon chili powder
1/2 teaspoon salt
1/2 teaspoon páprika
1/4 teaspoon cayenne (red pepper)
1/4 teaspoon ground black pepper
4 ounces cream cheese
4 tablespoons (1/2 stick) unsalted butter, cold, cut into pieces

Filling
2 tablespoons unsalted butter
2 cups corn kernels, cut off cob (2-3 cobs)
3 chiles jalapeños, seeded and minced
1 tablespoon honey
8 ounces fresh goat cheese, softened
2 tablespoons fresh chives, finely chopped
Salt and pepper to taste

Egg wash
1 egg mixed with 1 tablespoon water

Pastry
In a food processor, combine flour, cornmeal, sugar, chili powder, salt, páprika, cayenne and black pepper. Add cream cheese and butter, and pulse until a dough forms. Transfer dough to a sheet of plastic wrap and press into a rectangle.

Wrap and refrigerate until chilled, about 30 minutes.

Filling
In a medium skillet, melt butter. Add corn and cook over moderate heat until crisp-tender, about 3 minutes. Add chiles jalapeños and cook for 2 minutes longer. Stir in honey and transfer to a bowl. Add goat cheese and stir until melted. Stir in chives and season with salt and pepper. Let cool to room temperature.

Preheat oven to 350 degrees. Line a baking sheet with parchment paper. On a well-floured surface, roll out pastry to a 12x15 inch rectangle. Roll pastry around rolling pin, lift it from the floured surface and carefully unroll it onto baking sheet. Refrigerate for 10 minutes. Spread filling on half of pastry, leaving 1/2 inch border on 3 sides. Brush border of pastry with egg wash. Fold pastry over filling and press edges to seal. Refrigerate for 10 minutes or just until firm.

Brush top of pastry with egg wash. Bake until pastry is golden, about 20 minutes. Transfer baking sheet to wire rack and let cool. Slide pastry and parchment paper onto work surface and cut pastry into 16 bars.

Yields: 16 bars

Barras de Elote, Queso de Cabra y Jalapeño

Un entremés con una combinación única de dulce y picante al mezclar el queso de cabra suave, el elote y la miel de abeja con el sabor picante del chile jalapeño, el chile piquín y la pimienta.

Masa

1 taza de harina de trigo
1/4 de taza de harina de maíz
1 1/2 cucharadas de azúcar
1 cucharadita de chile en polvo (piquín)
1/2 cucharadita de sal
1/2 cucharadita de páprika
1/4 de cucharadita de pimienta de Cayena
1/4 de cucharadita de pimienta negra molida
4 onzas de queso crema
4 cucharadas (1/2 barra) de mantequilla fría sin sal, cortada trozos pequeños

Relleno
2 cucharadas de mantequilla sin sal
2 tazas de grano de elote crudo (2-3 mazorcas)
3 chiles jalapeños sin semillas y finamente picados
1 cucharada de miel de abeja
8 onzas de queso de cabra fresco suavizado
2 cucharadas de cebollines frescos finamente picados
Sal y pimienta al gusto

Barniz de Huevo
1 huevo con una cucharada de agua

Masa
En el procesador de alimentos combinar las harinas, el azúcar, el chile en polvo, la sal, la páprika y las pimientas. Agregar el queso crema y la mantequilla y mezclar suavemente con los dedos hasta obtener una masa uniforme. Colocarla entre dos hojas de plástico y prensarla dándole forma de rectángulo, envolviéndola con el mismo plástico. Refrigerar durante 30 minutos.

Relleno
Mientras se enfría la masa, derretir la mantequilla en una sartén mediana. Agregar los granos de elote y freír a fuego medio hasta que estén suaves pero crujientes, aproximadamente 3 minutos. Añadir los chiles jalapeños y cocinar 2 minutos más, incorporar la miel y mezclar bien. Trasladar todo a un tazón, agregar el queso de cabra y revolver hasta que se integre. Añadir los cebollines, sazonar con sal y dejar enfriar a temperatura ambiente.

Precalentar el horno a 175°C (350°F). Forrar una charola para hornear con papel encerado. En una superficie enharinada, darle forma a la masa con un rodillo hasta lograr un rectángulo de 12x15 pulgadas. Enrollar la pasta en el rodillo y transferirla a la charola forrada. Refrigerar durante 10 minutos. Extender el relleno sobre la mitad de la pasta dejando libre un borde de aproximadamente 1/2 pulgada en los 3 lados. Barnizar con el huevo batido toda la franja de la orilla y doblar la mitad de la pasta sin relleno sobre la otra mitad. Sellar los bordes alrededor del relleno y refrigerar nuevamente durante 10 minutos o hasta que se sienta firme.

Barnizar con el resto del huevo batido toda la superficie y hornear durante 20 minutos o hasta que la pasta se dore. Retirar del horno, colocar sobre una rejilla y dejar enfriar. Deslizar a una superficie de trabajo utilizando el papel encerado y cortar en 16 barras.

Rinde: 16 barras

Poolside Veggies with Chile Piquín

Poolside Veggies with Chile Piquin

Chile Piquin is a hot pepper that is also known as bird pepper – small and red in color with lots of heat.

1 jicama, peeled and cut into 4 inch long strips
4 large cucumbers, peeled, seeded and cut into 4 inch long strips
1-2 limes, halved
2 tablespoons ground chiles piquin or chile lime powder
Salt to taste
1 lime, cut in wedges

On a platter, stack in square matchstick towers alternating layers of jicama and cucumber. Squeeze juice of 1/2 lime over each tower. Sprinkle ground chies piquin or chile lime powder and salt over towers to taste.

Serve with remaining powder and lime wedges on side. Number of towers depends on size of jicama and cucumbers.

Serves: 8-10

Tip: You can also add carrot sticks to the towers, and don't be afraid to adjust the lime juice or chile piquin to your taste.

Verduras Frescas con Chile Piquín

El chile piquín es un chile de color rojo, y aunque muy pequeño, es uno de los más picantes que hay. Es conocido también como "chile mosquito".

1 jícama pelada y cortada en tiras de 4 pulgadas
4 pepinos grandes pelados, sin semillas y cortados en tiras de 4 pulgadas
1-2 limones partidos a la mitad
2 cucharadas de chile piquín en polvo o de polvo de chile y limón
Sal al gusto
1 limón cortado en cuartos

En un platón construir torres cuadradas (como las de los cerillos de madera) alternando capas de jícama y pepino. Exprimir el jugo de 1/2 limón en cada torre y salpicarlas con chile y sal.

Servir con lo que resta del polvo de chile y los cuartos de limón a un lado.
El número de torres depende del tamaño de la jícama y de los pepinos.

Porciones: 8-10

Tip: Se pueden añadir tiras de zanahoria a las torres y no tema ajustar las cantidades de jugo de limón y del chile piquín a su gusto.

Spiced Fried Garbanzos

These are the perfect munchies to serve with a cold beer – spicy and salty. Like a potato chip, it's hard to eat just one. Garbanzo beans are the same as chickpeas and are also known as Indian peas or ceci beans.

1 teaspoon fine sea salt
1 teaspoon ground black pepper
1/4 teaspoon chipotle powder
1/4 teaspoon ground coriander
1/8 teaspoon cayenne pepper
1 can (15 ounces) chickpeas
Enough vegetable oil for frying

In a medium bowl, mix together all spices and set aside. Drain and rinse chickpeas, spread them on paper towels and pat dry. In a large skillet over medium high heat, bring 1 inch oil to 350 to 375 degrees (drop a chickpea in; when it sizzles, oil is ready). Cook chickpeas until crisp, about 3 minutes. With a slotted spoon, transfer to several layers of paper towels to drain and toss with spice mixture. Best if served warm.

Serves: 6

Garbanzos Fritos con Especias

Estos garbanzos picosos y saladitos son perfectos para acompañar una cerveza fría. Al igual que como suele suceder con las papas fritas, una vez que se empieza es difícil detenerse y comer sólo uno.

1 cucharadita de sal fina de mar
1 cucharadita de pimienta negra molida
1/4 de cucharadita de chile chipotle en polvo
1/4 de cucharadita de cilantro en polvo (coriander)
1/8 de cucharadita de pimienta de Cayena
1 lata (15 onzas) de garbanzos
Aceite vegetal para freír

En un tazón mediano mezclar todas las especias y reservar. Escurrir y enjuagar los garbanzos y secarlos con toallas de papel absorbente. En una sartén grande a fuego medio alto, poner 1 pulgada de aceite a calentar hasta alcanzar una temperatura de 175°C a 185°C (350-375°F). Dejar caer un garbanzo en el aceite y si chisporrotea, el aceite está listo. Freír los garbanzos alrededor de 3 minutos o hasta que estén crujientes. Con un colador o cuchara ranurada, transferirlos a varias capas de toallas de papel absorbente para quitarles el exceso de grasa y mezclarlos con las especias. Servir recién hechos.

Porciones: 6

Tostones

Tostones (Fried Plantains)

Plantains should not be confused with bananas – same family but very different. Tostones are twiced-fried plantain patties and make great appetizers.

They are also known as *maduritos* in the Dominican Republic, *patacones* in Colombia, Costa Rica, Panama, Venezuela and Ecuador, *tachinos* or *chatinos* in Cuba and *bannann peze* in Haiti. They are clearly a staple of Latin American countries and the Caribbean. In Mexico they are called *plantano macho*.

3 unripe (very green) plantains
3 cups vegetable or peanut oil
Kosher salt
3 cloves garlic, pressed
Lime wedges

Using a sharp knife, cut off ends of plantains. Score skin on 4 sides then pry skin loose using your fingers. Cut peeled plantains into 1 inch pieces. In a deep skillet over medium high heat, fry each plantain for about 5 minutes, turning several times to brown evenly. Drain on paper towels and cool slightly.

Pour salt onto a small plate and mix with garlic. Dip bottom of a flat glass into salt and garlic mixture, and smash each piece of plantain with glass to 1/4 inch thick (as you would do a sugar cookie). Fry tostones again until crisp, about 2 minutes, and drain on paper towels. Best if served right away but may be kept warm in oven for a few minutes. They are delicious with a squirt of lime juice.

Yields: about 3 dozen slices

Tostones (Plátanos fritos)

Los plátanos machos no deben confundirse con los plátanos Tabasco, que pertenecen a la misma familia, pero son totalmente diferentes.

Son conocidos en toda América Latina y el Caribe con diferentes nombres: *plátano macho* en México; *maduritos* en la República Dominicana; *petacones* en Colombia; *tachinos* en Costa Rica, Panamá, Venezuela y Ecuador; *chatinos* en Cuba y *bannann peze* en Haití. Claramente es un alimento básico en todas estas regiones.

3 plátanos machos muy verdes
3 tazas de aceite vegetal o de cacahuate
Sal kosher
3 dientes de ajo prensados
Limones cortados en cuartos

Con un cuchillo bien afilado, cortar primero las dos puntas del plátano y hacer 4 cortes a lo largo de la cáscara para pelar con los dedos sin maltratar la fruta. Cortar en rodajas de aproximadamente 1 pulgada. Calentar el aceite en una sartén grande a fuego medio alto y freír las rodajas durante 5 minutos, volteándolas varias veces para que se doren uniformemente. Escurrir en toallas de papel absorbente y dejar que se enfríen ligeramente.

Mezclar bien la sal y el ajo sobre un plato. Aplanar individualmente cada una de las rodajas de plátano sobre la mezcla de ajo y sal utilizando un vaso de base gruesa y lisa hasta que cada rebanada tenga 1/4 de pulgada de espesor (igual como se hace con las galletas de azúcar). Freír los "tostones" nuevamente hasta que estén crujientes, aproximadamente 2 minutos y escurrirlos en toallas de papel absorbente una vez más. Lo ideal es servirlos de inmediato, pero se pueden mantener calientes en el horno durante unos minutos. Son deliciosos con unas gotitas de jugo de limón.

Rinde: 3 docenas aproximadamente

Sopes

Sopes, gorditas, chalupas, huaraches, quesadillas, tacos, tostadas, etc., all are *antojitos* (from *antojo* or craving) made with tortilla dough, each one having its peculiarities, like shape, the way it is cooked or whether it is opened and filled in (gorditas) or topped with a variety of mostly salsas and meats, refried beans, some cheeses and a few vegetables (sopes). There are some variants depending on their limitations to different areas of Mexico, but all of the ones mentioned above are extremely popular all over Mexico.

1 1/2 cups flour for making tortilla dough (Maseca or Pan masa)
1 cup warm water, divided
Salt to taste

Garnish
Refried Beans (see recipe page 204)
Shredded chicken or meat
Shredded lettuce
Guacamole (see recipe page 48)
Finely chopped onion
Mexican crema
Grated cheese
Salsa of your choice

Put flour in a bowl and add 3/4 cup warm water. Mix with your hands until smooth, adding as much of remaining 1/4 cup water as flour will absorb. Cover with a damp cloth and set aside for 1 hour.

Knead dough until very soft and smooth. Divide into 12 equal parts. Roll each into a ball about 1 inch in diameter. Set each ball aside and cover with a damp cloth as you work. Warm an ungreased comal or thick skillet over medium heat. Take 1 ball out and press into a 1/4 inch thick circle about 3 inches in diameter. Lower heat slightly and place sope on comal and cook until bottom is opaque and speckled with brown spots about 2 to 3 minutes. Using a spatula, flip sope over and with a fork press down gently in middle forming a ridge around edge, and cook until dough is firm and cooked through, about 2 to 4 minutes more. Remove and keep warm. Repeat with remaining balls. Top sopes with a combination of all or any of garnishes listed above.

Yields: 12 sopes

Tip: Unused sopes without any garnish can be kept in the refrigerator in an airtight container for 2 to 3 days. To reheat, heat a little vegetable oil on a comal or skillet add the sopes and let them heat through, turning once, about 1 minute on each side.

Sopes

Sopes, gorditas, chalupas, huaraches, quesadillas, tacos y tostadas, son algunos de los muchos antojitos mexicanos hechos con masa, que se diferencían entre ellos tanto por su presentación como por la forma en que son cocinados. Dependiendo del tipo de antojito y de la región de México de donde provienen, varían en su preparación. En algunos casos, como es en el de las gorditas, se abren y se rellenan, pero en otros casos como en el de los sopes se les pone encima frijoles refritos, queso, carne, pollo, verduras y salsas.

1 1/2 tazas de harina para tortillas (Maseca)
1 taza de agua tibia
Sal al gusto

Para rellenar
Frijoles refritos (página 204)
Pollo o carne desmenuzada
Lechuga picada
Cebolla finamente picada
Guacamole (página 48)
Crema mexicana
Queso rallado
La salsa de su gusto

Poner la harina en un tazón y mezclarla con 3/4 de la taza de agua. Utilizando los dedos, mezclar hasta que desaparezcan los grumos y se tenga una masa uniforme, agregando tanta agua como la masa vaya absorbiendo. Debe quedar suave y manejable sin que se pegue en las manos. Cubrir con un lienzo húmedo y dejar reposar durante 1 hora.

Trabajar la masa un poco para obtener una mezcla muy suave y homogénea. Dividirla en 12 bolitas iguales de aproximadamente 1 pulgada de diámetro. Acomodarlas en un plato cubiertas con el mismo lienzo húmedo mientras se van haciendo los sopes. Calentar un comal o una sartén gruesa a fuego medio. Tomar una bolita de masa y aplanarla como una tortilla de más o menos 1/4 de pulgada de espesor y 3 pulgadas de diámetro. Bajar el fuego un poco y poner el sope en el comal hasta que el lado de abajo esté opaco y empiecen a salir puntitos oscuros, como 2 ó 3 minutos. Utilizando una espátula de metal voltear el sope y con sus dedos pellizcar las orillas para dejar un borde. Dejar que se cuezan los sopes totalmente, de 3 a 4 minutos más. Retirar del fuego y mantener caliente mientras se trabaja el resto de la masa de igual forma. Preparar los sopes con todas o cualquiera de las guarniciones mencionadas al principio.

Rinde: 12 sopes

Tip: Los sopes sin relleno se pueden guardar en el refrigerador dentro de una bolsa de plástico con cierre de 2 a 3 días. Para recalentarlos se puede usar un comal o una sartén caliente a fuego lento, volteándolos una sola vez, aproximadamente 1 minuto de cada lado.

Guacamole

Historians have dated guacamole back to the 1500s as a dish served by the Aztec Indians. It can be served alone or as a side dish to rice or meats, but it is an integral part of tacos, tostadas, chalupas, sopes, tortas and many more. There is also a common, very colorful variant to guacamole: adding pomegranate seeds when in season.

3 large, ripe avocados, pitted, peeled and mashed
1 medium, ripe, but firm tomato
2 serrano chile peppers, stems removed, seeded and very finely chopped
1/4 large onion, finely chopped
1 clove garlic, pressed
1 bunch cilantro (about 1 cup leaves), chopped
Juice of 1 lime
Salt to taste

Mix all ingredients together, blending well and to desired consistency. Salt to taste.

Yields: about 2 cups

Tip: Although lime juice helps keep the avocados from browning, it's best to make guacamole just before serving. To prevent guacamole from turning black, place pits back in the finshed dish.

Guacamole

Los historiadores han fechado la existencia del guacamole desde los años 1500, cuando los Aztecas ocupaban el Valle de México. Puede servirse solo o como guarnición de un sinnúmero de alimentos, pero forma parte integral de tacos, tostadas, sopes, chalupas, tortas, etc.

3 aguacates grandes, maduros, pelados y machacados
1 jitomate mediano maduro y firme, picado
2 chiles serranos sin rabo ni semillas y finamente picados
1/4 cebolla finamente picada
1 diente de ajo prensado
1 manojo de cilantro picado (más o menos 1 taza)
Jugo de un limón
Sal al gusto

Mezclar bien todos los ingredientes y sazonar con abundante sal.

Rinde: 2 tazas aproximadamente

Tip: A pesar de que el jugo de limón impide la oxidación del aguacate, es mejor prepararlo lo más cercano a la hora de servirlo. Coloque los huesos de aguacate en la preparación para prevenir que se oscurezca.

Taquitos

Taquito is the diminutive of the Spanish word *taco*. Generally, taquitos are stuffed with meat and cheese, rolled up then fried to a delicious, crispy texture. A great snack that also makes a kid-friendly meal.

Vegetable oil
24 corn tortillas
3-4 cups shredded meat your choice (chicken, pork, beef)
8 ounces cheddar cheese block, sliced in 1/4 inch strips

In a large skillet, heat enough oil to cover bottom of pan. Fill each tortilla with meat, forming one line across tortilla, and put a strip of cheese on top. Wrap tortilla as tightly as possible without tortilla cracking and carefully place seam side down in hot oil. Cook taquitos 4 or 5 at a time in pan, turning occasionally, until golden brown on all sides and crispy. Remove to paper towels to drain. Serve with Guacamole (see recipe page 48), Salsa Roja (see recipe on page 94), Salsa Verde (see recipe page 92), crema or any other condiments of your choice.

Yields: 24

Tips: Consider shredding a rotisserie chicken from the grocery store. If tortillas crack when you are trying to roll them, heat tortillas on both sides in a pan with a little hot oil to soften. Also, taquitos can be prepared ahead of time. Roll them up and place them in a flat dish close together to prevent them from unrolling. After 30 minutes or more, they will not unroll and frying will be easier. Serve a variety of condiments on the side, making it an interesting appetizer.

Taquitos

Taquito es el diminutivo de taco. Generalmente se rellenan con queso y carne y ya enrollados, se fríen para adquirir esa crujiente y deliciosa textura que los hace tan populares. Son un refrigerio excelente que representa un alimento favorito de los niños.

Aceite vegetal
24 tortillas de maíz
3-4 tazas de carne deshebrada (pollo, puerco o res)
8 onzas de queso cheddar rebanado en tiras de 1/4 de pulgada

En una sartén grande, calentar suficiente aceite para que cubra el fondo. Acomodar la carne a lo largo de cada tortilla, de preferencia hacia el lado por donde se van a comenzar a enrollar y poner una tira de queso arriba. Enrollar cada taco tan apretado como lo permita la tortilla y colocarlo en la sartén con la orilla de la tortilla hacia abajo para que no se desenrolle. Freír rotándolos hasta que la tortilla se dore ligeramente y se vuelva crujiente. Retirar del aceite y escurrir en toallas de papel absorbente para quitarles el exceso de grasa. Servir con Guacamole (página 48); Salsa Roja (página 94); Salsa Verde (página 92); crema o cualquier otra guarnición al gusto.

Rinde: 24

Tip: Si las tortillas se rompen al enrollarse, calentarlas en una sartén o en el microondas (envueltas en un lienzo húmedo) con un poquito de aceite untado por ambos lados. Los taquitos se pueden preparar con anticipación y colocarlos en un recipiente con fondo plano pegados unos con otros y tapados con un lienzo húmedo. Al cabo de una media hora o más ya no se desenrollarán y se hará más fácil freírlos.

Taquitos with Guacamole

Chicken Liver Mousse

Prepare our Spanish versión of pâté and you will be the envy of your neighbors. Chicken liver is packed with nutrients, and this mousse provides a delicious way to obtain the healthy benefits.

Gelatin
1 envelope gelatin
1/2 cup water
1/2 cup port wine
1 cube chicken bouillon
1/2 teaspoon lemon juice
4 green onions (green part only), chopped

Mousse
1 1/4 pounds fresh chicken livers, rinsed if available, duck, goose or any combination of livers will work.)
1/2 cup port wine and enough water to cover
1 1/2 cups (3 sticks) unsalted butter, at room temperature
5 dashes jalapeño (green) Tabasco
1 egg yolk, at room temperature
3 tablespoons dried green peppercorns, soaked in hot water for 10 minutes
1 can (4 ounces) black olives, chopped

Gelatin
Grease 4x9 inch loaf pan with olive oil. Dissolve gelatin in water then pour into a small saucepan, combine with port, bouillon, lemon juice and green onions, and slowly bring to a boil. Remove from heat and pour into loaf pan. Place in freezer until set.

Mousse
In a medium saucepan, combine livers, port and enough water to barely cover. Bring to a boil, reduce heat and slowly simmer for 10 minutes. Remove from heat and drain. In a blender, combine butter, Tabasco and egg yolk. As blender runs, add chicken livers through top and continue blending on high for 30 to 45 seconds until very smooth.

Pour mixture into a bowl, add drained green peppercorns and black olives, stir and pour into prepared loaf pan. Cover with plastic wrap and refrigerate overnight or for at least 5 hours.

Remove from refrigerator 10 to 15 minutes before serving. Run knife around edge, dip mold briefly into warm water to loosen gelatin and invert onto serving dish. Serve with plain water wafers, thinly sliced French baguette or your favorite "carrier."

Serves: 8-10

Mousse de Hígados de Pollo

Prepare nuestra versión latina de este mousse y será la envidia de todos sus comensales. El hígado de pollo está colmado de nutrientes de los que se obtienen beneficios muy saludables.

Gelatina
1 sobre de grenetina sin sabor
1/2 taza de agua
1/2 taza de oporto
1 cubito de caldo de pollo
1/2 cucharadita de jugo de limón
4 tallos de cebollines verdes picados

Mousse
1 1/4 libras de hígados de pollo frescos y enjuagados (de estar disponible, se pueden utilizar hígado de pato o ganso o cualquier combinación de los tres)
1/2 taza de oporto y agua suficiente para apenas cubrir el hígado
1 1/2 tazas (3 barras) de mantequilla sin sal a temperatura ambiente
5 rociadas de salsa Tabasco con jalapeño
1 yema de huevo a temperatura ambiente
3 cucharadas de pimienta verde entera remojadas en agua caliente durante 10 minutos
1 lata (4 onzas) de aceitunas negras picadas

Gelatina
Engrasar un molde de 4x9 pulgadas con aceite de oliva. Disolver la grenetina en el agua y combinar con el oporto, el caldo de pollo, el jugo de limón y los cebollines verdes. Calentar hasta soltar el hervor. Retirar del fuego y vaciar en el molde engrasado para meterlo al congelador hasta que cuaje.

Mousse
En una olla mediana poner a cocer el hígado con oporto y suficiente agua para apenas cubrirlo, hasta que suelte el hervor. Disminuir el fuego y dejar hervir durante 10 minutos, retirar del fuego y escurrir. Colocar la mantequilla, la salsa Tabasco y la yema de huevo en la licuadora y ponerle la tapa. Comenzar a moler e inmediatamente agregar el hígado a través del orificio de la tapa. Continuar moliendo a alta velocidad durante 30-45 segundos hasta lograr una pasta uniforme.

Transferir la pasta a un tazón y mezclar bien con la pimienta entera y las aceitunas escurridas. Verter en el molde con la gelatina cuajada, cubrir con plástico adherente y refrigerar hasta el día siguiente o por lo menos durante 5 horas.

Sacar del refrigerador de 10 a 15 minutos antes de servir. Desprender los lados con un cuchillo, sumergir brevemente el fondo del molde en agua tibia para desprender la gelatina y volcar el mousse en un platón. Servir con galletas saladas, rebanadas de pan tipo baguette o cualquier otro pan al gusto.

Porciones: 8-10

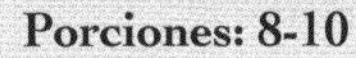

Chicken Wings in Sweet and Sour Blackberry Sauce

The combination of lime, soy sauce, vinegar and blackberries gives these chicken wings a slightly tangy but sweet flavor. A little messy to eat but every bite is worth the effort.

Sauce
1 cup soy sauce
1/4 cup apple cider vinegar
10 tablespoons ketchup
1 cup blackberry preserves
4 tablespoons lime juice
Sugar to taste

Chicken Wings
24 chicken wings; or 5 boneless chicken breasts, sliced lengthwise in 4 pieces; or 20 chicken tenderloins
Granulated chicken bouillon
Cornstarch
1 egg, slightly beaten
Oil for frying
Fresh raspberries or blackberries (optional)
Parsley or mint leaves for garnish

Sauce
In a medium saucepan, bring soy sauce, vinegar, ketchup, preserves, lime and sugar to a boil. Reduce heat and simmer for 10 minutes, stirring occasionally to prevent sticking. Set aside.

Chicken Wings
Preheat oven to 350 degrees. Dust chicken with bouillon and roll pieces in cornstarch. Coat one by one with egg. In a large skillet, heat oil and fry chicken pieces until golden brown. Remove to paper towel-lined plate to drain. Once cool, coat each piece with sauce and arrange in an ovenproof dish. Cover chicken pieces with remaining sauce and bake for about 30 minutes. Remove from oven and decorate with fresh berries, dipping them in sauce. Place dish back in oven and cook for a few minutes more to caramelize the fruit. Garnish with parsley or mint leaves.

Serves: 6-8

Alitas en Salsa Agridulce de Zarzamora

La combinación del limón, la salsa de soya, el vinagre y las moras, dan a estas alitas de pollo un sabor ácido y dulce a la vez. Se ensucian un poco las manos al comerlas, pero vale la pena el esfuerzo.

Salsa
1 taza de salsa de soya
1/4 de taza de vinagre de manzana
10 cucharadas de salsa catsup
1 taza de mermelada de zarzamora
4 cucharadas de jugo de limón
Azúcar al gusto

Alitas de Pollo
24 alitas de pollo ó 5 pechugas sin hueso, partidas a lo largo en cuatro tiras ó 20 filetes de pechuga
Consomé de pollo en polvo
Fécula de maíz (Maizena)
1 huevo ligeramente batido
Aceite suficiente para freír
Frambuesas o zarzamoras frescas (opcional)
Hojas de perejil o menta para adornar

Salsa
En una olla mediana hervir la salsa de soya, el vinagre, la catsup, la mermelada, el jugo de limón y el azúcar a fuego lento durante 10 minutos, moviendo frecuentemente para evitar que se pegue. Retirar del fuego y reservar.

Alitas de Pollo
Precalentar el horno a 175ºC (350ºF). Espolvorear las piezas de pollo con el consomé en polvo y cubrirlas individualmente con la fécula de maíz. Pasar una por una por el huevo batido y freír en una sartén con aceite hasta que doren. Colocarlas en un plato con papel absorbente para quitarles el exceso de grasa. Una vez frías sumergir cada una en la salsa y acomodar en un refractario. Bañar con el sobrante de la salsa y hornear durante media hora. Retirar del horno y adornar con las frutas frescas sumergiéndolas en la salsa. Hornear durante unos minutos más para que se acaramelen. Se pueden utilizar hojitas de menta o perejil chino para adornar.

Porciones: 6-8

Goat Cheese-Stuffed Dates

Many Latin cultures near the Mediterranean have long enjoyed goat cheese and dates. These stuffed dates are delicious served warm and make a nice complement when paired with a savory salad.

4 cups pitted dates
1 log (11 ounces) plain goat cheese
24 pieces thin bacon

Preheat oven to 350 degrees. Split dates and stuff with goat cheese. Cut bacon slices in half and wrap each date with a bacon slice. Place on a greased cookie sheet. Bake for 25 minutes and finish under broiler until crisp. Best served warm.

Yields: about 48 pieces

Dátiles Rellenos de Queso de Cabra

Desde hace mucho tiempo, muchas de las culturas latinas cercanas al Mediterráneo, han disfrutado el queso de leche de cabra. Estos dátiles rellenos y servidos en caliente, son un excelente complemento cuando se acompañan de una rica ensalada.

4 tazas de dátiles deshuesados
1 barra (11 onzas) de queso de cabra
24 rebanadas de tocino delgadas

Calentar el horno a 175°C (350°F). Rellenar los dátiles con el queso de cabra. Cortar las rebanadas de tocino a la mitad y envolver cada dátil relleno con media rebanada de tocino. Colocarlos en una charola para hornear engrasada con aceite vegetal. Hornear alrededor de 25 minutos, subir la temperatura del horno a asar y hornear hasta que estén crujientes. Se recomienda servirlos calientes.

Rinde: 48 piezas

Traditional Latin Ceviche

Traditional Latin Ceviche

Low fat and yet delicious. Ceviche is easy to serve for company since it can be prepared the day before.

1 1/2 pounds fresh fish fillets (trout, snapper or other similar fish)
Salt
Ground black pepper
Cajun seasoning
3-4 garlic cloves, pressed
Juice from 12-14 limes
3 cups Pico de Gallo (see recipe page 88)
2 avocados, pitted, peeled and cubed

Chop fish into bite-size pieces or thin strips and put in a large sealable plastic bag. Sprinkle with salt, pepper and Cajun seasoning. Add garlic and lime juice, and mix well. Marinate in refrigerator for at least 8 hours or overnight, turning occasionally.

Drain off juices and mix in Pico de Gallo. Gently stir in avocados. Serve in a martini glass or on a bed of lettuce with saltine crackers.

Serves: 8

Tip: If you are pressed for time, store-bought Pico de Gallo can be found in the produce section.

Ceviche Tradicional Latino

Bajo en grasa y sin embargo delicioso. El ceviche es un platillo que se puede preparar con anticipación y en cantidades grandes.

1 1/2 libras de filete de pescado (trucha, huachinango u otro similar)
Sal
Pimienta negra
Sazonador cajún
3-4 dientes de ajo prensados
Jugo de 12-14 limones
3 tazas de Pico de Gallo (página 88)
2 aguacates cortados en cuadritos

Cortar el pescado en trozos pequeños o tiritas delgadas y poner en una bolsa de plástico con cierre. Espolvorear con la sal, la pimienta y el sazonador cajún. Agregar el ajo, el jugo de limón y mezclar bien. Marinar en el refrigerador por lo menos 8 horas (o de un día para otro) volteando la bolsa ocasionalmente. Escurrir el líquido y mezclar con el pico de gallo. Añadir suavemente el aguacate y servir en copas de martini o sobre hojas de lechuga acompañado de galletas saladas.

Porciones: 8

Tip: Si se está presionado de tiempo, el pico de gallo se puede adquirir ya preparado en la sección de frutas y verduras de los supermercados.

Marinated Smoked Salmon

Marinated Smoked Salmon

Beautiful served as an appetizer but also perfect as part of Sunday brunch.

16 ounces smoked salmon
1/2 cup olive oil
2-3 limes
4 serrano chile peppers, seeded and finely chopped
1/2 red onion, finely chopped
2 tablespoons capers
Ground black pepper to taste
1/4 cup parsley, stems removed and finely chopped (optional)
8 ounces cream cheese
Small bagels or toasted bread

Place salmon on a large serving platter or tray with sides. Drizzle olive oil evenly all over and squeeze lime juice on top. In a small bowl, mix peppers, onions and capers, and sprinkle over salmon until well covered. Sprinkle with a pinch of black pepper and garnish with parsley if desired. Cover and marinate in refrigerator for 20 to 30 minutes before serving. Serve with cream cheese and toast points or toasted mini bagels.

Serves: 4-6

Tip: Chop serrano chile peppers, onions and parsley in advance. Assemble just before serving.

Salmón Ahumado Marinado

Riquísimo servido como entrada pero también es perfecto para un almuerzo dominguero.

16 onzas de salmón ahumado
1/2 taza de aceite de oliva
2-3 limones
4 chiles serranos sin semillas y finamente picados
1/2 cebolla morada finamente picada
2 cucharadas de alcaparras
Pimienta negra molida
1/4 taza de hojas de perejil picadas (opcional)
8 onzas de queso crema
Bagels pequeños o triangulitos de pan tostado

Colocar el salmón en un platón semi hondo. Rociarlo con el aceite de oliva y después con el jugo de los limones. Mezclar los chiles, la cebolla y las alcaparras y cubrir bien el pescado. Salpimentar y espolvorear el perejil al final. Cubrir y dejar que se marine en el refrigerador de 20 a 30 minutos antes de servir. Servir acompañado de queso crema y mini bagels o triangulitos de pan tostado.

Porciones: 4-6

Tip: Picar los chiles, la cebolla y el perejil por adelantado.

Bacon-Wrapped Jalapeño Shrimp

These are easy to prepare ahead of time. Store in the refrigerator until ready to broil. We promise that you won't have any leftovers!

1 can (26 ounces) whole chiles jalapeños
12 ounces cream cheese, softened
30 medium shrimp (about 1 pound), peeled and deveined
15 strips center-cut bacon, cut in half
60 toothpicks

Preheat oven to 500 degrees or broil setting. Wearing rubber gloves, cut each jalapeño in half lengthwise, and remove seeds and veins. Spread cream cheese into each half and top with a whole shrimp. Wrap pepper and shrimp with a piece of bacon and hold it together using 2 toothpicks. Place on a large cookie sheet with an edge or in 9x13 inch baking dish.

Broil on middle rack for 15 minutes. Turn pieces over and broil for 10 minutes longer. Instead of broiling in oven, they can also be cooked on a grill.

Serves: 10-12

Camarones con Jalapeño Envueltos en Tocino

Un entremés fácil de preparar con anticipación que se puede guardar en el refrigerador listo para ser horneado. Le prometemos que no sobrará nada.

1 lata (26 onzas) de chiles jalapeños enteros
12 onzas de queso crema
30 camarones medianos (más o menos 1 libra) pelados y desvenados
15 tiras de tocino cortadas a la mitad
60 palillos de dientes

Calentar el horno a 270°C (500°F) o el asador. Usando guantes de plástico, cortar los chiles jalapeños a la mitad a lo largo, quitarles las semillas y desvenarlos. Rellenar cada mitad con queso crema y poner un camarón entero encima. Envolver cada pieza con una tira de tocino y fijar con dos palillos. Acomodar los chiles en una charola para hornear con bordes o en un refractario de 9 x 13 pulgadas.

Asar en la parrilla del centro del horno durante 15 minutos. Voltear y asar durante 10 minutos más. También se pueden hacer a la parrilla.

Porciones: 10-12

Bacon-Wrapped Jalapeño Shrimp

Shrimp in Escabeche

Shrimp in Escabeche

Origins of the word *escabeche* remain mysterious. Historians believe it is Arabic but the recipes of this escabeche pickling sauce are widely found in Latin America. The key here is to marinate the shrimp overnight or longer to infuse this spicy, tangy sauce so it will magnify the flavors of the shrimp.

1 1/2 cups apple cider vinegar
1 garlic head, cloves peeled and whole
3 medium onions, thinly sliced
20 whole peppercorns
6 carrots, sliced in 1/8 inch rounds
1 teaspoon ground black pepper
1 cup olive oil
Salt to taste
1 can (7 ounces) chiles jalapeños en escabeche (pickled chiles jalapeños)
2/3 tablespoon ground oregano
2 bay leaves
2 limes, thinly sliced
4 pounds small shrimp

Advance preparation is required. In a small saucepan over medium high heat, boil vinegar, garlic, onions and peppercorns until onion is translucent. Add carrots, pepper, olive oil and salt, and simmer 5 minutes longer. Remove from heat and add jalapeño peppers, oregano, bay leaves and lime slices. Marinate overnight.

In a large pot, boil shrimp until pink. Remove from heat and allow to cool. Peel and devein shrimp. Refrigerate. Once cold, add to marinade and mix well. Check seasoning and serve as an appetizer or with green salad.

Serves: 12

Camarones en Escabeche

El origen del término *escabeche* sigue siendo un misterio. Los historiadores creen que es de origen arábigo pero recetas de este tipo abundan en América Latina. El secreto de nuestra receta es que los ingredientes se marinen desde el día anterior o aún más tiempo, para que se embeban de esta salsa que acentuará el sabor de los camarones.

1 1/2 tazas de vinagre de sidra o de manzana
1 cabeza de ajo, los dientes enteros y pelados
3 cebollas medianas rebanadas en rajas muy delgadas
20 pimientas negras enteras
6 zanahorias peladas y cortadas en rodajas de 1/8 de pulgada
1 cucharadita de pimienta negra molida
1 taza de aceite de oliva
Sal al gusto
1 lata (7 onzas) de chiles jalapeños en escabeche
2/3 de cucharada de orégano molido
2 hojas de laurel
2 limones en rebanadas muy delgadas
4 libras de camarón chico crudo

Preparación por adelantado requerida. El día anterior, a fuego medio alto hervir en vinagre los ajos, la cebolla y la pimienta negra hasta que la cebolla esté transparente. Agregar la zanahoria, la pimienta molida, el aceite de oliva y la sal, dejando que hierva por 5 minutos más. Retirar del fuego e incorporar los chiles enlatados con el orégano, el laurel y los limones. Marinar hasta el día siguiente.

En una olla grande, hervir los camarones hasta que tengan color rosado. Retirar del fuego y dejar enfriar. Una vez fríos, pelar, desvenar y agregar al escabeche, revolviendo bien para que se marinen. Rectificar la sazón y servir en frío como entremés o con una ensalada verde.

Porciones: 12

Shrimp and Poblano Quesadillas

A superb Mexican dish made with two traditional food staples – flour tortillas (common in the north) or corn tortillas (common in the south) and served with poblano chile peppers (originating from the State of Puebla, Mexico).

While poblanos tend to have a mild flavor, occasionally and unpredictably a poblano can have significant heat – a nice surprise!

1/2 white onion, chopped
2 tablespoons butter
1 pound small shrimp, peeled and deveined
8-10 poblano chile peppers, roasted, peeled, seeded (see recipe page 59) and thinly sliced
8 ounces cream cheese
1/2 cup grated Monterey Jack cheese
Granulated chicken bouillon or salt
12-16 flour tortillas

In a large skillet over medium heat, sauté onion with butter until softened. Add shrimp and poblanos, and continue cooking until shrimp turns pink. Add cream cheese and Monterey Jack cheese and stir frequently until melted. Add bouillon or salt to taste.

Using a large skillet on medium high heat, place a tortilla in middle of skillet and spoon enough shrimp and cheese mixture to cover tortilla, leaving a little space around edge to avoid overflow. Place another tortilla on top. Flip quesadilla with spatula until warm on both sides. Slice in 4 to 6 triangles and serve immediately. Repeat process for rest of quesadillas.

Serves: 6-8

Tip: Serve with Pico de Gallo (see recipe page 88) or Salsa Verde (see recipe page 89).

Quesadillas de Camarón y Poblano

Un excelente platillo mexicano, originario de Puebla, hecho a base de dos de los ingredientes más utilizados en la cocina mexicana: tortilla, que dependiendo de la región del país puede ser de harina (norte) o de maíz (sur), y chile poblano.

Aunque el chile poblano no suele ser muy picante, ocasionalmente nos puede sorprender.

1/2 cebolla blanca picada
2 cucharadas de mantequilla
8-10 chiles poblanos asados y cortados en rajas (página 59)
1 libra de camarón pequeño pelado y desvenado
8 onzas de queso crema
1/2 taza de queso Monterey Jack rallado
Consomé de pollo en polvo o sal al gusto
12-16 tortillas de harina

En una sartén saltear la cebolla en mantequilla hasta ponerse transparente. Agregar el camarón y las rajas de poblano y continuar cociendo hasta que el camarón se vuelva rosado. Añadir el queso crema y el queso Monterey Jack y continuar moviendo hasta que se derritan.

En un comal o plancha, a fuego medio alto, colocar una tortilla. Con una cuchara, poner suficiente mezcla en el centro de la tortilla sin que llegue a las orillas para evitar que se desborde. Poner otra tortilla encima y voltear la quesadilla con una espátula para que se caliente de los dos lados. Cortar en 4 ó 6 triángulos y servir inmediatamente.

Porciones: 6-8

Tip: Servir con Pico de Gallo (página 88) o Salsa Verde (página 89).

Fresh Poblano Chile Peppers

How to Roast Poblano Chile Peppers

Poblano chile peppers are almost always roasted, peeled and seeded. The two most common methods of roasting are over a gas stove or under the broiler.

Gas Stove: Arrange the peppers in a very hot skillet lined with heavy duty aluminum foil. Turn the peppers frequently to blacken evenly on all sides. This can also be done one pepper at a time directly over the gas flame, but take care not to burn yourself or damage the flesh of the pepper. Once blackened, remove and place in a sealed plastic bag for 10 to 15 minutes allowing peppers to steam in the bag until cooled. Peppers can also be wrapped tightly in aluminum foil to steam. Peel, seed and remove membrane. Follow instructions in the recipe you are using to determine if the peppers should be sliced, chopped or left whole.

Broiler: Preheat oven to broil. Arrange the peppers on the wire rack of a broiler pan and place in the oven 4 to 6 inches from the broiler element. Keep a close eye on the peppers and turn to blacken evenly on all sides. Place immediately in a plastic bag or wrapped tightly in foil, and allow to steam for about 10 minutes until skin is loosened. Peel, seed and remove membrane. Follow instructions in the recipe you are using to determine if the peppers should be sliced, chopped or left whole.

Cómo Asar Chiles Poblanos

Los chiles poblanos generalmente se preparan sin semillas, asados y pelados. Los dos métodos más comunes para asarlos son sobre una estufa de gas o bajo el asador del horno.

Estufa de Gas: Acomodar los chiles sobre una plancha bien caliente, forrada con papel aluminio grueso. Voltear los chiles frecuentemente para quemar por todos lados. Esto también puede lograrse colocando los chiles directamente a la flama, pero hay que tener cuidado de no quemarse ni dañar la carne de los chiles. Una vez quemados, meter los chiles en una bolsa de plástico sellada durante 10 ó 15 minutos, permitiendo que los chiles suelten vapor dentro de la bolsa hasta que se enfríen. Los chiles también se pueden envolver en papel aluminio para que suelten vapor. Pelar, sacar las semillas y desvenar. Siga las instrucciones de la receta que esté elaborando para determinar si los chiles deben rebanarse, picarse o dejarse enteros.

Asador: Precalentar el asador del horno. Acomodar los chiles sobre la rejilla de una charola para asar y coloque la charola de 4 a 6 pulgadas de distancia del asador. Vigilar los chiles y voltear para que se quemen por todos lados. Meter dentro de una bolsa de plástico o envolver en papel aluminio para que suelten vapor durante 10 minutos o hasta que la piel se haya desprendido. Pelar, sacar las semillas y desvenar. Siga las instrucciones de la receta que esté elaborando para determinar si los chiles deben rebanarse, picarse o dejarse enteros.

Cilantro Lime Shrimp

This is a great summer dish – quick and easy to prepare.

1 cup fresh lime juice
1/2 cup orange marmalade
8 garlic cloves, minced and mashed to a paste with 2 teaspoons kosher salt
1 cup cilantro leaves, finely chopped
10 tablespoons olive oil, divided
3 tablespoons soy sauce
1 1/2 teaspoons dried hot red pepper flakes
Salt and pepper to taste
2 pounds large shrimp, shelled, with tail and first section of shell intact

In a bowl, whisk together lime juice, marmalade, garlic paste, cilantro, 6 tablespoons olive oil, soy sauce, red pepper flakes, and salt and pepper to taste. Reserve 2/3 cup of sauce for dipping and set aside. In a large sealable plastic bag, combine shrimp and remaining mixture and marinate in refrigerator, turning often, for 1 hour.

Drain shrimp. In a large frying pan, heat 1 tablespoon oil over medium high heat. Sauté 1/4 of shrimp until cooked through and slightly browned. Remove to serving platter. Repeat 3 more times until all shrimp is cooked. Serve with reserved dipping sauce.

Serves: 8-10

Tips: Depending on your palate, add more or less of the red pepper flakes.
As a main course, this shrimp can be served over rice.

Camarones con Cilantro y Limón

Este es un increíble platillo de verano, fácil y rápido de preparar.

1 taza de jugo de limón fresco
1/2 taza de mermelada de naranja
8 dientes de ajo prensados y machacados con 2 cucharaditas de sal kosher
1 taza de cilantro finamente picado
10 cucharadas de aceite de oliva
3 cucharadas de salsa de soya
1 1/2 cucharadita de chiles rojos en hojuelas
Sal y pimienta al gusto
2 libras de camarón grande, pelados con cola y la última sección de la concha intacta

En un tazón batir a mano el jugo de limón, la mermelada de naranja, la mezcla de ajo y sal, el cilantro, 6 cucharadas de aceite de oliva, la salsa de soya, las hojuelas de chile, la sal y la pimienta.

Apartar 2/3 de taza de esta salsa para servir como dip más adelante. En una bolsa de plástico grande que pueda sellarse, combinar los camarones y el resto de la salsa. Marinar en el refrigerador volteándolos con frecuencia, durante 1 hora.

Escurrir los camarones en un colador. En una sartén grande calentar 1 cucharada de aceite a fuego medio alto. Saltear primero una cuarta parte de los camarones hasta que estén cocidos y ligeramente dorados. Transferir al platón donde se servirán y repetir el proceso con las otras tres cuartas partes del camarón. Servir acompañados de la salsa que se reservó.

Rinde: 8-10

Tip: Dependiendo del paladar de cada comensal, graduar la cantidad de las hojuelas de chile que se utilice. Como platillo principal los camarones pueden servirse en una cama de arroz.

Antojitos

3 chapter three

salads and salsas

Avocado, Cilantro and Red Onion Salad

Avocado, Cilantro and Red Onion Salad

Cilantro leaves are part of the coriander plant, but don't substitute coriander seeds for cilantro leaves since they don't taste at all similar.

1 garlic clove, minced
Juice from 2 limes
Pinch of sugar
1/4 cup extra-virgin olive oil
Kosher salt and ground black pepper
4 ripe but firm medium avocados
1/2 medium red onion, chopped
1/2 cup cilantro leaves

In a medium bowl, whisk garlic, lime juice, sugar and olive oil to make vinaigrette. Season with salt and pepper. Set aside.

Pit and peel avocados and cut into chunks. Transfer to a serving bowl or platter and add onion and cilantro leaves. Gently toss with vinaigrette to coat just before serving.

Serves: 4

Tip: For an extra special touch, serve in hollowed out avocado shells.

Ensalada de Aguacate, Cilantro y Cebolla

Las hojas de cilantro son parte de la planta del coriandro o culantro, sin embargo no se deben sustituir por la semillas del coriandro, ya que el sabor es totalmente diferente.

1 diente de ajo picado
Jugo de 2 limones
Pizca de azúcar
1/4 de taza de aceite de oliva extra-virgen
Sal kosher
Pimienta negra recién molida
4 aguacates medianos maduros, pero firmes
1/2 cebolla morada mediana picada
1/2 taza de hojas de cilantro

En un tazón mezclar el ajo, el jugo de limón, el azúcar y el aceite de oliva. Sazonar con sal y pimienta y reservar.

Cortar los aguacates pelados en cuadritos y colocar en una ensaladera. Integrar la cebolla y el cilantro. Aderezar antes de servir.

Porciones: 4

Tip: Para un toque especial, utilizar las cáscaras del aguacate para servir la ensalada.

Green Salad with Cilantro Dressing

A simple salad that is a nice complement to a spicy Latin dish.

Dressing
1 cup fresh cilantro leaves
2 cloves garlic
1 egg
1 tablespoon granulated chicken bouillon
1/4 cup white wine vinegar
1 cup olive oil

Salad
8 cups mixed greens, torn into bite-size pieces
1 cucumber, peeled and sliced
1 tomato, cut into wedges
1 green bell pepper, thinly sliced

Place all ingredients for dressing, except oil, in a blender. Puree and add oil gradually through hole on top.

Mix all vegetables in a salad bowl. Pour dressing over and toss.

Serves: 6

Tip: Cilantro Dressing also makes an excellent dip for vegetables as an appetizer.

Ensalada Verde con Aderezo de Cilantro

Una ensalada muy simple que es un gran complemento para un suculento y bien condimentado platillo latino.

Aderezo
1 taza de hojas de cilantro
2 dientes de ajo
1 huevo
1 cucharada de consomé de pollo en polvo
1/4 taza de vinagre de vino blanco
1 taza de aceite de oliva

Ensalada
8 tazas de lechugas finamente cortadas
1 pepino pelado y rebanado
1 jitomate cortado en octavos
1 pimiento morrón verde sin semillas cortado en rebanadas muy finas

Licuar todos los ingredientes del aderezo menos el aceite e incorporarlo muy despacio a través del orificio de la tapa.

En una ensaladera colocar y aderezar todas las verduras.

Porciones: 6

Tip: El aderezo es un dip excelente para comerse como botana con verduras crudas.

Jicama Salad with Tamarind Vinaigrette

Jicama Salad with Tamarind Vinaigrette

Tamarind is one of the most popular Latin ingredients used in Mexican cooking. Fresh tamarind can be found in many grocery store produce sections, but the tamarind sauce is definitely recommended for this vinaigrette. The remaining tamarind sauce can be used for fresh flavored water.

Vinaigrette
1/2 cup olive oil
1 cup mayonnaise
1 cup tamarind sauce (extract for making tamarind drink)
Juice of 3 limes
1/4 onion, finely chopped
1 teaspoon Maggi (found in the Asian or Latin section in the grocery store)
1 pinch of granulated chicken bouillon

Salad
1 large head or 2 hearts romaine lettuce, chopped
1 jicama, peeled and julienned
2 cups fried tortilla strips (store-bought or homemade)

Vinaigrette
In a blender, combine all ingredients and puree. Adjust seasoning to taste. Set aside in the refrigerator.

Salad
In a large bowl, mix lettuce, jicama and tortilla strips together. Add desired amount of dressing and toss well. Store extra dressing in refrigerator for 2 to 3 days.

Serves: 6-8

Tip: Romaine lettuce and jicama can be substituted with other types of greens as well as different vegetables like julienned carrots or cucumbers. If you can't find the tamarind sauce in your grocery store, then skip this recipe since no substitution ingredient works successfully.

Ensalada de Jícama con Vinagreta de Tamarindo

El tamarindo es uno de los ingredientes más populares en la cocina mexicana. El tamarindo fresco se puede encontrar en muchos supermercados, pero para hacer esta vinagreta se recomienda usar el concentrado de tamarindo. El remanente puede ser utilizado para hacer agua fresca de tamarindo.

Vinagreta
1/2 taza de aceite de oliva
1 taza de mayonesa
1 taza de concentrado de tamarindo (extracto para hacer agua de sabor tamarindo)
Jugo de 3 limones
1/4 de cebolla finamente picada
1 cucharadita de jugo Maggi
1 pizca de consomé de pollo en polvo

Ensalada
1 lechuga romana grande ó 2 corazones de lechuga picados
1 jícama pelada y cortada a la juliana*
2 tazas de tiras de tortilla frita

Vinagreta
Licuar todos los ingredientes de la vinagreta hasta lograr una mezcla espesa. Rectificar la sazón y guardar en el refrigerador.

Ensalada
En una ensaladera grande mezclar la lechuga, la jícama y las tiras de tortilla frita. Aderezar con la vinagreta al gusto y guardar el sobrante en el refrigerador por 2 ó 3 días más.

Porciones: 6-8

Tip: La lechuga romana y la jícama pueden ser substituidas por otros tipos de lechuga o verduras a la juliana* tales como zanahoria y pepino. El concentrado de tamarindo no es sustituible.

* En rajas muy delgadas.

Jicama Slaw

For centuries jicama has been a very popular vegetable in Mexico for its flavor and crunchy texture. It is now found in most American grocery stores, but in Mexico it's often found as a street food, sold sliced with a squeeze of lime and a shake of chili powder.

Salad
1 large jicama, peeled and julienned
2 carrots, peeled and julienned
1 large red bell pepper, cored and sliced very thin
3/4 head red cabbage, cored and thinly sliced
1/2 red onion, very thinly sliced lengthwise

Dressing
6 tablespoons olive oil
6 tablespoons rice vinegar
3 tablespoons fresh lime juice
1 tablespoon fresh cilantro, minced
1 teaspoon salt
1 teaspoon ground black pepper
1 teaspoon sugar
1/2 teaspoon chili powder
1 teaspoon dried red pepper flakes

Place vegetables in a large salad bowl. Combine oil, vinegar, lime juice, cilantro, salt, pepper, sugar, chili powder and red pepper flakes in a small bowl and whisk together. Add dressing to vegetables and let sit for 15 minutes, stirring 2 to 3 times.

Serves: 6-8

Tip: Don't be afraid to take your jicama to the deli section in the store and ask for it to be sliced very thin.

Ensalada de Jícama

Durante siglos, la jícama ha sido una verdura muy popular en México por su sabor y su textura. Puede encontrarla en casi todos los supermercados en los Estados Unidos, sin embargo en México la puede adquirir en establecimientos de comida popular donde se sirve con limón, sal y chile piquín.

Ensalada
1 jícama grande pelada y cortada en juliana*
2 zanahorias peladas y cortadas en juliana*
1 pimiento rojo desvenado, sin semillas y cortado en rajas muy delgadas
3/4 de una cabeza de col morada finamente rebanada
1/2 cebolla morada finamente rebanada a lo largo

Aderezo
6 cucharadas de aceite de oliva
6 cucharadas de vinagre de arroz
3 cucharadas de jugo de limón fresco
1 cucharada de cilantro fresco finamente picado
1 cucharadita de sal
1 cucharadita de pimienta negra molida
1 cucharadita de azúcar
1/2 cucharadita de chile piquín en polvo
1 cucharadita de chile seco en hojuelas

Colocar todas las verduras en una ensaladera grande. En otro recipiente, mezclar el aceite, el vinagre, el jugo de limón, el cilantro, la sal, la pimienta, el azúcar y los chiles. Añadir el aderezo a las verduras y dejar reposar 15 minutos moviendo 2 ó 3 veces.

Porciones: 6-8

Tip: Para mayor conveniencia pida le corten la jícama en rebanadas delgadas en la tienda.
* En rajas muy delgadas.

Almond, Arugula and Goat Cheese Salad

Radicchio has a slightly bitter taste but it blends beautifully in this salad with the sweetness of the apricot.

1/2 cup slivered almonds
1 large shallot, thinly sliced
3 tablespoons raspberry vinegar
6 cups baby arugula
2 heads Belgian endive, thinly sliced crosswise
1/2 small head of radicchio, cored and finely shredded
3 tablespoons extra-virgin olive oil
1 teaspoon fresh rosemary leaves
1/2 teaspoon fresh thyme leaves
3 tablespoons apricot preserves
Kosher salt and ground black pepper
1 log (8 ounces) fresh goat cheese, cut into 8 rounds

Preheat oven to 350 degrees. Spread almonds in a single layer on a baking sheet and toast until golden, about 10 minutes. Let cool.

In a small bowl, mix shallots and vinegar; let stand for 10 minutes. In a large bowl, toss arugula, endive, radicchio and almonds. In a medium skillet, heat oil, rosemary and thyme over medium heat until they sizzle, about 2 minutes. Stir in preserves and cook until melted. Add shallot and vinegar mixture and cook over low heat until warmed, about 30 seconds. Season with salt and pepper. Let dressing cool slightly, pour over greens and toss. Mound salad on plates, arrange 2 rounds of goat cheese on each plate and serve.

Serves: 4

Ensalada de Almendra, Arúgula y Queso de Cabra

La achicoria, radicchio, radicha o diente de león, tiene un ligero sabor amargo que encaja perfectamente con lo dulce del chabacano.

1/2 taza de almendras rebanadas
1 chalote grande rebanado
3 cucharadas de vinagre de frambuesa
6 tazas de arúgula tierna
2 cabezas de endivias belgas rebanadas finamente a lo ancho
1/2 cabeza pequeña de achicoria rebanada finamente
3 cucharadas de aceite de oliva extra virgen
1 cucharadita de hojas de romero fresco
1/2 cucharadita de hojas de tomillo frescas
3 cucharadas de mermelada de chabacano
Sal kosher y pimienta negra molida
1 pieza de queso de cabra fresco (8 onzas) cortado en 8 rebanadas

Precalentar el horno a 175°C (350°F). Esparcir las almendras en una sola capa en una charola para hornear y tostarlas 10 minutos, hasta que doren. Dejar enfriar.

En un tazón pequeño, mezclar el chalote y el vinagre y dejar reposar 10 minutos. En un tazón grande, mezclar las hojas de arúgula, las endivias, la col y las almendras. En una sartén mediana, a fuego medio, calentar el aceite con el romero y el tomillo durante dos minutos o hasta que comiencen a chisporrotear. Agregar la mermelada moviendo hasta que se derrita. Incorporar la mezcla del chalote y vinagre y cocinar a fuego lento por 30 segundos más hasta que se caliente. Sazonar con sal y pimienta. Enfriar el aderezo ligeramente, bañar la ensalada y mezclar bien. Servir en platos individuales con dos rebanadas de queso encima.

Porciones: 4

Hearts of Palm Salad

Zucchinis are found in recipes all over the world. In Mexico, their flower, called flor de calabaza, is frequently the main ingredient or at least one that gives the dish a unique tasty flavor. Although served as a vegetable, zucchinis are actually a fruit!

Salad
2 cups thinly sliced zucchini
1 can (14 ounces) hearts of palm, drained and thinly sliced
2 cups cherry or grape tomatoes, halved
1/2 cup blue cheese, crumbled

Dressing
2/3 cup vegetable oil
1/4 cup white vinegar
2 cloves garlic, minced
1 teaspoon salt
1 teaspoon dry mustard
1 teaspoon ground black pepper
Red tip lettuce for serving

Lay vegetables in a ceramic or glass pan. Whisk dressing ingredients together and pour over sliced vegetables. Marinate in refrigerator for up to 8 hours. To serve, drain dressing and spoon vegetables over red tip lettuce. Sprinkle blue cheese over top.

Serves: 6-8

Tip: Ideal recipe for entertaining since it can be prepared the day before and assembled just before serving.

Ensalada de Corazón de Palmito

Las calabacitas son conocidas en todo el mundo. En México, su flor, conocida como flor de calabaza, es frecuentemente el ingrediente principal o por lo menos, es el que le da un sabor único al platillo. Aunque se sirven como verdura, las calabacitas pertenecen al grupo de las frutas.

Ensalada
2 tazas de calabacitas en rebanadas muy delgadas
1 lata (14 onzas) de corazones de palmito escurridos y en rebanadas muy delgadas
2 tazas de jitomates cherry cortados a la mitad
1/2 taza de queso roquefort desmoronado

Aderezo
2/3 de taza de aceite vegetal
1/4 de taza de vinagre blanco
2 dientes de ajo finamente picados
1 cucharadita de sal
1 cucharadita de mostaza
1 cucharadita de pimienta negra molida
Lechuga de punta roja para servir

Colocar las verduras en un recipiente de vidrio o de cerámica. Agregar el aderezo a las verduras ya cortadas y dejar marinar en el refrigerador por un periodo de hasta 8 horas. Al momento de servir, acomodar las verduras dentro de las hojas de lechuga y bañar con el aderezo. Adornar con el queso roquefort.

Porciones: 6-8

Tip: Esta es una excelente receta para ofrecer a sus invitados, ya que se puede preparar desde el día anterior y sólo decorarla al momento de servir.

Hearts of Palm Salad

Cucumber and Tomatillo Salad

Tomatillos are not green tomatoes although they look similar. A staple of Mexican cooking, tomatillos are usually boiled and used to make green salsas, but they make a unique addition to this salad.

4 large cucumbers, peeled and chopped into 1/4 inch cubes
3 medium tomatillos, husked, rinsed and chopped into 1/4 inch cubes
1/2 cup white onion, finely chopped
1/2 teaspoon kosher salt
1/2 teaspoon ground black pepper
1 tablespoon olive oil
Juice of 1 lime
1/2 cup feta cheese or queso fresco, crumbled

Combine cucumbers, tomatillos, onion, salt and pepper in a bowl. Add olive oil and lime juice and stir until well combined. Add cheese and toss gently. Cover and chill for 30 minutes before serving.

Serves: 6

Tip: Also delicious on mini tostadas for an appetizer.

Ensalada de Pepino y Tomatillos

Los tomatillos no son jitomates verdes aunque se vean iguales. Como ingrediente básico de la cocina mexicana, los tomatillos o tomates verdes son generalmente cocidos en agua y utilizados en la elaboración de la salsa verde. En esta receta los tomatillos van en crudo, dándole un toque increíble a la ensalada.

4 pepinos grandes pelados y partidos en cuadritos de 1/4 de pulgada
3 tomatillos medianos sin cáscara y cortados en cuadritos de 1/4 de pulgada
1/2 taza de cebolla finamente picada
1/2 cucharadita de sal kosher
1/2 cucharadita de pimienta negra molida
1 cucharada de aceite de oliva
Jugo de 1 limón
1/2 taza de queso feta o fresco

Mezclar los pepinos, los tomatillos, la cebolla, la sal y la pimienta en un recipiente para ensaladas. Agregar el aceite de oliva y el jugo del limón hasta que queden bien integrados. Añadir el queso y revolver gradualmente. Cubrir y refrigerar por 30 minutos antes de servir.

Porciones: 6

Tip: Esta ensalada también puede servirse con mini tostadas como entremés.

Romaine and Avocado Salad with Soy Lime Vinaigrette

Soy and lime are used in many Latin recipes, particularly to marinate dishes as well as to give them a slightly tart taste.

Dressing
Juice of 3 limes
1/2 cup soy sauce
2/3 cup olive oil
2 cloves garlic, pressed
1 teaspoon granulated chicken bouillon

Salad
6-8 cups romaine lettuce
1/2 cup hearts of palm, sliced in 1/4 inch rounds
1-2 carrots, peeled and sliced in 1/8 inch rounds
1/4 large red onion, thinly sliced
1 cup queso fresco or feta cheese, crumbled
1 large avocado, pitted, peeled and sliced

Dressing
Combine all ingredients in a jar or dressing container with a tight-fitting lid. Shake well and refrigerate 1 hour before serving.

Salad
Place lettuce, hearts of palm, carrots and red onion in a salad bowl. Add desired amount of dressing and toss. Add cheese and avocado when ready to serve and gently toss.

Serves: 6

Tips: This dressing is also an excellent marinade for chicken, pork or fish. The dressing will look as if it has clotted after refrigeration, but once thawed and shaken, it will be ready to serve.

Ensalada de Lechuga Romana y Aguacate con Vinagreta de Soya y Limón

La salsa de soya y el limón son utilizados en múltipes recetas en latinoamérica principalmente para marinar y darle a sus platillos un ligero sabor agrio.

Aderezo
Jugo de 3 limones
1/2 taza de salsa de soya
2/3 de taza de aceite de oliva
2 dientes de ajo machacados
1 cucharadita de consomé de pollo en polvo

Ensalada
6-8 tazas de lechuga romana
1/2 taza de corazones de palmito en rodajas de 1/4 de pulgada
1-2 zanahorias peladas y cortadas en rodajas de 1/8 de pulgada
1/4 de cebolla morada grande finamente rebanada
1 taza de queso fresco o feta desmoronado
1 aguacate grande cortado en rebanadas

Aderezo
Combinar todos los ingredientes en un recipiente con tapa hermética. Agitar bien y refrigerar durante una hora antes de servir.

Ensalada
Colocar la lechuga, los corazones de palmito, las zanahorias y la cebolla en un recipiente para ensaladas y agregar suficiente aderezo. Añadir el queso y el aguacate al momento de servir.

Porciones: 6

Tip: Este aderezo puede utilizarse para marinar pollo, cerdo o pescado. Una vez refrigerado el aderezo parecerá que está muy espeso, sin embargo, una vez que lo saque y lo agite bien, estará listo para servirse.

Nopales Salad

Nopales are tender cactus leaves and enjoy the same popularity as beans all over Mexico. For their abundant fiber content and vitamins, they are an important ingredient in the nutritional diet of the Mexican people. Cooked or raw, nopales are prepared in a great variety of forms, mostly as side dishes.

Salad
2 tablespoons vegetable oil
3 cloves garlic, finely chopped
1 pound nopales (3 or 4), cleaned and cut into 1/4 inch pieces
1/4 cup white onion, finely chopped
2 serrano chile peppers, thinly sliced crosswise
3/4 pound ripe tomatoes, sliced
6 green onions, thinly sliced including tender green parts
4 tablespoons fresh cilantro, minced
6 leaves from 1 head romaine lettuce
1 cup queso fresco or mild feta cheese
Sea salt

Dressing
1 teaspoon dried oregano, preferably Mexican
1 teaspoon Dijon mustard
2 tablespoons cider vinegar
2 tablespoons canola oil
Pinch of sea salt
Pinch of sugar

In a large, heavy skillet, heat oil over medium heat. Add garlic and sauté for several seconds until fragrant. Stir in nopales, onions and peppers. Cover and cook, stirring occasionally, until nopales are almost tender, about 15 minutes. Nopales will give off a sticky substance but most of it will disappear with longer cooking. Uncover and continue to cook until sticky residue has dried up, about 15 minutes longer. Season to taste with sea salt.

While nopales are cooking, make dressing. In a small bowl, whisk together oregano, mustard and vinegar. Whisk in oil, sea salt and sugar. Place warm nopales in a bowl and quickly whisk the dressing to recombine, and then pour over nopales. Toss to coat. Add tomatoes and green onions, mixing gently so all vegetables are coated with dressing. Just before serving, add cilantro. Toss gently to mix.

Line each plate with a romaine leaf and top each leaf with a scoop of nopales mixture. Sprinkle cheese evenly over the salads. Serve immediately.

Serves: 6

Tip: If fresh nopales are unavailable, substitute 1 jar (30 ounces) of nopales, drained and rinsed. Add them after the garlic, onion and peppers have cooked for 5 minutes.

Ensalada de Nopales

El nopal es una planta de la familia de las cactáceas, que al igual que el frijol, es muy popular en todo México. Por su elevado contenido en fibra y vitaminas, es un ingrediente muy nutritivo en la dieta alimenticia mexicana. Los nopales, cocidos o frescos, se pueden preparar de diferentes maneras y principalmente se sirven como guarnición de su plato preferido.

Ensalada
2 cucharadas de aceite de canola o vegetal
3 dientes de ajo finamente picados
1 libra de nopales (3 ó 4) limpios y cortados en cuadritos de 1/4 de pulgada
1/4 de taza de cebolla blanca finamente picada
2 chiles serranos cortados en rebanadas diagonales
3/4 de libra de jitomates maduros en rebanadas
6 cebollines verdes en rebanadas delgadas incluyendo la parte suave del tallo
4 cucharadas de cilantro fresco finamente picado
6 hojas de lechuga romana
1 taza de queso fresco o queso feta suave
Sal al gusto

Aderezo
1 cucharadita de orégano seco
1 cucharadita de mostaza tipo Dijon
2 cucharadas de vinagre de sidra
2 cucharadas de aceite de canola o vegetal
Pizca de sal de mar
Pizca de azúcar

En una sartén grande gruesa, calentar el aceite a fuego medio. Saltear el ajo ligeramente por unos segundos. Agregar los nopales, los cebollines y los chiles. Tapar y cocer alrededor de 15 minutos, moviendo ocasionalmente, hasta que los nopales se suavicen. Estos van a soltar un líquido pegajoso que desaparecerá con el cocimiento. Destapar la sartén y continuar cociendo por 15 minutos más, hasta que se seque este líquido. Sazonar con sal al gusto.

Mientras los nopales se están cociendo, preparar el aderezo en un recipiente pequeño mezclando el orégano, la mostaza y el vinagre. Agregar el aceite, una pizca de sal y el azúcar. Pasar los nopales recién cocidos a un recipiente y aderezar, agitando el aderezo para que se reintegren los ingredientes. Agregar los jitomates y los cebollines y revolver todo con cuidado. Justo antes de servir, agregar el cilantro y revolver nuevamente.

Poner los nopales sobre hojas de lechuga romana y adornar con queso al momento de servir. Servir de inmediato.

Porciones: 6

Tip: Si no puede encontrar nopales frescos, sustitúyalos con nopales de lata previamente enjuagados y escurridos. Agréguelos después de que el ajo, la cebolla y los chiles se hayan freído por 5 minutos.

Nopales Salad

Chile Pasilla and Queso Blanco Salad

Pasilla (pronounced pah-SEE-yah) means "little raisin" but it's nothing like a raisin. A true pasilla is the dried form of a long and narrow chilaca pepper. It can be mild but is also just as likely to be spicy.

Dressing
1/2 cup olive oil
1/8 cup lime juice
2 garlic cloves, pressed
1/2 cup mayonnaise
1/2 teaspoon ground black pepper
1/4 cup soy sauce
1/3 cup Worcestershire sauce
Salt and pepper to taste

Salad
2-3 dried pasilla chile peppers, cut in thin strips
2-3 corn tortillas, cut in strips
Oil for frying
6-8 cups field greens
Panela or fresh cheese, diced
1 ripe but firm avocado, pitted, peeled and diced
Cherry or grape tomatoes (optional)

For dressing, mix all ingredients in a blender and season with salt and pepper. Fry pepper strips, remove from pan and then fry tortilla strips in same oil. Drain and put on paper towels to absorb excess oil. Arrange greens in a serving bowl and garnish with tortilla and pepper strips, cheese, avocado and tomatoes. Drizzle dressing on top and serve.

Serves: 4-6

Tip: If dried pasilla chile peppers are unavailable, substitute dried ancho chile peppers.

Ensalada de Chile Pasilla y Queso Blanco

El chile pasilla, que significa pasa pequeña, no tiene nada que ver con la pasa. Cuando el chile chilaca se ha secado, se le da el nombre de chile pasilla. Éste puede ser poco o muy picoso.

Aderezo
1/2 taza de aceite de oliva
1/8 de taza de jugo de limón
2 dientes de ajo machacados
1/2 taza de mayonesa
1/4 de cucharadita de pimienta negra molida
1/2 taza de salsa de soya
1/3 de taza de salsa inglesa
Sal y pimienta al gusto

Ensalada
2-3 chiles pasilla cortados en rajas delgadas
2-3 tortillas de maíz cortadas en tiras
Aceite para freír
6-8 tazas de lechugas mixtas para ensalada
Queso panela o fresco cortado en cubitos
1 aguacate maduro y firme cortado en cubitos
Tomates cherry (opcional)

Aderezo
Licuar todos los ingredientes con sal y pimienta al gusto. Freír las rajas de chile y sacarlas. Freír las tortillas en el mismo aceite, escurrirlas y ponerlas sobre toallas de papel absorbente para quitar el exceso de grasa. Colocar las lechugas en un recipiente para ensaladas, adornar con las tortillas, los chiles, el queso, el aguacate y los tomates. Aderezar y servir.

Porciones: 4-6

Tip: Si no puede conseguir chile pasilla, reemplazarlo por chile ancho seco.

Chile Pasilla and Queso Blanco Salad

Romaine and Watercress Salad with Tangy Garlic Vinaigrette

A crunchy, tangy salad that is very easy to prepare for a crowd.

Dressing
5 cloves garlic, halved
2 teaspoons salt
4 tablespoons fresh lemon juice
1/2 teaspoon sugar
1/2 teaspoon ground black pepper
1/4 teaspoon celery seed
1 teaspoon páprika
1 1/2 teaspoons dry mustard
1/2 cup plus 2 tablespoons vegetable oil

Salad
1 large heart of romaine, torn into bite-size pieces
1 bunch watercress, course stems discarded
1 cup cauliflower, finely chopped and chilled
1 medium tomato, cored, chopped and chilled
1 avocado, pitted, peeled and cubed
1 cup sliced almonds, toasted

Dressing
Combine all ingredients except oil in a blender and puree. Add oil and blend again until oil is combined and dressing thickens slightly.

Salad
In a large salad bowl, combine lettuces, cauliflower and tomato. Pour dressing over salad and toss. Add avocado and almonds and gently toss again.

Serves: 6-8

Tip: To toast the almonds, preheat the oven to 350 degrees. Place the almonds in a single layer on a baking sheet and cook them until golden brown, about 10 minutes. Let cool before adding them to salad.

Ensalada de Lechuga Romana y Berro con Vinagreta de Ajo

Una ensalada crujiente, ligeramente picosita y fácil de preparar para una multitud.

Aderezo
5 dientes de ajo partidos a la mitad
2 cucharaditas de sal
4 cucharadas de jugo de limón
1/2 cucharadita de azúcar
1/2 cucharadita de pimienta negra molida
1/4 de cucharadita de semilla de apio
1 cucharadita de páprika
1 1/2 cucharadita de mostaza en polvo
1/2 taza más 2 cucharadas de aceite vegetal

Ensalada
1 lechuga romana grande en trozos pequeños
1 ramillete de berros sin tallo
1 taza de coliflor finamente picada
1 jitomate mediano sin semillas picado
1 aguacate cortado en cubitos
1 taza de almendras rebanadas y tostadas

Aderezo
Licuar todos los ingredientes excepto el aceite hasta obtener un puré. Agregar el aceite y licuar bien, hasta que el aderezo esté ligeramente espeso.

Ensalada
En un recipiente grande para ensaladas, combinar la lechuga, el berro, la coliflor y el jitomate. Agregar el aderezo y mezclar bien. Integrar el aguacate y las almendras y revolver ligeramente.

Porciones: 6-8

Tip: Para tostar las almendras, precalentar el horno a 175°C (350°F). Acomodarlas en una charola para hornear y meter al horno aproximadamente 10 minutos o hasta que se doren un poco. Dejarlas enfriar antes de añadirlas a la ensalada.

Apple Salad

Pine nuts are often an expensive luxury ingredient that adds flavor and richness to salads, pestos and desserts. Unlike many other harvested nuts, pine nuts are generally picked by hand.

4 cups heavy whipping cream, cold
2 tablespoons sugar
6-8 large apples, cored, peeled and cubed
2 cups fresh pineapple, peeled, cored and cubed
1 bag (3 ounces) pine nuts, toasted

In a mixer, whip cream, gradually adding sugar until soft peaks form. Gently stir in apples, pineapple and pine nuts until thoroughly combined. Refrigerate and serve cold.

Serves: 8-10

Ensalada de Manzana

Los piñones por lo general son un ingrediente costoso que agregan sabor y riqueza a ensaladas, pestos y postres. A diferencia de otro tipo de nueces, éstos por lo general son seleccionados a mano.

4 tazas de crema fría para batir
2 cucharadas de azúcar
6-8 manzanas grandes peladas y cortadas en pequeños trozos
2 tazas de piña fresca cortada en pequeños trozos
1 bolsita (3 onzas) de piñones tostados

Batir la crema fría y agregar el azúcar gradualmente hasta formar picos. Posteriormente, agregar las manzanas, la piña y los piñones y revolver todo muy bien. Refrigar y servir .

Porciones: 8-10

Christmas Salad

A traditional Mexican salad served during the Christmas holidays. The beautiful colors are a great addition to a table set for the occasion!

4 navel oranges
1 large red grapefruit
3 cups jicama, peeled and cubed
1/4 cup red radishes, sliced thinly
1 1/2 teaspoons lime zest
4 tablespoons fresh lime juice
3 tablespoons plain yogurt
2 tablespoons mayonnaise
1 1/2 tablespoons honey
1/2 teaspoon ground black pepper
Pinch of salt
4 cups romaine lettuce, chopped
1 cup pomegranate seeds
3 tablespoons unsalted pumpkin seed kernels, toasted
2 tablespoons fresh cilantro, chopped

Peel and section oranges and grapefruit. In a large bowl, cut into bite-size pieces, reserving juice. Add jicama and radishes to orange mixture, tossing gently. Cover and chill for 30 minutes.

Mix lime zest, lime juice, yogurt, mayonnaise, honey, pepper and salt until smooth. Arrange lettuce in a large bowl and, using a slotted spoon, place orange mixture over lettuce and drizzle evenly with yogurt dressing. Sprinkle with pomegranate seeds, pumpkin kernels and cilantro.

Serves: 8

Tip: Christmas meals are usually time consuming but this recipe allows you to chop the oranges, grapefruit, jicama, and radishes ahead of time and store in a cool place.

Ensalada de Noche Buena

Esta es una ensalada tradicional en México que se sirve durante las fiestas Navideñas. Sus hermosos colores son el toque perfecto a su mesa para la ocasión.

4 naranjas
1 toronja roja grande
3 tazas de jícama pelada y picada en cuadritos
1/4 de taza de rábanos en rebanadas delgadas
1 1/2 cucharaditas de ralladura de limón
4 cucharadas de jugo de limón
3 cucharadas de yogurt natural
2 cucharadas de mayonesa
1 1/2 cucharadas de miel de abeja
1/2 cucharadita de pimienta negra molida
Pizca de sal
4 tazas de lechuga romana picada
1 taza de granos de granada
3 cucharadas de semillas de calabaza sin sal y tostadas
2 cucharadas de cilantro fresco picado

Pelar y separar en gajos las naranjas y la toronja. Ponerlas en un recipiente hondo cortadas en pequeños trozos reservando el jugo. Agregar la jícama y los rábanos. Mezclar todo, tapar y refrigerar por unos 30 minutos.

En otro recipiente, mezclar el jugo de limón, la ralladura de limón, el yogurt, la mayonesa, la miel, la sal y la pimienta hasta obtener una mezcla uniforme. Colocar la lechuga en un recipiente para ensaladas y con una cuchara ranurada, servir la mezcla de las naranjas a la lechuga. Agregar el aderezo de yogurt. Adornar con los granos de granada, las semillas de calabaza y el cilantro.

Porciones: 8

Tip: La preparación de los platillos navideños suele ser muy laboriosa y lleva mucho tiempo, sin embargo esta receta le permite preparar y cortar las frutas con anticipación y guardarlas en el refrigerador.

Christmas Salad

Spinach and Raspberry Salad with Grilled Chicken or Tofu

Although tofu is often thought of as an Asian ingredient, Brazil and Argentina produce almost half of the world's supply of soybeans.

Dressing

2 tablespoons raspberry vinegar
1 tablespoon balsamic vinegar
1 tablespoon soy sauce
1 teaspoon Dijon mustard
1 1/2 teaspoons fresh peeled ginger root, minced
1 garlic clove, mashed to a paste with 1/4 teaspoon salt
1/4 teaspoon chili powder
1/4 teaspoon ground black pepper or to taste
1/3 cup extra virgin olive oil

Salad

1 whole, skinless, boneless chicken breast (3/4 pound), halved, or 1 block (14 ounces) firm tofu, drained
1 bunch baby spinach (3/4 pound), coarse stems removed and leaves washed and spun dry
6 cherry tomatoes
2/3 cup fresh raspberries
4 green onions, finely chopped
1/4 cup walnuts, toasted and chopped coarsely

Dressing
In a bowl, whisk together all dressing ingredients, adding oil at the end in a stream, whisking until emulsified. Dressing may be made 2 days ahead, covered and chilled.

Salad
Coat chicken or tofu with 3 tablespoons of dressing in a shallow glass or ceramic bowl. Marinate, chilled and covered, for 2 hours.

Chicken
Heat a grill pan over moderately high heat until hot, but not smoking, and grill chicken until cooked through, about 7 minutes on each side. Transfer chicken to a platter and cool. Chicken may be made up to this point 1 day ahead, covered and chilled.

or

Tofu
Cut tofu crosswise into 6 slices. Spread on three layers of paper towels and cover with another three layers. Weight with a shallow baking pan or baking sheet and let stand for 2 minutes. Repeat process with dry paper towels 2 more times. Coat tofu with 3 tablespoons of dressing in a shallow glass or ceramic bowl. Marinate, chilled and covered, for 2 hours.

Heat a grill pan over moderately high heat until hot, but not smoking. Lift tofu from marinade with a slotted spatula (reserve marinade) and grill, turning over once carefully, until grill marks appear and tofu is heated through, about 4 to 6 minutes per side.

Cut chicken or tofu into 1/4 inch slices, and combine with remaining ingredients in a large bowl. Drizzle dressing over salad and toss gently to combine well.

Serves: 2

Ensalada de Espinacas y Frambuesas con Pollo o Tofu

A pesar de que muchos piensan que la planta de la soya es procedente de Asia, Brasil y Argentina elaboran el 50% de la producción mundial.

Aderezo

2 cucharadas de vinagre de frambuesa
1 cucharada de vinagre balsámico
1 cucharada de salsa de soya
1 cucharadita de mostaza de Dijon
1 1/2 cucharaditas de jengibre fresco pelado y picado
1 diente de ajo machacado con 1/4 de cucharadita de sal
1/4 de cucharadita de chile en polvo
1/4 de cucharadita de pimienta negra molida o al gusto
1/3 de taza de aceite de oliva extra virgen

Ensalada

1 pechuga de pollo (3/4 de libra) sin piel, deshuesada y partida a la mitad ó 1 bloque de tofu (14 onzas)
1 ramillete (3/4 de libra) de espinacas tiernas sin tallo, lavadas y secas
6 jitomates cherry
2/3 de taza de frambuesas frescas
4 cebollines verdes finamente picados
1/4 de taza de nuez de Castilla tostada y picada

Aderezo

En un recipiente hondo usando un batidor de globo, mezclar todos los ingredientes del aderezo añadiendo el aceite al último en forma de hilo. Continuar batiendo hasta que los ingredientes se integren. El aderezo se puede preparar con dos días de anticipación dejándolo tapado y refrigerado.

Ensalada

En un recipiente de vidrio o de cerámica, marinar el pollo o tofu con 3 cucharadas del aderezo, tapar y refrigerar por 2 horas. Calentar una parrilla gruesa a fuego medio alto hasta que esté bien caliente.

Pollo

Calentar una parrilla a fuego alto hasta que esté muy caliente y cocer el pollo aproximadamente 7 minutos de cada lado. Poner el pollo en un platón y dejar enfriar. Todo lo anterior puede preparase con un día de anticipación, manteniendo el pollo cubierto y refrigerado.

Tofu

Cortar el tofu transversalmente en seis rebanadas y colocarlas sobre tres capas de toallas de papel y cubrir con otras tres toallas más. Prensar el tofu con una charola para hornear por 2 minutos. Volver a repetir el proceso dos veces más utilizando toallas secas. En un recipiente de cristal o cerámica, agregar 3 cucharadas del aderezo al tofu y dejarlo marinar tapado en el refrigerador, durante 2 horas.

Calentar una parrilla gruesa a fuego medio alto hasta que esté bien caliente. Con una espátula acanalada sacar el tofu del recipiente, conservando el aderezo, y colocar en la parrilla donde se va a asar. Voltear una sola vez con cuidado hasta que aparezcan las marcas de la parrilla y esté bien caliente, aproximadamente de 4 a 6 minutos de cada lado.

Cortar el pollo y/o el tofu en rebanadas de 1/4 de pulgada y combinar con el resto de los ingredientes en un recipiente hondo. Agregar el aderezo y revolver suavemente hasta mezclar todo muy bien.

Porciones: 2

Mexican Chicken Salad

Fresh cilantro and serrano chiles make this recipe a Latin favorite!

Dressing
1 large avocado, ripe but firm, pitted, peeled and cubed
1 cup sour cream
1/3 cup fresh lime juice
2 garlic cloves, chopped
1 jalapeño, stemmed, seeded and quartered
1 1/2 teaspoons salt
1/2 teaspoon ground black pepper

Salad
4 cups cooked chicken, shredded in bite-size pieces
1 pound jicama, peeled and julienned
4 green onions, finely chopped
1/2 cup cilantro leaves, chopped
1-2 serrano chile peppers, seeded and finely chopped
4-6 large lettuce leaves (butter or red tip lettuce)

In a blender, puree dressing ingredients until smooth. Set aside. In a large salad bowl, toss chicken, jicama, green onions, cilantro and peppers with dressing until combined. Serve over a large leaf of lettuce.

Serves: 4-6

Tip: This salad can be prepared ahead of time, but keep the dressing and salad ingredients separate, combining them just before serving.

Ensalada de Pollo Mexicana

El cilantro y los chiles serranos hacen de esta receta una delicia con sabor latino.

Aderezo
1 aguacate grande maduro y firme cortado en cuadritos
1 taza de crema agria
1/3 taza de jugo de limón
2 dientes de ajo picados
1 jalapeño sin rabo y sin semillas cortado en 4 trozos
1 1/2 cucharaditas de sal
1/2 cucharadita de pimienta negra molida

Ensalada
4 tazas de pollo cocido cortado en cubos de 1/2 pulgada
1 libra de jícama pelada y cortada en juliana*
4 cebollines verdes finamente picados
1/2 taza de hojas de cilantro picadas
1-2 chiles serranos sin semillas y finamente picados
4-6 hojas de lechuga grandes (mantequilla o de punta morada)

Licuar todos los ingredientes del aderezo hasta obtener una mezcla espesa. En una ensaladera grande, mezclar el pollo, la jícama, los cebollines, el cilantro y los chiles con el aderezo hasta que todos los ingredientes estén bien integrados. Servir sobres las hojas de lechuga.

Porciones: 4-6

Tip: Los ingredientes pueden ser preparados con anticipación pero deben mantenerse por separado e integrarlos justo antes de servirlos.
* En rajas muy delgadas.

Mango, Avocado and Shrimp Salad

Avocados will brown when exposed to air and lose their beautiful green color. Lime juice prevents the discoloration but it won't ripen a hard avocado.

Juice of 3 limes
2 tablespoons vegetable oil
1 tablespoon sugar
2/3 cup green onions, chopped
1-2 chiles jalapeños, seeded and minced
1 pound shrimp, cooked, peeled and deveined
2 large ripe but firm mangos
2 large ripe but firm avocados
Salt and pepper to taste

In a large bowl, whisk together lime juice, oil and sugar until dissolved. Add green onions, jalapeño and shrimp. Pit, peel and dice mangos and avocados into 1/2 inch cubes and gently mix in. Season with salt and pepper. Serve immediately or cover and chill for up to 1 hour.

Serves: 4

Ensalada de Mango, Aguacate y Camarón

Los aguacates se oxidan al entrar en contacto con el aire perdiendo ese hermoso color verde que los caracteriza. El jugo de limón previene la oxidación, pero no ayudará a madurar un aguacate duro.

Jugo de 3 limones
2 cucharadas de aceite vegetal
1 cucharada de azúcar
2/3 de taza de cebollines verdes picados
1-2 chiles jalapeños sin semilla y finamente picados
1 libra de camarón cocido, pelado y desvenado
2 mangos grandes maduros y firmes
2 aguacates grandes maduros y firmes
Sal y pimienta al gusto

En una ensaladera grande, mezclar bien el jugo de limón, el aceite y el azúcar hasta que ésta se disuelva. Agregar los cebollines, los chiles jalapeños y los camarones mezclando muy bien todo. Salpimentar al gusto. Cortar los mangos y aguacates en cubitos de 1/2 pulgada y mezclar suavemente con el resto de los ingredientes. Se puede servir de inmediato o dejar enfriar y servir después.

Porciones: 4

Mango, Avocado and Shrimp Salad

Pico De Gallo

Pico de Gallo is similar to salsa, but the fresh ingredients are not blended or mashed. They are instead chopped and tossed. Try using our Pico with tacos, fajitas or any other meat or fish dish. Add fresh fruit such as mangoes, watermelon or papaya for a sweetened version.

3-4 large tomatoes, cored and chopped
1/2 large red onion, finely chopped
4-5 serrano chile peppers, seeded and minced
1/2 cup cilantro leaves, stems removed and coarsely chopped
Juice of 1/2 a lime
1 teaspoon kosher salt or to taste

Toss all ingredients gently and let sit for 15 to 20 minutes before serving.

Yields: about 2 1/2 cups

Tip: Chiles jalapeños can be substituted for serrano chile peppers.

Pico De Gallo

Pico de Gallo, es una salsa en la que los ingredientes no se cuecen y se pican en lugar de molerse. Pruébela en tacos, fajitas o cualquier otro platillo de carne o pescado. Agregue pedacitos de fruta fresca como mango, sandía o papaya para obtener una versión más dulce.

3-4 jitomates grandes picados
1/2 cebolla morada grande finamente picada
4-5 chiles serranos desvenados y finamente picados
1/2 taza de hojas de cilantro picadas en grueso
Jugo de 1/2 limón
1 cucharadita de sal kosher o al gusto

Mezclar bien todos los ingredients y dejar reposar de 15 a 20 minutos antes de servir.

Rinde: 2 1/2 tazas aproximadamente

Tip: Los chiles serranos pueden ser sustituidos por chiles jalapeños.

Chile Morita and Sesame Salsa

Morita chile peppers are very small and dark in color. Our salsa sautés these peppers in onion and garlic and then brings them back to life by adding water. Delicious served over salad greens or as a complement to chicken or fish.

12 dried morita chile peppers, stems removed and seeded
1 small white onion, coarsely chopped
2 garlic cloves
2 tablespoons vegetable oil
2 tablespoons sesame seeds
1 teaspoon salt or to taste

In a medium skillet, sauté chiles, onion and garlic in oil for 2 to 3 minutes. Add sesame seeds and cook until golden, stirring constantly. Remove from heat for a couple of minutes to let skillet cool a bit and add 1 cup of water and boil for about 5 minutes. Season with salt and continue to boil for 2 minutes. Let mixture cool slightly. Pour into a blender and puree.

Yields: 1 1/2 cups

Tip: If dried morita chile peppers are not available, substitute with dried ancho chile peppers.

Salsa de Chile Morita con Ajonjolí

Los chiles morita son pequeños y de color oscuro. En nuestra salsa se sofríen con cebolla y ajo y vuelven a tomar vida al añadirles agua. Son deliciosos servidos con ensaladas verdes o como complemento para pollo o pescado.

12 chiles morita secos sin semilla ni rabo
1 cebolla blanca chica picada en grueso
2 dientes de ajo
2 cucharadas de aceite vegetal
2 cucharadas de ajonjolí
1 cucharadita de sal

En una sartén mediana con aceite saltear los chiles, la cebolla y el ajo de 2 a 3 minutos. Agregar el ajonjolí y dejar que se dore un poco sin dejar de mover. Retirar del fuego y dejar que la sartén se enfríe un par de minutos para poder añadir 1 taza de agua y hervir por 5 minutos. Sazonar con sal y hervir 2 minutos más. Dejar enfriar un poco y licuar.

Rinde: 1 1/2 tazas

Tip: Los chiles morita secos pueden sustituirse por chiles anchos secos.

Guajillo Salsa

Guajillo chile Guajillo is a moderately hot, dry pepper that has a reddish-brown color. These peppers have a tough skin so they need to be soaked or boiled longer than other chiles.

12-14 dried guajillo chile peppers, seeded and stems and membranes removed
1 tablespoon granulated chicken bouillon
1/2 small white onion, quartered
1 clove garlic, halved

Pan-fry chiles in oil 1st?

In a medium saucepan, bring chiles, 2 cups water and chicken bouillon to a boil. Boil, stirring occasionally, until chiles are softened, about 25 to 30 minutes. Let cool slightly and place mixture in blender with onion and garlic. Blend until smooth. Best served warm.

Yields: 1 1/2-2 cups

Tip: This salsa is delicious with any meat or seafood, but is particularly good with beef. If you can't find guajillo chiles, then substitute cascabel chile peppers.

Salsa de Chile Guajillo

De color rojo oscuro, el sabor picante del chile guajillo es muy moderado. Debido que la piel es algo gruesa, deben ser remojados o hervidos más tiempo que otros chiles similares.

12-14 chiles guajillo secos sin semillas ni rabo y desvenados
2 tazas de agua
1 cucharada de consomé de pollo en polvo
1/2 cebolla blanca cortada en cuartos
1 diente de ajo cortado a la mitad

En una cacerola mediana, hervir los chiles con el consomé de pollo de 25 a 30 minutos a fuego lento, moviendo ocasionalmente hasta que los chiles se hayan suavizado. Enfriar un poco y licuar con la cebolla y el ajo hasta obtener una salsa suave. Su sabor es mejor si se sirve ligeramente caliente.

Rinde: 1 1/2-2 tazas

Tip: Esta salsa es deliciosa con cualquier carne o marisco, pero es particularmente sabrosa con carne de res.

Salsa Verde

This classic salsa made with tomatillos can be served over chicken enchiladas, chilaquiles, as a dip or as a condiment for any dish that needs a little extra zip!

10 large tomatillos (about 2 pounds)
4-6 serrano chile peppers, stems removed
1/2 white onion, quartered
2 cloves garlic
1 cup cilantro leaves, stems removed
2 tablespoons granulated chicken bouillon

Remove husks, stems and wash tomatillos. Fill a saucepan with water about 1/2 inch deep and boil tomatillos, peppers, onion and garlic until softened, stirring occasionally, about 15 minutes. Let cool slightly and place in a blender. Add cilantro and bouillon and puree.

Yields: approximately 2 cups

Tip: If salsa is made ahead of time, reheat it in a saucepan with 1 tablespoon vegetable oil.

Salsa Verde

Una salsa clásica hecha con tomatillos que puede servirse sobre enchiladas de pollo, chilaquiles, como dip o como condimento de cualquier platillo que requiera de un poco de picante.

10 tomatillos grandes (2 libras aproximadamente)
1/2 a 3/4 de taza de agua
4-6 chiles serranos sin rabo
1/2 cebolla en trozos
2 dientes de ajo
1 manojo de cilantro (solamente las hojas)
2 cucharadas de consomé de pollo en polvo

Quitar la cáscara y lavar los tomatillos. En una cacerola con 1/2 pulgada de agua hervir los tomatillos, los chiles, la cebolla y el ajo hasta que se suavicen, moviendo ocasionalmente, alrededor de 15 minutos. Dejar enfriar un poco y licuar con el cilantro y el consomé.

Rinde: 2 tazas aproximadamente

Tip: Si se hace con anticipación, recalentar la salsa en una cacerola con 1 cucharada de aceite vegetal.

Salsa Verde, Guajillo Salsa, Chile de Árbol and Sesame Salsa

Chile de Árbol and Sesame Salsa

This salsa has been passed through 4 generations of a well-known Mexican family and remains a treasured recipe now shared with you! It's definitely worth the effort – it will become a family favorite of yours too.

1-2 tablespoons vegetable oil (to cover bottom of pan)
10-15 dried chile de árbol peppers
2 tablespoons raw sesame seeds
4 large tomatoes, cored but not seeded
2 tablespoons granulated chicken bouillon
1 tablespoon vegetable oil

In a medium skillet, heat oil and sauté chiles and sesame seeds until seeds are golden brown. Set aside.

Roast tomatoes in a dry medium skillet, turning with tongs until browned and softened on all sides. You may need to splash a little bit of water to keep them from sticking to bottom of pan. Remove from heat and peel.

Combine all ingredients in a blender, adding bouillon, and mix until pureed. If necessary, add a little water to blend.

In a medium saucepan, heat 1 tablespoon oil and fry pureed mixture until slightly thickened.

Yields: 2 cups

Tip: This salsa is best served warm! It is delicious with eggs, meat, fish or chicken.

Salsa de Chile de Árbol y Ajonjolí

Esta receta de familia ha pasado por varias generaciones y continúa siendo un tesoro que ahora se comparte. Definitivamente vale la pena el esfuerzo que requiere el prepararla porque sabemos que se convertirá en una de sus favoritas.

1-2 cucharadas de aceite vegetal (que cubra el fondo de la sartén)
10-15 chiles de árbol secos
2 cucharadas de ajonjolí
4 jitomates grandes sin rabo
2 cucharadas de consomé de pollo en polvo
1 cucharada de aceite vegetal

En una sartén, calentar el aceite y saltear los chiles y el ajonjolí hasta que las semillas se doren.

Asar los jitomates en una sartén o comal seco utilizando pinzas de cocina para voltearlos y para que se asen por todos lados. Tal vez sea necesario salpicar un poco de agua en la sartén para evitar que se peguen. Para proteger la sartén, forrarla con aluminio que después se desechará. Retirar del fuego y pelar.

Moler los chiles, los jitomates y el consomé de pollo en la licuadora. De ser necesario agregar un poco de agua.

En una cacerola mediana calentar 1 cucharada de aceite y freír la mezcla hasta que espese. Rectificar la sazón.

Rinde: 2 tazas

Tip: Esta salsa sabe mejor si se sirve tibia. Es deliciosa con huevos, carne, pescado o pollo.

Avocado Salsa Verde

Avocado Salsa Verde is traditionally served in a *molcajete* which is the dish used in the past to actually blend the avocado and all the ingredients prior to blenders. Many restaurants and Latin homes still use a *molcajete* to serve this salsa!

1/2 large white onion, chopped
2 tablespoons vegetable oil
1 can (3.5 ounces) chopped green chiles
2 cans (10 ounces each) tomatillos
2 garlic cloves, minced
1/2 teaspoon sugar
2 to 3 chiles jalapeños, seeded and chopped
2 large ripe avocados, pitted, peeled and sliced
3 green onions, chopped
Juice of 1 lime
Salt to taste

In a medium saucepan, sauté onion in oil until transparent. Add green chiles, tomatillos, garlic, sugar and chiles jalapeños. Simmer over low heat for 20 to 25 minutes. Let cool for a few minutes. In a blender, puree avocados, green onions, tomatillo mixture and lime juice until smooth. Thin with a little water if necessary. Salt to taste.

Yields: 4 cups

Salsa Verde con Aguacate

La salsa Verde con Aguacate es servida generalmente en un *molcajete,* el cual ha sido tradicionalmente el instrumento para moler semillas y otros ingredientes de salsas, como un antecesor de las licuadoras. Todavía existen casas en el mundo latino en donde el *molcajete*, labrado en la piedra negra correcta, se utiliza para moler y servir salsas.

1/2 cebolla blanca grande picada
2 cucharadas de aceite vegetal
1 lata (3.5 onzas) de chiles serranos picados
2 latas (10 onzas cada una) de tomatillos
2 dientes de ajo finamente picados
1/2 cucharadita de azúcar
2 ó 3 chiles jalapeños sin semillas
2 aguacates grandes y maduros en rebanadas
3 cebollines verdes picados
Jugo de 1 limón
Sal al gusto

En una sartén mediana, calentar el aceite y saltear la cebolla. Agregar los chiles serranos, los tomatillos, los ajos, el azúcar y los chiles jalapeños. Dejar hervir a fuego lento de 20 a 25 minutos. Dejar enfriar unos minutos. Mientras tanto licuar los aguacates, los cebollines, el jugo de limón y por último la mezcla de tomatillos. Moler hasta obtener una mezcla bien integrada. Sazonar con sal al gusto.

Rinde: 4 tazas

Avocado Salsa Verde

Salsa Roja

Salsa – it can mean a fast-paced dance, a type of music or a spicy sauce usually enjoyed with tortilla chips, eggs or, like its sister the Salsa Verde, as a condiment for any dish that needs a spicy zip.

10 medium tomatoes
6-8 serrano chile peppers, roasted, seeded and deveined
6 cloves garlic, peeled
1-2 tablespoons granulated chicken bouillon or to taste
1/2 onion, minced
Kosher salt to taste

Boil tomatoes in water until soft, about 10 minutes. Drain well. In batches, blend tomatoes, peppers and garlic and place in a large bowl. Mix in chicken bouillon to taste and onions. Adjust seasoning and add salt to taste if necessary.

Yields: about 6 cups

Tip: Store unused salsa in jars in the refrigerator and enjoy for weeks or share with friends.

Salsa Roja

Salsa puede referirse a un baile de paso rápido, un tipo de música o a la salsa que generalmente se disfruta con totopos, huevos o, como la Salsa Verde, con cualquier platillo que requiera de más picante.

10 jitomates medianos
6-8 chiles serranos asados desvenados y sin semillas
6 dientes de ajo pelados
1-2 cucharadas de consomé de pollo en polvo
1/2 cebolla finamente picada
Sal kosher al gusto

Cocer los jitomates en agua hasta que se suavicen, aproximadamente 10 minutos. Escurrir bien y licuar junto con los chiles y los ajos. Vaciar la salsa en un tazón grande y agregar el consomé y la cebolla mezclando muy bien todo. Rectificar la sazón y agregar sal de ser necesario.

Rinde: 6 tazas aproximadamente

Tip: Guarde la salsa en frascos o contenedores en el refrigerador y disfrútela por varias semanas u obséquiela a un amigo.

Esquisito

Gazpacho

4

chapter four

soups and pastas

Gazpacho

Gazpacho is a Spanish tomato-based raw vegetable soup served cold. It is widely consumed throughout Spain, neighboring Portugal and parts of Latin America.

4 pounds tomatoes, chopped
1 cucumber, chopped and divided
1 green bell pepper, seeded, chopped and divided
1 tablespoon salt
1 small garlic clove, pressed
4 tablespoons balsamic vinegar
8-10 tablespoons olive oil
Croutons or other type of crunchy bread (optional)

In a salad bowl, combine tomatoes, 3/4 cucumber and 3/4 green pepper. In another bowl, mix salt, garlic, vinegar and olive oil. Add to tomato mixture and gently toss. Place in a blender and puree until smooth. Strain mixture, discard solids and blend again. Adjust seasoning and chill for at least 1 hour before serving.

Serve chilled in bowls garnished with the remaining cucumbers and green peppers. Top with croutons or serve with bread.

Serves: 8-10

Tip: Make sure you only use the freshest, highest quality ingredients for this soup.

Gazpacho

El gazpacho es una sopa fría clásica de verano, cuya base es el jitomate con algunas verduras, todas en crudo. Es originario de España y muy popular en todo el país incluyendo a su vecino, Portugal, donde su nombre es gaspacho, así como en extensas regiones de América Latina.

4 libras de jitomate picado
1 pepino picado y dividido
1 pimiento verde sin semillas picado y dividido
1 cucharada de sal
1 diente de ajo pequeño prensado
4 cucharadas de vinagre balsámico
8-10 cucharadas d aceite de oliva
Croutones u otro tipo de pan crujiente (opcional)

En un tazón combinar el jitomate con 3/4 partes del pepino y 3/4 partes del pimiento. Aparte, mezclar bien la sal, el ajo, el vinagre y el aceite de oliva para aderezar la mezcla de jitomate. Licuar muy bien todo; colar; desechar los sólidos y volver a licuar. Rectificar la sazón y refrigerar cuando menos 1 hora antes de servir.

Servir bien fría en platos soperos adornados con el resto del pepino y el pimiento, y croutones o pan.

Porciones: 8-10

Tip: Asegúrese de obtener sólo los mejores ingredientes y los más frescos para disfrutar de esta sopa al máximo.

Chilled Avocado Soup

A great start to any meal but especially nice on a warm summer evening. The peppers give it a nice kick.

3 large avocados, peeled and pitted
2-3 serrano chile peppers, seeded and coarsely chopped
1 tablespoon fresh lime juice
6-8 cups chicken stock (see recipe page 112)
1-2 tablespoons granulated chicken bouillon to taste
1/2 teaspoon ground black pepper
1 cup heavy whipping cream
Cilantro leaves, finely chopped (optional)
6 tablespoons Mexican crema
Fried tortilla strips (optional)
Chopped tomatoes (optional)

In a blender, puree avocados, peppers, lime juice, 6 cups chicken stock, chicken bouillon and pepper until smooth. If soup is too thick, add more chicken stock, 1/2 cup at a time. Cover and refrigerate until chilled.

When ready to serve, stir in the cream and adjust seasonings. Garnish with cilantro and dollop of Mexican crema. You can also garnish with fried tortilla strips and chopped tomato.

Serves: 6

Tips: Depending on the size of your blender, you may need to blend soup in two batches. Try some chopped cucumber on top for variety and added texture.

Sopa de Aguacate

Una magnífica forma de empezar una comida, especialmente la cena de un cálido atardecer de verano. El sabor de los chiles le da un toque agradable.

3 aguacates grandes, pelados y sin hueso
2-3 chiles serranos sin semillas
1 cucharada de jugo de limón fresco
6-8 tazas de caldo de pollo (página 112)
1-2 cucharadas de consomé de pollo en polvo
1/2 cucharadita de pimienta negra molida
1 taza de crema espesa para batir
Hojas de cilantro picadas (opcional)
6 cucharadas de crema mexicana
Tiras de tortilla fritas (opcional)
Jitomate picado (opcional)

Licuar los aguacates, los chiles serranos, el jugo de limón, las 6 tazas de caldo de pollo, la pimienta y el consomé de pollo hasta obtener una mezcla bien integrada. Si la sopa estuviera demasiado espesa, se puede añadir más caldo de pollo hasta 1/2 media taza a la vez. Refrigerar tapada hasta que esté bien fría.

Cuando se vaya a servir, mezclar la crema y rectificar la sazón. Decorar con una cucharada de crema mexicana y cilantro picado. También se puede adornar con tiras de tortilla fritas y jitomate picado.

Porciones: 6

Tip: Dependiendo del tamaño de la licuadora, en algunos casos se tendrán que moler los ingredientes en dos tandas. Para darle variedad y añadir textura, puede adornar con pepino picado.

Carrot Jalapeño Soup

Simple and elegant – a perfect soup to serve as a starter to any meal.

3 slices bacon, cut crosswise into 1/4 inch pieces,
or 2 tablespoons vegetable oil
6 carrots, peeled and chopped
1 medium yellow onion, chopped
1/2 cup celery chopped
2 chiles jalapeños, seeded and finely chopped
3 garlic cloves, chopped
1/4 teaspoon crushed red pepper flakes
1/2 cup white wine
6 cups chicken stock (see recipe page 112)
1/3 cup sharp cheddar cheese, grated
1/3 cup pepper jack cheese, grated
1/4 cup heavy whipping cream (or fat-free evaporated milk)
1/2 teaspoon kosher salt or to taste
1/2 teaspoon ground black pepper

In a large, heavy pot, cook bacon over medium high heat, stirring occasionally, until crisp, or heat vegetable oil. Add carrots, onions and celery. Cook, stirring frequently, until onion is softened. Add chiles jalapeños, garlic and red pepper flakes, continuing to stir until garlic is golden, about 3 minutes.

Add wine and bring to a boil, stirring and scraping up brown bits for about 30 seconds. Add chicken stock and bring back to a boil. Reduce heat and simmer until vegetables are very soft, about 20 minutes.

Remove from heat and let cool slightly. In a blender, puree in batches until smooth. Return soup to pot and bring to a boil, stirring occasionally. Add cheeses and stir until melted. Remove from heat and add cream, salt and pepper.

Serves: 8

Tip: Don't spend too much time chopping the vegetables. They'll be pureed in the blender.

Sopa de Zanahoria y Jalapeño

Simple y elegante a la vez, esta es una sopa perfecta para empezar cualquier comida.

3 rebanadas de tocino cortadas en pedacitos de 1/4 de pulgada
ó 2 cucharadas de aceite vegetal
6 zanahorias peladas y picadas
1 cebolla amarilla mediana picada
1/2 taza de apio picado
2 chiles jalapeños sin semillas y finamente picados
3 dientes de ajo picado
1/4 cucharadita de chile rojo en hojuelas
1/2 taza de vino blanco
6 tazas de caldo de pollo (página 112)
1/3 taza de queso cheddar fuerte
1/3 taza de queso Pepper Jack
1/4 taza de crema espesa (o leche evaporada sin grasa)
1/2 cucharadita de sal kosher o al gusto
1/2 cucharadita de pimienta negra molida

Freír el tocino en una olla gruesa grande a fuego medio alto, moviendo ocasionalmente hasta dorarse; o calentar el aceite vegetal en la olla y agregar las zanahorias, la cebolla y el apio. Freír todo moviendo frecuentemente hasta que la cebolla se suavice. Añadir el jalapeño picado, el ajo y las hojuelas de chile rojo, moviendo hasta que el ajo se dore, alrededor de 3 minutos.

Añadir el vino blanco y esperar a que suelte el hervor, moviendo y despegando los doraditos de la olla durante 30 segundos. Agregar el caldo de pollo y esperar a que hierva de nuevo. Reducir el fuego y continuar cociendo hasta que las verduras estén suaves, alrededor de 20 minutos.

Retirar del fuego y dejar que enfríe un poco. Licuar en varios tantos, hasta obtener un puré homogéneo. Una vez más, regresar la sopa a la estufa a fuego medio alto hasta que hierva, moviendo ocasionalmente. Añadir los quesos, moviendo hasta que se derritan. Retirar del fuego e incorporar la crema salpimentando al gusto.

Porciones: 8

Tip: No pierda mucho tiempo en picar las verduras. Terminarán en la licuadora de todos modos.

Carrot Jalapeño Soup

Brie with Green Chile Soup

The origins of brie cheese are French but today it is made all over the world. Our recipe is exceptional with the addition of green chiles.

4 tablespoons butter
3/4 cup white onion, finely chopped
1/2 cup celery, finely chopped
2 tablespoons all-purpose flour
2 cups half-and-half
2 cups chicken stock (see recipe page 112)
8 ounces brie cheese, rind removed and cut into small pieces
1 can (8 ounces) green chiles, chopped
Salt and pepper to taste

In a large saucepan over medium heat, melt butter and sauté onion and celery. Stir in flour. Using a whisk, alternately add half-and-half and chicken stock slowly. Stir constantly until blended. Add brie and continue whisking until melted. Add chiles, salt and pepper to taste. Serve hot.

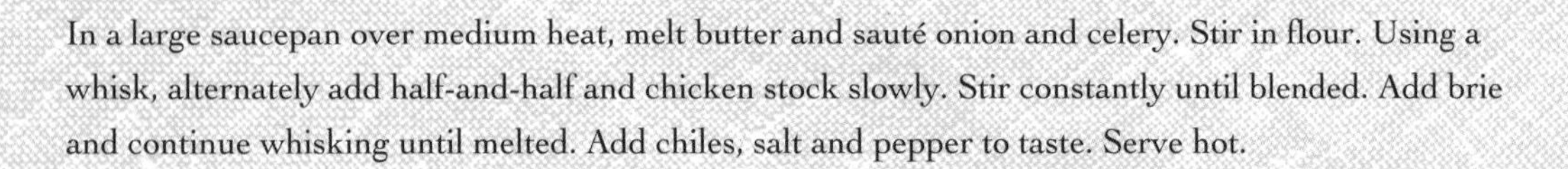

Serves: 6

Tip: Try serving our soup in the shell of a large, hard bread roll with the top cut off.

Sopa de Chile Verde con Brie

Los orígenes del queso Brie son franceses, pero ahora se elabora en casi todo el mundo. Nuestra receta es excepcional con la adición de los chiles verdes, mejor conocidos como chiles serranos.

4 cucharadas de mantequilla
3/4 de taza de cebolla finamente picada
1/2 taza de apio finamente picado
2 cucharadas de harina
2 tazas de *half and half**
2 tazas de caldo de pollo (página 112)
8 onzas de queso brie cortado en pedacitos
1 lata (8 onzas) de chiles serranos picados
Sal y pimienta al gusto

Derretir la mantequilla en una sartén a fuego medio y saltear la cebolla y el apio. Añadir la harina mezclándola bien. Agregar poco a poco, con un batidor de globo, el *half and half* y el caldo de pollo. Incorporar el queso sin dejar de mover hasta que se derrita. Agregar los chiles y salpimentar al gusto. Servir caliente.

Porciones: 6

Tip: La sopa se puede servir en la costra de un pan redondo al que se le rebanó la parte superior y se le sacó el migajón.

*Si no encuentra half and half puede mezclar leche y crema a partes iguales y obtendrá una mezcla similar.

Cream of Poblano Soup

This classic thick and creamy soup has a slight Texan touch that will leave your guests wanting to lick their bowls.

8-10 poblano peppers, roasted, peeled and seeded (see recipe page 59)
6-8 tortillas
1/2 cup vegetable oil
1 white onion, coarsely chopped
2-3 garlic cloves, chopped
3 cups chicken stock (see recipe page 112) or 3 cups low sodium chicken broth, divided
6 tablespoons butter
8 ounces cream cheese, cut into 1 inch pieces and softened
1 cup heavy whipping cream
Granulated chicken bouillon to taste
Salt and pepper to taste
1 cup Monterey Jack cheese, grated, plus some for garnish
Cilantro leaves, chopped (optional)

Cut roasted poblano peppers into thin strips.

Cut tortillas into strips. In a medium skillet, heat oil and fry tortilla strips until golden and crispy. Remove onto paper towels. Set aside.

In a blender, puree poblanos, onions, garlic and 1 cup chicken stock. In a large saucepan, melt butter and add poblano puree. Bring to a boil, then reduce heat slightly. Add cream cheese, remaining chicken stock and cream, stirring frequently until cheese is completely melted.

Add chicken bouillon, salt and pepper to taste. Continue cooking at a low temperature, stirring frequently, for 5 to 10 more minutes.

Serve soup hot and garnish with tortilla strips, additional grated cheese and cilantro (optional).

Serves: 6-8

Tip: You don't have to roast and peel the poblanos for this simple soup, though the roasted ones will intensify the flavor.

Crema de Poblano

Esta clásica y cremosa sopa tiene un dejo de sabor tejano que dejará a sus invitados con ganas de seguir comiendo.

8-10 chiles poblanos, asados, pelados y sin semillas (página 59)
6-8 tortillas cortadas en tiras
1/2 taza de aceite vegetal
1 cebolla blanca picada
2-3 dientes de ajo picados
3 tazas de caldo de pollo (página 112) ó 3 tazas de caldo de pollo bajo en sodio
6 cucharadas de mantequilla
8 onzas de queso crema cortado en trozos y suavizado
1 taza de crema espesa para batir
Consomé de pollo en polvo al gusto
Sal y pimienta al gusto
1 taza de queso Monterey Jack rallado, más un poco para adornar
Hojas de cilantro picadas (opcional)

Cortar en rajas los chiles asados y pelados.

En una sartén mediana, calentar el aceite y freír las tiras de tortilla hasta que empiecen a dorar y estén crujientes. Retirar del fuego, escurrir el aceite y colocarlas sobre toallas de papel absorbente para quitarles el exceso de grasa.

Licuar los chiles poblanos, la cebolla, el ajo y 1 taza de caldo de pollo hasta hacer una mezcla espesa y uniforme. En una cacerola grande, derretir la mantequilla y freír esta salsa. Dejar que suelte el hervor y bajar el fuego ligeramente. Agregar el queso crema, el resto del caldo de pollo y la crema moviendo frecuentemente hasta que el queso se haya derretido completamente.

Agregar el consomé de pollo y sazonar con sal y pimienta al gusto. Dejar hervir a fuego lento de 5 a 10 minutos.

Servir la sopa caliente y acompañar con las tortillas, el queso rallado y el cilantro.

Porciones: 6-8

Tip: No es necesario asar y pelar los chiles poblanos, mas sin embargo, se recomienda hacerlo para intensificar el sabor.

Cream of Olives

Cream of Olives

An unusual creamy soup with green olives as the surprising ingredient. The cream mellows the sharp taste of the olives, and the garlic and onion help balance and add depth to the soup.

3 tablespoons olive oil
1 white onion, finely chopped
2 garlic cloves, chopped
1 tablespoon all-purpose flour
6 cups chicken stock (see recipe page 112), divided
4 jars (5.5 ounces each) pitted green olives, drained
1/2 chicken breast, cooked and chopped
Salt and pepper to taste
1 cup heavy whipping cream
Parsley, finely chopped

In a heavy saucepan, heat olive oil and sauté onion and garlic. Stir in flour until golden brown. Gradually add two cups of chicken stock, stirring constantly until flour dissolves and onion is cooked. Remove from heat and cool slightly. In a blender, puree onion mixture, olives, chicken breast and remaining stock. Return to saucepan, season with salt and pepper, and cook on medium heat for 15 to 20 minutes more.

Just before serving, add cream and garnish with parsley. Oyster crackers or buttered croutons go very well with this soup.

Serves: 4-6

Tip: Pitted green olives can be hard to locate in the grocery store, but look for them in the pasta, international or relish section.

Crema de Aceitunas

Una sopa fuera de lo común con el sorpresivo sabor de las aceitunas. La crema suaviza su fuerte sabor y el ajo y la cebolla ayudan a balancearlo proporcionándole consistencia.

3 cucharadas de aceite de oliva
1 cebolla blanca finamente picada
2 dientes de ajo picados
1 cucharada de harina
6 tazas de caldo de pollo (página 112)
4 frascos (5.5 onzas c/u) de aceitunas deshuesadas
1/2 pechuga de pollo cocida y picada
Sal y pimienta al gusto
1 taza de crema espesa para batir
Perejil finamente picado

En una cacerola gruesa con aceite de oliva, saltear el ajo y la cebolla. Mezclar la harina moviendo vigorosamente con un batidor de globo y dejar que tome color dorado. Gradualmente, y sin dejar de mover, agregar 2 tazas de caldo de pollo hasta que se disuelva la harina y se cueza la cebolla. Retirar del fuego y dejar que enfríe un poco. Vaciar en la licuadora y moler con las aceitunas, la pechuga de pollo y el resto del caldo. Regresar a la cacerola, salpimentar y cocer a fuego medio, de 15 a 20 minutos más.

Ya para servirse, agregar la crema y el perejil picado. Galletas para sopa o cuadritos de pan de caja fritos en mantequilla (croutones) son un complemento excelente.

Porciones: 4-6

Tip: Las aceitunas deshuesadas son difíciles de encontrar en los supermercados, por lo que deben buscarse en la sección de pastas, internacional o de condimentos.

Cream of Pecan Soup

Pecan trees are common throughout Texas. This unique soup is extra special served during the holidays.

Velouté Sauce
5 tablespoons butter
1/4 cup rice flour or maizena
1/4 cup all-purpose flour
12-14 cups of hot chicken stock (see recipe page 112)
1/2 white onion, chopped
2 celery stalks, cut in large pieces
1/2 leek, sliced lengthwise and cut in large pieces

Soup
3 cups pecan nuts, finely ground
2 cups heavy whipping cream
1 teaspoon nutmeg
Salt to taste

Garnish
1 cup pecans or walnuts, ground
1/2 cup parsley or pearl onions, finely chopped
Pomegranate seeds

Velouté Sauce
In a deep, heavy saucepan over medium heat, melt butter. Gradually add flours stirring constantly until a light golden paste forms. Carefully and little by little, add hot chicken broth, stirring vigorously all the time with a wire whisk to prevent lumps. Make a cheesecloth bag to hold onions, celery and leeks. Tie bag and add to pot. Cook over low heat for 20 minutes, stirring occasionally and scraping bottom. Take bag out and add ground pecans, cream, nutmeg and salt to taste. Continue cooking over low heat for 20 to 25 minutes more. If soup is too thick, use more chicken stock or milk for thinning.

Garnish individual bowls with ground nuts, parsley or onions and pomegranate seeds.

Serves: 10-12

Tip: Try serving this warm or cold.

Crema de Nuez

Los nogales son comunes en todo el estado de Texas. Esta exquisita sopa es ideal para servirla en días de fiesta.

Salsa Velouté
5 cucharadas de mantequilla
1/4 de taza de fécula de maíz o Maizena
1/4 de taza de harina
12-14 tazas de caldo de pollo (página 112)
1/2 cebolla blanca picada
2 tallos de apio cortado en trozos
1/2 poro cortado a lo largo y rebanado en trozos

Sopa
3 tazas de nuez pacana (encarcelada) finamente molida
2 tazas de crema espesa para batir
1 cucharadita de nuez moscada
Sal al gusto

Adorno
1 taza de nuez pacana o encarcelada molida
1/2 taza de perejil o cebollitas de cambray finamente picada
Granos de granada

Salsa Velouté
Derretir la mantequilla en una cacerola honda y gruesa a fuego medio. Gradualmente agregar las harinas moviendo vigorozamente hasta que se forme una pasta de color dorado claro. Añadir el caldo de pollo caliente lentamente y sin dejar de mover con un batidor de globo para evitar que se formen grumos. Agregar la cebolla, el apio y el poro en una bolsita de manta de cielo; cerrarla y sumergirla en el caldo. Cocinar a fuego lento durante 20 minutos. Retirar el atado de manta de cielo, agregar la nuez molida, la crema, la nuez moscada y sal al gusto. Continuar cocinando a fuego lento de 20 a 25 minutos más. Si la sopa está demasiado espesa, agregar un poco más de caldo o leche.

Adornar los platos individuales con nuez molida, perejil o cebollitas de cambray y granos de granada.

Porciones: 10-12

Tip: Haga la prueba de servir esta sopa también en frío.

Cream of Pecan Soup

Vermicelli Soup

This soup is very common in Mexico. It is inexpensive, easy to make and a favorite among children.

3 garlic cloves
1/2 white onion, cut in large pieces
4 large tomatoes
8 cups chicken stock (see recipe page 112), divided
2 tablespoons vegetable oil
1 teaspoon granulated chicken bouillon or to taste
Salt to taste
1 package (7 ounces) fideo (like vermicelli)
4 tablespoons cilantro or parsley, leaves finely chopped
Mexican crema
banana slices (optional)

In a large greased skillet, roast garlic, onion, and tomatoes. Once onions and garlic are slightly browned, remove and place in blender. Continue roasting tomatoes, turning frequently until they are slightly charred and easily peeled. Remove from heat. Peel and core tomatoes and puree in blender with onion, garlic and 1 cup chicken stock.

In a large pot over medium heat, add oil and fideo. Stir slowly but continuously until fideo is golden not brown. Carefully, add tomato puree and boil over low heat for 5 minutes. Add remaining chicken stock and bring back to a boil. Season with chicken bouillon and/or salt to taste. Cover, lower heat and simmer until fideo is al dente, about 15 to 20 minutes.

Garnish with cilantro or parsley and a tablespoon of crema. Another popular garnish is Banana slices with the warm soup.

Serves: 6-8

Tip: For easier clean up, line frying pan with foil. Roast as instructed above and discard foil when finished.

Sopa de Fideo

Esta sopa es la típica sopa cacera en cualquier hogar mexicano. Económica, fácil de hacer y la favorita de toda la familia.

3 dientes de ajo
1/2 cebolla blanca en trozos
4 jitomates grandes
8 tazas de caldo de pollo (página 112)
2 cucharadas de aceite vegetal
1 cucharadita de consomé de pollo en polvo
Sal al gusto
1 paquete (7 onzas) de fideo (vermicelli)
4 cucharadas de hojas de cilantro o perejil picadas
Crema mexicana
Rebanadas de plátano (opcional)

En una sartén grande engrasada, asar el ajo, la cebolla y los jitomates. Cuando el ajo y la cebolla hayan empezado a dorarse, licuarlos. Continuar asando los jitomates, volteándolos para que se doren parejo. Retirarlos de la sartén y dejarlos enfriar un poco para pelarlos y sacarles el centro. Licuar junto con el ajo, la cebolla y una taza de caldo de pollo hasta obtener una salsa espesa.

Calentar aceite en una olla grande a fuego medio. Freír el fideo moviendo constantemente hasta que empiece a dorarse. Una vez que la pasta tenga un dorado claro, agregar el puré de jitomate y dejar que hierva a fuego lento por 5 minutos. Agregar el resto del caldo y sazonar con el consomé de pollo y/o sal. Tapar y dejar que hierva suavemente por 15 minutos más. Para servir, se puede adornar con el perejil o cilantro y con una cucharada de crema. También se puede adornar con rebanadas de plátano.

Porciones: 6-8

Tip: Para proteger y facilitar la limpieza de la sartén, forrarla con aluminio antes de asar los jitomates, el ajo y la cebolla y proceder sin más cambios.

Tortilla Soup

Our Tortilla Soup has a unique addition at the end that everyone is sure to love – chicharron or fried pork rinds – found with the potato or tortilla chips in the grocery store.

4 garlic cloves, peeled
1 medium white onion, quartered
4-5 large tomatoes
8 cups chicken stock (see recipe page 112), divided
2 tablespoons granulated chicken bouillon, divided
Vegetable oil
2 small sprigs epazote, leaves finely chopped
Salt and pepper to taste
20 corn tortillas
3 pasilla chile peppers, seeded and cut in 1/2 inch rings
5 ounces queso fresco, crumbled
2 avocados, pitted, peeled and cubed
1/2 cup Mexican crema or sour cream
3 limes, cut in wedges
Chicharrón (fried pork skins), crumbled

In a large greased skillet, roast garlic, onion and tomatoes. Once onion and garlic are slightly browned, remove and place in blender. Continue roasting tomatoes, turning frequently until slightly charred and easily peeled. Remove from heat. Peel and core tomatoes. Place in a blender with garlic, onion, 1/2 cup of chicken stock and 1 tablespoon chicken bouillon. Puree until smooth.

In a large saucepan, heat 1 tablespoon vegetable oil over high heat and fry tomato puree until it boils. Simmer, stirring occasionally until puree thickens, about 10 minutes. Add remaining chicken stock and epazote. Bring back to a boil and season with remaining chicken bouillon, salt and pepper to taste. Reduce heat to a simmer, cover and cook for another 15 to 20 minutes.

While soup is cooking, cut tortillas in half and then into thin strips. Pan-fry tortilla strips in hot oil, a few at a time, until golden brown, about 3 minutes. Drain on paper towels. Pan-fry peppers in the same way until crisp, about 1 minute. Drain and set aside.

Place soup in serving bowls and garnish with tortilla strips and peppers. Avocado, cream, cheese, chicharrón and lime wedges should be served on the side for garnishing to taste.

Serves: 8

Tips: This soup can be prepared ahead of time but leave off the garnishes. It should be refrigerated or can even be frozen and pulled out on a cold, winter night. The tortilla strips and peppers can also be prepared up to three days ahead of time but should be kept covered with paper towels in an airtight container.

Sopa de Tortilla

Nuestra Sopa de Tortilla tiene un ingrediente adicional que la hace única y diferente: chicharrón de puerco, el cual se agrega como guarnición al final. Estamos seguros que a todos los deleitará.

4 dientes de ajo pelados
1 cebolla cortada en trozos
4-5 jitomates grandes
8 tazas de caldo pollo (página 112)
2 cucharadas de consomé de pollo en polvo
1 cucharada de aceite vegetal
2 ramitas de epazote finamente picadas
Sal y pimienta
20 tortillas de maíz
3 chiles pasilla sin semillas y cortados en medias rodajas
5 onzas de queso fresco desmoronado
2 aguacates pelados y cortados en cubitos
1/2 taza de crema mexicana o crema agria
3 limones cortados en cuartos
Chicharrón de puerco desmoronado

Asar el ajo, la cebolla y los jitomates. Una vez que el ajo y la cebolla estén ligeramente dorados ponerlos en la licuadora. Continuar asando los jitomates, volteándolos con frecuencia hasta que estén ligeramente quemados y se puedan pelar fácilmente. Retirar del calor.* Pelarlos y quitarles el rabo. Licuar junto con el ajo, la cebolla, 1/2 taza de caldo de pollo y una cucharada de consomé de pollo hasta hacerlos puré.

Calentar en una olla 1 cucharada de aceite vegetal y saltear el puré de jitomate hasta que hierva. Reducir el fuego y hervir a fuego medio bajo durante 10 minutos o hasta que espese, moviendo de vez en cuando. Subir la temperatura y agregar el resto del caldo y el epazote. Una vez que suelte el hervor, cocer a fuego medio bajo de 15 a 20 minutos más.**

Cortar las tortillas en tiras y freírlas en aceite caliente, poco a poco para que se doren de manera uniforme, alrededor de 3 minutos. Escurrir y poner en toallas de papel absorbente para quitarles el exceso de grasa. Freír los chiles de la misma manera, alrededor de 1 minuto, hasta que estén crujientes. Escurrir y reservar.***

Servir la sopa caliente en tazones y adornar con las tortillas fritas y los chiles. El aguacate, la crema, el queso, el chicharrón y el limón deberán servirse en la mesa al gusto de cada comensal.

Porciones: 8

Tip:
* Para facilitar la limpieza de la sartén, se puede forrar con papel aluminio y seguir las instrucciones para asar los jitomates que se indican arriba.
** La sopa puede prepararse con anticipación hasta este punto, refrigerarse o aún congelarse, hasta el momento de usarse.
*** Las tortillas y los chiles se pueden preparar con anticipación y guardarlos en recipientes con tapa hermética hasta 3 días.

Cilantro Soup

Perfect for a dinner party – delicious, easy and can be prepared ahead of time!

1 garlic clove, pressed
1/4 large white onion, finely chopped
1 tablespoon butter
1 bunch cilantro (about 1 cup cilantro leaves, tightly packed)
6 cups chicken stock (see recipe page 112)
8 ounces cream cheese
Salt or granulated chicken bouillon to taste
Ground black pepper to taste

In a large pot over medium heat, sauté garlic and onion in butter until softened. In a blender, puree cilantro and chicken broth. Add cilantro mixture to pot and bring to a boil for about 15 minutes. Pour some of cilantro broth mixture back to blender and puree with cream cheese. Return to pot and mix well with remaining cilantro broth. Adjust seasoning with salt or chicken bouillon and pepper. If necessary, soup can be reheated, but do not allow to boil. Serve with tostados.

Serves: 4

Tip: Use vegetable broth instead of chicken broth for a vegetarian soup.

Sopa de Cilantro

Perfecta para deleitar a sus invitados. Deliciosa, fácil de hacer y puede prepararse con anticipación.

1 diente de ajo prensado
1/4 de cebolla blanca grande finamente picada
1 cucharada de mantequilla
1 manojo de cilantro (más o menos 1 taza de hojas de cilantro bien apretadas)
6 tazas de caldo de pollo (página 112)
8 onzas de queso crema
Sal y/o consomé de pollo en polvo al gusto
Pimienta negra molida al gusto

Derretir la mantequila en una olla grande a fuego medio, saltear el ajo y la cebolla hasta que empiecen a dorar. Licuar el cilantro y el caldo de pollo y suavemente vaciarlo en la olla. Dejar hervir durante 15 minutos aproximadamente. Licuar el queso crema con un poco del caldo de cilantro y regresarlo a la olla para integrarlo bien. Sazonar con el consomé de pollo y/o sal y pimienta. La sopa puede recalentarse, pero sin dejar que vuelva a hervir. Servir con tostadas o totopos.

Porciones: 4

Tip: Si se prefiere una sopa vegetariana, utilice caldo de verduras en lugar del caldo de pollo.

Chicken Stock

If you make this basic chicken stock ahead of time and freeze it, it will be available for the many recipes in this book where it is a main ingredient, or for a cold winter day when someone is home with the flu!

3-4 pound whole chicken, cut into serving pieces
10 cups water
1 whole white onion, quartered
4 cloves garlic, peeled
2 whole carrots
2 celery stalks, ends removed
1 sprig parsley
1 tablespoon salt
8 black peppercorns

Rinse chicken and place into large pot. Add remaining ingredients. Bring to a boil. Lower to medium heat and skim fat from surface and discard. Cook, covered, for 1 hour. Remove chicken and reserve for another use. Let stock cool. Remove and discard remaining solids.

Yields: 10 cups

Tip: To make chicken soup, follow the recipe for the broth, but halfway through the cooking, add whatever vegetables you like such as chickpeas, corn, potatoes, carrots, etc. Serve with freshly squeezed lime, chopped onion and chopped serrano chile peppers.

Caldo de Pollo

Si usted prepara esta receta con anticipación y la congela, estará a su disposición en el momento deseado para la elaboración de muchas recetas de este libro. También le será muy útil en un frío día de invierno cuando alguien esté resfriado.

1 pollo entero de 3-4 libras cortado en piezas
10 tazas de agua
1 cebolla blanca entera partida en cuartos
4 dientes de ajo pelados
2 zanahorias enteras
2 tallos de apio despuntados
1 ramita de perejil
1 cucharada de sal
8 pimientas enteras

Enjuagar el pollo y colocarlo en una olla grande a fuego alto. Agregar el resto de los ingredientes y dejar que suelte el hervor. Bajar el fuego, desechar la espuma que se forma en la superficie y continuar hirviendo a fuego lento, tapado, durante una hora. Sacar el pollo y reservar para otro uso. Dejar enfriar el caldo, colar y descartar el resto de los sólidos.

Rinde: 10 tazas

Tip: Para hacer sopa de pollo, a la mitad del cocimiento se puede agregar cualquier verdura o especia que se desee, tal como garbanzo, elote, papa, zanahoria, etc. Añadir unas gotas de limón fresco, cebolla picada y chiles serranos picados.

Lentil Soup

Lentil soup has been in humanity's diet for centuries and is even mentioned in the Bible. Cultures from all over the world prepare this inexpensive bean hundreds of ways. Ours takes on a Latin flair by adding a little spice with the chiles jalapeños.

1 1/2 cups lentils, washed
3 tablespoons vegetable oil
1/4 white onion, chopped
3 garlic cloves, pressed
3 chiles jalapeños, roasted, seeds and veins removed, finely chopped
6 cups water
1 tablespoon granulated chicken bouillon
1/2 teaspoon seasoned salt
Salt to taste
3 medium tomatoes, chopped
1/2 cup zucchini, chopped in small cubes
1/2 cup carrots, chopped in small cubes
1 avocado

In a large skillet over medium heat, sauté lentils in oil, gently stirring to fry evenly. Add onions, garlic and chiles jalapeños, and continue to stir until onions are translucent. Remove from heat to cool for a couple of minutes and add water. Return to stove and add chicken bouillon, seasoned salt and salt. Simmer until lentils are nearly cooked, about 25 minutes. Add tomatoes, zucchini and carrots and simmer until lentils and vegetables are tender, about 15 minutes longer. Serve with avocado, sliced or cubed.

Serves: 4-6

Tip: For a heartier soup, add some smoked sausage or Spanish chorizo cut into bite-size pieces along with the vegetables.

Sopa de Lentejas

La sopa de lentejas ha formado parte de la dieta del hombre por cientos de años y hasta es mencionada en pasajes de la Biblia. Las diferentes culturas del mundo preparan esta semilla en una inmensa variedad. La que aquí le presentamos tiene el sello especial que le dan los chiles jalapeños.

1 1/2 tazas de lentejas lavadas
3 cucharadas de aceite vegetal
1/4 de cebolla blanca picada
3 dientes de ajo prensados
3 chiles jalapeños asados desvenados y finamente picados
6 tazas de agua
1 cucharada de consomé de pollo en polvo
1/2 cucharadita de sal sazonada
Sal al gusto
3 jitomates medianos picados
1/2 taza de calabacita picada en trocitos
1/2 taza de zanahoria picada en trocitos
1 aguacate

En una olla grande, saltear las lentejas en el aceite moviendo para que se frían de manera uniforme. Sin dejar de mover agregar la cebolla, el ajo y los chiles. Una vez que la cebolla esté translúcida, retirar del fuego un par de minutos y agregar el agua. Poner a cocer nuevamente y añadir el consomé en polvo, la sal sazonada y la sal al gusto. Cuando las lentejas estén a medio cocer (25 minutos aproximadamente), agregar el jitomate, la calabacita y la zanahoria y dejar hervir por 15 minutos más o hasta que las lentejas y las verduras estén suaves. Servir con rebanadas o cuadritos de aguacate.

Porciones: 4-6

Tip: Para una sopa más nutritiva, agregue al final junto con las verduras, rebanadas pequeñas de salchicha ahumada o de chorizo español.

Shrimp and Scallop Pozole

Shrimp and Scallop Pozole

Pozole, a traditional Mexican soup, is usually prepared with pork or chicken, but the shrimp and scallops in our versión make it special enough for a party.

1 tablespoon olive oil
1 cup white onion, chopped
4 garlic cloves, minced
3 cups (or more) bottled clam juice
1 can (15 ounces) white hominy, drained and rinsed
1 cup Salsa Verde (see recipe page 89)
2 tablespoons sun-dried tomatoes in oil, finely chopped
1 tablespoon lime peel, finely grated
1 pound uncooked jumbo shrimp, peeled and deveined
1 pound large sea scallops, quartered
4 tablespoons cilantro, chopped, divided
Salt and pepper to taste
2/3 cup queso fresco, crumbled
2-3 limes, cut in wedges

In a large pot over medium high heat, add oil and and sauté onions until softened, about 5 minutes. Add garlic and stir for about 30 seconds. Add clam juice, hominy, Salsa Verde and sun-dried tomatoes. Bring to a boil, reduce heat and simmer for 5 minutes. (Up to this point, it can be prepared 4 hours ahead of time. Cool slightly, refrigerate uncovered until cold, then cover and chill.)

Bring to simmer before continuing. Add shrimp, scallops, 3 tablespoons cilantro, and lime peel, adding more clam juice to thin if necessary. Simmer until seafood is just opaque in center, about 3 minutes. Season with salt and pepper. Divide among bowls; sprinkle with remaining cilantro and queso fresco, and serve with lime wedges.

Serves: 6

Tip: Can't get much easier than this recipe—only about 30 minutes start to finish!

Pozole de Camarón y Callo de Hacha (Vieira)

La receta tradicional del popular pozole mexicano se prepara a base de carne de puerco o pollo. En nuestra versión, los camarones y los callos de hacha le dan un sabor único y la hacen lo suficientemente especial para servirse un día de fiesta.

1 cucharada de aceite de oliva
1 taza de cebolla blanca picada
3 dientes de ajo finamente picados
4 tazas (o más) de jugo de almejas enlatadas
1 lata (15 onzas) de maíz cacahuazintle escurrido y enjuagado
1 taza de salsa verde (página 89)
2 cucharadas de jitomates deshidratados en aceite y finamente picados
1 cucharada de ralladura de limón
1 libra de camarón gigante pelado y desvenado
1 libra de callos de hacha grandes cortados en cuartos
4 cucharadas de cilantro picado
Sal y pimienta al gusto
2/3 taza de queso fresco desmoronado
2-3 limones cortados en cuartos

En una olla grande calentar el aceite a fuego medio alto. Saltear la cebolla hasta que se suavice, alrededor de 5 minutos, y agregar el ajo moviendo por 30 segundos más. Añadir el jugo de almejas, el maíz cachuazintle, la salsa verde y el jitomate deshidratado. Dejar que suelte el hervor, reducir el fuego y cocer 5 minutos más. (Hasta este punto se puede preparar con 4 horas de anticipación. Enfriar un poco, refrigerar destapado hasta que enfríe completamente, tapar y conservar en el refrigerador).

Para continuar, hervir de nuevo el caldo, bajar el fuego y agregar los camarones, los callos de hacha y 3 cucharadas de cilantro, añadiendo más jugo de almejas, de ser necesario. Cocer a fuego lento hasta que los mariscos estén opacos en el centro, alrededor de 3 minutos. Salpimentar al gusto. Servir en tazones y espolvorear con cilantro y queso fresco y acompañar con cuartos de limón.

Porciones: 6

Tip: Esta receta es muy fácil de preparar. Sólo toma alrededor de 30 minutos de preparación de principio a fin y el paltillo estará listo.

Pozole Rojo

Pozole Rojo is a hearty stew made with pork and/or chicken in a red-chile broth. The stew's base is made using the traditional Latin method of bringing out the intricate flavors.

1 whole chicken (3-4 pounds), cut in pieces
1 1/2 large white onions, halved, divided
10 garlic cloves, divided
2 teaspoons salt, divided
4 tablespoons granulated chicken bouillon, divided
2-3 pounds boneless lean pork
14 guajillo chile peppers, stems, seeds and membranes removed
1/3 cup vegetable oil
1 can (28 ounces) hominy, drained

Accompaniments
Sliced radishes; chopped white onion; dried Mexican oregano; shredded green cabbage; ground chile piquin; lime wedges

In a large pot with 10 cups water, place chicken, 1/2 an onion, 3 garlic cloves, 1 teaspoon salt and 1 tablespoon chicken bouillon. Cover pot and bring to a boil. Reduce heat and simmer, covered, for 20 minutes. Transfer chicken to a cutting board. When cool enough to handle, remove skin and bones and discard. Shred meat and set aside. Remove and discard onions and garlic from the stock and reserve.

In a large stock pot with 14 cups water, place pork, 1/2 an onion, 3 garlic cloves, 1 teaspoon salt and 2 tablespoons chicken bouillon. Bring to a boil and cook over medium heat for 1 hour, skimming surface occasionally.

Meanwhile, in a small saucepan, cook guajillo chiles in 1 cup water over medium heat for 15 minutes. Remove from heat and let cool slightly. In a blender puree chiles, 1/2 onion, 4 garlic cloves and 1 tablespoon chicken bouillon. In a small skillet, heat oil and sauté chile puree for 10 minutes. Set aside. Remove pork to a cutting board. Remove and discard onions and garlic from stock and reserve. When meat is cool enough, shred it and return to pot. Add reserved chicken stock, shredded chicken, chile puree and hominy to pot. Cover and cook over medium heat for 20 to 30 more minutes. Check seasoning and serve with accompaniments.

Serves: 8-10

Tip: Pozole is delicious left over and can be enjoyed for 3 to 4 days after cooking. Just chill and reheat.

Pozole Rojo

El Pozole Rojo es un guiso nutritivo hecho con puerco y/o pollo en un caldo de chile guajillo que es el que le da el color. En su preparación se sigue el método tradicional para resaltar sus variados y complejos sabores.

1 pollo entero (3-4 libras) cortado en piezas
1 1/2 cebolla blanca grande en mitades
10 dientes de ajo
2 cucharaditas de sal
4 cucharadas de consomé de pollo en polvo
2-3 libras de carne de puerco magra cortada en trozos grandes
14 chiles guajillos sin rabo ni semillas y desvenados
1/3 taza de aceite vegetal
1 lata (28 onzas) de maíz cacahuazintle

Guarniciones
Rebanadas de rábano, cebolla blanca picada, orégano mexicano, col verde rallada, chile piquín en polvo y cuartos de limón

En una olla grande poner a hervir 10 tazas de agua, las piezas de pollo, 1/2 cebolla, 3 dientes de ajo, 1 cucharadita de sal y 1 cucharada de consomé de pollo. Una vez que suelte el hervor, tapar, reducir el fuego y cocinar por 20 minutos. Transferir las piezas de pollo cocidas a una tabla de picar y dejar enfriar. Una vez manejables, quitarles la piel y desprender la carne de los huesos. Desmenuzar la carne y dejar a un lado. Sacar del caldo los restos de ajo y cebolla y reservar.

En otra olla grande, hervir 14 tazas de agua y agregar la carne de puerco, 1/2 cebolla, 3 dientes de ajo, 1 cucharadita de sal y 2 cucharadas de consomé de pollo. Dejar que suelte el hervor, tapar, reducir el fuego y cocinar durante 1 hora quitando la espuma que se va formando cuantas veces sea necesario.

Mientras se cuece el puerco, en una cacerola mediana hervir los chiles en 1 taza de agua a fuego medio durante 15 minutos. Retirar de la lumbre y dejar enfriar un poco. Licuar los chiles con 1/2 cebolla, 4 dientes de ajo y 1 cucharada de consomé de pollo. En una sartén mediana, calentar el aceite para saltear la mezcla de los chiles durante 10 minutos y dejar a un lado. Una vez cocida la carne, sacarla de la olla y dejar enfriar. Colar el caldo mezclándolo con el de pollo y desechar los sólidos. Desmenuzar la carne y mezclar con la de pollo, incorporándolas al caldo. Añadir la salsa de chiles y el maíz. Tapar la olla y hervir a fuego medio de 20 a 30 minutos. Rectificar la sazón y servir en tazones con las guarniciones en el centro de la mesa por separado para servirse al gusto.

Porciones: 8-10

Tip: El pozole que le sobre puede consumirse varios días después de haberse cocinado. Sólo debe calentar bien y servir.

Green Pozole with Chicken

Pozole traditionally includes pork not chicken, but our variation works well. For pozole, garnishes are the key to adding crunch, zing and richness.

1 Turkish bay leaf or 1/2 California bay leaf
1 large white onion, halved lengthwise and thinly sliced, divided
6 garlic cloves, chopped, divided
1 1/2 teaspoons salt, divided
3 pounds boneless chicken thighs, rinsed and patted dry
1/2 cup green hulled pumpkin seeds
1 pound tomatillos, husked, stemmed and rinsed
2 chiles jalapeños, stemmed and quartered, seeds included
3/4 cup fresh cilantro, divided
1 teaspoon dried Mexican epazote, crumbled
2 tablespoons vegetable oil
2 cans (15 ounces each) hominy, rinsed and drained

Accompaniments
Sliced radish, cubed avocado tossed with fresh lime juice, shredded green cabbage, chopped white onion, lime wedges, dried Mexican oregano

In a 6 quart heavy pot, combine 8 cups water, bay leaf, half of the onion, 3 chopped garlic cloves and 1 teaspoon salt and bring to a boil, covered. Reduce heat and simmer for 10 minutes. Add chicken and simmer, uncovered, skimming off any foam, until just cooked through, about 20 minutes. Transfer chicken to a cutting board to cool. Pour broth through a fine mesh sieve into a larger bowl and reserve; discard solids. In a small dry skillet cook pumpkin seeds over low heat, stirring occasionally, until puffed but not browned, 6 to 7 minutes. Transfer to a bowl and cool completely, then finely grind in coffee/spice grinder.

In a 3 quart saucepan, combine tomatillos, remaining onion and garlic, and 1 cup of water. Bring to a simmer and cook until vegetables are tender, about 10 minutes. Transfer to a blender and add chiles jalapeños, 1/4 cup cilantro, epazote and 1/2 teaspoon salt. Puree until smooth. When chicken is cool enough to handle, shred.

In a large heavy pot over moderately high heat, heat oil until hot but not smoking. Add tomatillo puree (use caution, as it will spatter and steam) and cook, uncovered, stirring frequently, until thickened, about 10 minutes. Stir in crushed pumpkin seeds and 1 cup reserved broth. Simmer for 5 minutes. Stir in shredded chicken, hominy and remaining reserved broth. Bring to a boil and lower heat. Simmer, partially covered, for 20 minutes. Stir in remaining 1/2 cup cilantro. Serve pozole in deep bowls, with accompaniments.

Serves: 8-10

Tip: Chicken can be cooked and shredded 1 day ahead and chilled in 4 cups reserved broth.

Pozole Verde con Pollo

Aún cuando el pozole tradicional está hecho con puerco, nuestra versión con pollo es excelente. Las guarniciones son la clave para hacer de este platillo algo muy especial.

9 tazas de agua
1 hoja de laurel
1 cebolla grande blanca en rebanadas delgadas a lo largo
6 dientes de ajo picados
1 1/2 cucharaditas de sal
3 libras de muslos de pollo deshuesados, enjuagados y secados con toallas de papel absorbente
1/2 taza de semillas de calabaza peladas
1 libra de tomatillos sin cáscara ni rabo y enjuagados
2 chiles jalapeños cortados en cuartos con todo y semillas
3/4 de taza de cilantro fresco picado
1 cucharadita de epazote mexicano seco
2 cucharadas de aceite vegetal
2 latas (15 onzas) de maíz cacahuazintle enjuagado y escurrido

Guarniciones
Rebanadas de rabanitos, cuadritos de aguacate rociados con jugo de limón, col verde rallada, cebolla picada, cuartos de limón y orégano

En una olla gruesa grande (6 cuartos) combinar 8 tazas de agua, la hoja de laurel, la mitad de la cebolla rebanada, 3 dientes de ajo y 1 cucharadita de sal. Tapar y dejar que suelte el hervor. Hervir a fuego lento por 10 minutos. Destapar, agregar el pollo y cocer a fuego lento alrededor de 20 minutos. Limpiar continuamente la espuma que se forma. Sacar el pollo y dejar enfriar. Pasar el caldo por un colador fino y descartar los sólidos.

En una cacerola pequeña a fuego lento dorar ligeramente las semillas de calabaza moviendo constantemente hasta que se hayan inflado un poco, pero sin quemarse, de 6 a 7 minutos. Retirarlas del fuego y enfriar para molerlas en un molino de café o en un procesador. En una olla mediana combinar los tomatillos con el resto del agua, la cebolla y el ajo. Hervir a fuego lento hasta que los tomatillos estén suaves, alrededor de 10 minutos. Vaciar todo en la licuadora agregando los chiles jalapeños, el resto del cilantro y 1/2 cucharadita de sal. Moler hasta obtener una mezcla uniforme.

Desmenuzar el pollo una vez que se haya enfriado. Calentar el aceite en una olla grande y gruesa a fuego medio alto sin que llegue a humear y, con cuidado porque puede salpicar, vaciar la mezcla de tomatillos poco a poco moviendo constantemente. Cocer hasta que haya espesado, alrededor de 10 minutos. Agregar las semillas de calabaza molidas y la taza sobrante de caldo de pollo. Al soltar el hervor nuevamente, añadir el pollo mezclando todos los ingredientes, bajar el fuego y cocer medio tapado durante 20 minutos más. Retirar del fuego e incorporar la 1/2 taza de cilantro restante. Servir el pozole en platos soperos con sus guarniciones en platos pequeños por separado.

Serves: 8-10

Tip: El pollo puede cocinarse y desmenuzarse desde el día anterior refrigerándolo en 4 tazas del caldo reservado.

Mole de Olla

Mole de Olla is a classic Mexican dish made many ways. The word mole comes from the Nahuatl language, which the Aztecs spoke, and means "sauce, stew or concoction."

6 beef shanks, center cut, bone in, gristle removed
1/2 onion, divided
4 garlic cloves, divided
2 teaspoons plus 1 tablespoon salt
10 dried pasilla chile peppers
2 tablespoons chicken bouillon
1 fresh epazote leaf
4-5 ears yellow corn, cleaned and cut in halves
6 zucchini, sliced in half lengthwise and cut in 3 inch lengths
1 white onion, finely chopped
3 limes, cut in wedges
Ground pepper to taste

Rinse meat and cut into 3/4 inch cubes, reserving bones. In a large, deep pot over medium high heat, bring meat, bones, 1/4 onion, 2 garlic cloves and 2 teaspoons salt to a boil in 8 cups of water. Reduce heat to a simmer.

In another pot, boil pasilla peppers, 1/4 onion and 2 garlic cloves in 2 cups water until peppers are soft, about 15 minutes. Remove from heat and let cool slightly. In a blender, puree pasilla pepper mixture, chicken bouillon, epazote leaf and 1 tablespoon salt. Add pepper to taste and adjust salt. Strain blended mixture into pot with meat and continue to cook at a simmer for about 1 hour.

Add corn pieces and continue cooking for 20 minutes. Add zucchini and cook for 10 minutes more. Check seasoning and serve in a large soup bowls. Garnish with chopped onion and wedges of fresh lime.

Serves: 8

Tip: Epazote is a green leafy herb with a unique flavor that doesn't really have a substitution. Just delete the ingredient if it's not available in your grocery store. Often 1 leaf is plenty in a recipe.

Mole de Olla

El Mole de Olla es un platillo clásico mexicano preparado de distintas formas. La palabra "mole" viene del náhuatl, el idioma de los aztecas, que significa salsa, cocido o revoltijo.

6 rebanadas de chamberete con hueso, limpio y desgrasado
1/2 de cebolla blanca
4 dientes de ajo
2 cucharaditas más 1 cucharada de sal
10 tazas de agua
10 chiles pasilla
2 cucharadas de consomé de pollo
1 hoja de epazote fresco
4-5 elotes cortados en mitades
6 calabacitas cortadas por mitad a lo largo y en rebanadas de 1 pulgada
1 cebolla blanca picada finamente
3 limones cortados en cuartos
Pimienta negra molida al gusto

En una olla grande con 8 tazas de agua hirviendo cocer la carne con los huesos, ¼ de cebolla, 2 dientes de ajo y 2 cucharaditas de sal durante una hora y media a fuego medio.

En otra olla con 2 tazas de agua hervir los chiles con 2 dientes de ajo y 1/2 cebolla hasta que los chiles estén suaves, alrededor de 15 minutos. Retirar del fuego y dejar enfriar un poco. Moler todo en la licuadora añadiendo 2 cucharadas de consomé de pollo y el epazote. Sazonar con sal y pimienta al gusto.

Colar la mezcla de chiles en la olla de la carne y continuar cocinando a fuego lento por 1 hora más. Agregar los elotes y dejar hervir por 20 minutos más. Incorporar las calabacitas y continuar cociendo por otros 10 minutos. Rectificar la sazón y servir en tazones para sopa. Adornar con cebolla picada y cuartos de limón.

Porciones: 8

Tip: El epazote es una hoja larga y delgada cuyo sabor es único, sin que se pueda sustituir. De no estar disponible, olvídese de ella. Por lo general una hoja es suficiente para una receta.

Ancho Chile Soup with Poblano Meatballs

If the pure ancho or pasilla chile powder is unavailable, try substituting New Mexico chile powder.

Meatballs

2 large poblano peppers, roasted, peeled and seeded (see recipe page 59)
1 pound ground beef
1/2 cup zucchini, coarsely grated
1/4 cup onion, finely grated
1/4 cup panko (Japanese bread crumbs)
1 large egg, beaten to blend
2 garlic cloves, pressed
1 teaspoon ground cumin
1 teaspoon dried oregano (preferably Mexican), crumbled
1/2 teaspoon coarse kosher salt

Soup

1 tablespoon olive oil
1/2 small onion, coarsely grated
2 garlic cloves, minced
3 tablespoons pure ancho or pasilla chile powder (do not use blended chile powder)
1/2 teaspoon ground cumin
9 cups low-salt beef broth
1/2 teaspoon dried oregano (preferably Mexican)
1 cup zucchini, coarsely grated
1/4 cup long grain white rice
1/4 cup fresh cilantro, chopped
1 tablespoon (or more) fresh lime juice
Salt to taste

Toppings

3 tablespoons (or more) vegetable oil
4 corn tortillas, cut into 1/4-inch strips
Fresh cilantro, chopped

Meatballs

Finely chop poblano peppers (should yield about 3/4 cup). Place peppers in a large bowl. Gently mix in beef and all remaining ingredients. Using moistened hands, roll meat mixture into 1 inch meatballs. Arrange meatballs on a baking sheet and set aside.

Soup

In a large pot over medium heat, add oil and sauté onions and garlic until onions are tender, about 3 minutes. Add chile powder and cumin; stir 1 minute. Add broth and oregano, and bring to a rolling boil. Reduce heat to very low, and simmer 10 minutes.

Stir zucchini and rice into broth. Increase heat to medium and drop in meatballs, one at a time. Return soup to simmer. Cover and cook gently until meatballs and rice are cooked through, stirring occasionally and adjusting heat to avoid boiling, about 20 minutes. Add cilantro and lime juice. Season soup with salt and add more lime juice by teaspoonfuls, if desired.

Toppings

In a heavy skillet, heat 3 tablespoons oil over medium heat for 1 minute. Add half of tortilla strips. Cook until crisp, gently separating strips with tongs, 2 to 3 minutes. Transfer strips to paper towels to drain. Repeat with remaining tortilla strips, adding more oil if needed. Ladle soup and meatballs into bowls. Top with tortilla strips and cilantro.

Serves: 6 as an appetizer; 4 as a main course

Tip: Panko (Japanese breadcrumbs) are available in the Asian food section of most large supermarkets. Panko gives a lighter, crispier coating than regular breadcrumbs provide.

Spanish recipe page 120

Sopa de Chile Ancho con Albóndigas de Poblano

Si no se encontrara el chile pasilla y el chile ancho en polvo, haga la prueba con el New Mexico chili powder.

Albóndigas

2 chiles poblanos grandes, asados, pelados y sin semillas (página 60)
1 libra de carne molida
1/2 taza de calabacita rallada
1/4 de taza de cebolla rallada
1/4 de taza de panko (pan molido japonés)
1 huevo grande batido para mezclar
2 dientes de ajo prensados
1 cucharadita de comino en polvo
1 cucharadita de orégano seco en polvo
1/2 cucharadita de sal gruesa kosher

Sopa

1 cucharada de aceite de oliva
1/2 cebolla chica rallada
2 dientes de ajo finamente picados
3 cucharadas de chile ancho o pasilla en polvo (no utilizar polvo de chile mezclado)
1/2 cucharadita de comino en polvo
9 tazas de caldo de res bajo en sodio
1/2 cucharadita de orégano seco
1 taza de calabacita rallada
1/4 de taza de arroz blanco de grano largo
1/4 de taza de cilantro picado
1 cucharada (o más) de jugo de limón
Sal al gusto

Complementos

3 cucharadas (o más) de aceite vegetal
4 tortillas de maíz cortadas en tiras de 1/4 de pulgada
Cilantro fresco picado

Albóndigas

Picar finamente los chiles poblanos (deberá obtenerse aproximadamente 3/4 de taza). En un tazón mezclar suavemente el chile, la carne y el resto de los ingredientes. Con las manos húmedas, formar las albóndigas de aproximadamente 1 pulgada, acomodarlas en una charola y reservar.

Sopa

En una olla grande a fuego medio, calentar el aceite y saltear la cebolla (con su jugo) y el ajo hasta que estén tiernos, alrededor de 3 minutos. Agregar el polvo de chile y el comino, moviendo durante 1 minuto. Añadir el caldo de res y el orégano y dejar que suelte el hervor. Bajar el fuego al mínimo y dejar hervir durante 10 minutos. Incorporar la calabacita y el arroz, subir el fuego a medio y agregar las albóndigas con cuidado, una por una. Tapar y cocer hasta que las albóndigas y el arroz estén totalmente cocidos, moviendo de vez en cuando y ajustando el fuego para evitar que hierva, alrededor de 20 minutos. Agregar el cilantro y el jugo de limón. Sazonar con sal y añadir más jugo de limón en cucharaditas, si se desea.

Complementos

En una sartén gruesa mediana, a fuego medio, calentar 3 cucharadas de aceite durante 1 minuto. Freír la mitad de las tortillas hasta que estén crujientes, sin dejar que se peguen unas con otras, de 2 a 3 minutos. Transferirlas a un plato con toallas de papel absorbente para quitarles el exceso de grasa. Repetir el proceso con la otra mitad, agregando más aceite de ser necesario. Servir la sopa con las albóndigas en tazones individuales con las tortillas y el cilantro encima.

Porciones: 6 como aperitivo y 4 como platillo principal

Tip: Panko (pan molido japonés) se encuentra en la sección asiática de la mayoría de los supermercados. Al empanizar con panko, se obtiene una capa más ligera y crujiente que con el pan molido normal.

Ancho Chile Soup with Poblano Meatballs

Fideo Seco

Fideo Seco

Similar to Sopa de Fideo, Fideo Seco is the "dry" versión and is served as a pasta or side dish.

2 garlic cloves
1/4 white onion
4 large tomatoes
3 cups chicken stock, divided (see recipe page 112)
2 tablespoons vegetable oil, divided
1 package (7 ounces) fideo or vermicelli
Salt or granulated chicken bouillon to taste
1/2 cup cilantro leaves, finely chopped
6 ounces queso fresco, crumbled

In a large skillet, roast garlic, onion and tomatoes. Once onions and garlic are slightly browned, remove and place in a blender. Continue roasting tomatoes, turning frequently until they are slightly charred and easily peeled. Remove from heat. Peel and core tomatoes and puree in blender with onion, garlic and 1/2 cup chicken stock.

In a large pot over medium heat, cook fideo in 1 tablespoon oil, stirring slowly but continuously, until it is golden. Remove fideo to a plate and set aside. In same pot, fry tomato puree in remaining 1 tablespoon oil and simmer for 10 minutes. Add rest of chicken stock and fideo. Adjust seasonings with salt or bouillon and bring back to a simmer, stirring frequently, scraping bottom until fideo is cooked, about 10 minutes. It should be saucy but not liquid.

Garnish generously with cilantro and cheese, or do it the Italian way and use Parmesan cheese.

Serves: 4

Tips: For easier cleanup, line frying pan with foil. Roast as instructed above and discard foil when finished.
Add a little sour cream and sliced avocado for variety.

Fideo Seco

Esta sopa es la versión en seco de la Sopa de Fideo y se sirve como pasta o como acompañamiento.

2 dientes de ajo
1/4 de cebolla blanca
4 jitomates grandes
3 tazas de caldo de pollo (página 112)
2 cucharadas de aceite
1 paquete (7 onzas) de fideo (como vermicelli)
Sal o consomé de pollo al gusto
1/2 taza de hojas de cilantro finamente picadas
6 onzas de queso fresco desmoronado

En una sartén grande o comal, asar los jitomates, la cebolla y el ajo. Cuando la cebolla y el ajo se hayan dorado, retirar y poner en la licuadora. Continuar asando los jitomates volteándolos frecuentemente. Pelarlos, despepitarlos y ponerlos en la licuadora. Agregar media taza de caldo de pollo y licuar todo hasta obtener un puré de la misma manera que para la sopa de fideo.

En una olla grande a fuego medio, calentar 1 cucharada de aceite y freír el fideo, moviéndolo despacio pero continuamente, hasta que tenga un tono dorado claro. Sacar el fideo de la olla y ponerlo en un plato aparte. En la misma olla, en el aceite restante y con cuidado, freír el puré de jitomate y dejar que hierva a fuego lento por 10 minutos. Agregar el resto del caldo de pollo y el fideo y rectificar la sazón. Cocinar a fuego lento moviendo frecuentemente y rascando el fondo de la olla porque puede pegarse, alrededor de 10 minutos o hasta que el fideo esté al dente. El fideo debe quedar con algo de salsa, pero no muy líquido, ya que espesará un poco más después de retirarlo de la lumbre.

Adornar con el queso y el cilantro. También puede acompañarlo con crema y rebanadas de aguacate. Para darle un toque italiano, el queso parmesano es una buena opción.

Prociones: 4

Tip: Para proteger la sartén donde se van a asar los jitomates y facilitar su limpieza, forrarla con papel aluminio que después se podrá descartar.

Pasta Poblano

Poblano chile peppers give this simple pasta dish a little extra flavor. Add bite-size chicken pieces and it makes a perfect weeknight meal.

8-10 poblano chile peppers, roasted, peeled, seeded and cut in large pieces (see recipe page 59)
1/2 large white onion, quartered
2 garlic cloves, halved
1/2 cup chicken broth
3 tablespoons butter
4 cups heavy whipping cream
1 tablespoon granulated chicken bouillon
1 pound penne pasta, cooked al dente
1 cup Monterey Jack cheese, grated

Preheat oven to 350 degrees. Grease a large baking dish. In a blender, puree poblanos, onion, garlic and chicken broth. In a large saucepan, melt butter and add poblano puree. Cook over medium heat, stirring frequently, 8 to 10 minutes. Reduce heat, add cream and chicken bouillion, and continue stirring until cream is about to boil. Remove from heat and adjust seasoning.

Place pasta in baking dish and cover with creamy poblano sauce. Stir gently to combine. Sprinkle cheese over top and bake uncovered until sauce starts to bubble and cheese has melted, 10 to 15 minutes. Serve with slices of garlic bread.

Serves: 8

Tip: Try boiling the poblanos instead of roasting them. Quarter and seed them first, then boil until soft. Allow to cool 10 minutes and the skin will easily peel off. Save the water and use it to boil the pasta.

Pasta Poblana

El chile poblano le da a esta pasta simple un sabor muy especial. Si se le agrega pollo cocido en trocitos, se convierte en un excelente platillo para la cena de un día entre semana.

8-10 chiles poblanos asados, pelados y cortados en trozos (página 59)
1/2 cebolla blanca grande cortada en cuartos
2 dientes de ajo en mitades
1/2 taza de caldo de pollo
3 cucharadas de mantequilla
4 tazas de crema espesa para batir
1 cucharada de consomé de pollo en polvo
1 libra de pasta penne cocida al dente
1 taza de queso Monterey Jack rallado

Precalentar el horno a 175°C (350°F). Engrasar un refractario grande. Licuar los chiles poblanos, la cebolla, el ajo y el caldo de pollo. En una cacerola grande, derretir la mantequilla a fuego medio y freír la mezcla de poblanos de 8 a 10 minutos, moviendo frecuentemente. Reducir el fuego, agregar la crema y el consomé de pollo. Continuar moviendo hasta que la crema esté a punto de hervir. Retirar del fuego y rectificar la sazón.

Vaciar la pasta en el refractario engrasado y bañarla con la salsa de poblanos. Mezclar un poco y cubrir con el queso toda la pasta. Hornear de 10 a 15 minutos o hasta que la crema empiece a burbujear y el queso se haya derretido. Servir con rebanadas de pan de ajo.

Porciones: 8

Tip: Haga la prueba hirviendo los chiles poblanos en lugar de asarlos: lavarlos, abrirlos y sacarles las semillas. Cortarlos en 4 pedazos y hervirlos hasta que se suavicen. Dejar enfriar un poco y cuando se puedan manejar se podrán pelar sin dificultad. Reservar el agua y usarla para cocer la pasta.

Roasted and Peeled Poblano Chile Peppers

Pasta Vodka

A pasta dish that serves a big group and is easy enough for a weeknight family dinner.

3/4 cup olive oil
10 dried chiles de árbol
8 garlic cloves
2 cans (16 ounces each) Italian-style peeled tomatoes
1 tablespoon chopped fresh basil
Salt and pepper to taste
24 ounces rigatoni or penne pasta
2 containers (10 ounces each) Mexican crema
1 1/2 cups Parmesan cheese, grated
1/2 cup vodka
Chopped fresh basil for garnish

In a large frying pan, heat olive oil. Sauté chiles and garlic until browned, but not burnt. Remove chiles and garlic from pan and discard. To hot oil, add tomatoes with juice, basil, salt and pepper. Cook on medium high for 5 to 10 minutes, chopping tomatoes while stirring. Reduce heat and let sauce simmer while pasta is cooking. Cook pasta according to package directions.

In a small saucepan over low heat, warm crema. Do not boil.

When pasta is ready, drain and pour into a large serving bowl. Add tomato sauce and stir. Mix in crema, Parmesan cheese and vodka. Garnish with fresh basil.

Serves: 8-10

Tip: This dish is best if served immediately after assembly.

Pasta Vodka

Una pasta que rinde lo suficiente para alimentar a un grupo grande y que también sirve para ofrecerla como cena a la familia cualquier día de la semana.

3/4 de taza de aceite de oliva
10 chiles de árbol secos
8 dientes de ajo
2 latas (16 onzas) de jitomates pelados a la italiana con albahaca
1 cucharada de albahaca fresca picada
Sal y pimienta negra molida al gusto
24 onzas de pasta rigatoni o penne
2 frascos de crema mexicana (10 onzas c/u)
1 1/2 tazas de queso parmesano rallado
1/2 taza de vodka
Albahaca fresca picada para adornar

En una sartén grande calentar el aceite de oliva. Saltear los chiles y el ajo hasta dorarse, pero sin quemarlos. Retirar los chiles y el ajo y descartar. En el mismo aceite, freír los jitomates con su jugo, la sal, la pimienta y la albahaca y, utilizando una espátula, mezclar bien todo picando los jitomates al mismo tiempo. Cocinar a fuego medio de 5 a 10 minutos y reducir el fuego. Continuar cociendo mientras se cuece la pasta siguiendo las instrucciones del paquete. En una cacerola pequeña calentar la crema a fuego lento sin dejar que hierva.

Cuando la pasta esté lista, escurrirla y ponerla en un platón para servir. Agregar la salsa de jitomate mezclándola suavemente y añadir la crema, el queso parmesano y el vodka. Adornar con albahaca fresca.

Porciones: 8-10

Tip: Este platillo debe servirse lo más pronto posible después de prepararse.

Mi Casa
Es Tu Casa

5 chapter five
main courses

Award-Winning Paella

Award-Winning Paella

This recipe has been used to win several international paella cooking contests and has been a secret until now! Although typically a Spanish dish, paella is popular throughout various parts of the Latin world. The secret to creating successful paella is in using a paella pan – a flat, shallow frying pan at least 16 inches in diameter—and the combined ingredients should be no more than 2 inches high when fully cooked.

1 cup olive oil
6 garlic cloves, 3 whole and 3 minced
Salt and pepper to taste
1 1/2 pounds pork tenderloin, cubed into 1/2 inch pieces
1 1/2 pounds boneless chicken breast, cubed into 1/2 inch pieces
1 pound squid, cleaned and cut into 3/8 inch rings
3/4 pound Spanish chorizo, cubed into 1/2 inch pieces
2 tablespoons pimenton (sweet, smoky páprika imported from Spain)
1 1/2 jars (12 ounces each) roasted piquillo peppers, thinly sliced (found in the pasta or international section of the grocery store)
1 yellow onion, chopped
2 cans (12 ounces each) tomato sauce
1 bunch parsley, minced
1 cup dry white wine
1 bottle (8 ounce) clam juice
2 cans (33 ounces each) chicken stock, divided
1 teaspoon Spanish saffron
1 pound hard-shelled clams
2 1/4 pounds Spanish rice or Bomba rice (if not available, you can substitute with Arborio rice)
1 1/2 pounds shrimp, unpeeled
2 jars (11 ounces each) white asparagus spears
2 cans (14 ounces each) whole artichoke hearts

In paella pan, heat oil and add whole garlic cloves. When garlic browns, mash in pan. Add pork and salt and pepper to taste. Sauté pork until golden brown and move to side when done. Add chicken, salt and pepper then cook until lightly browned. Move to side with pork and add squid as well as additional salt and pepper. When cooked, move to side of pan and then add chorizo in middle. When chorizo is browned, combine all meats and squid then add pimenton and mix well. Move to one side of pan and add peppers, onions and minced garlic. Sauté until onions are translucent. Add tomato sauce and parsley and let simmer for a few minutes until it boils. Mix ingredients together and add wine, clam juice and 6 cups chicken stock. Bring to a boil. Add saffron, stirring well. Then add clams, making sure they open slightly. Take out and discard any clams that do not open. Cook for about 5 minutes then add rice, spreading evenly in pan. Set shrimp on top of rice, gently stirring to make sure all is cooking properly. While rice is cooking, neatly place asparagus and artichoke hearts in a circle on top. Add remaining chicken stock as rice cooks. Add more if needed, making sure rice remains moist until cooked. Turn off heat and let sit for 10 minutes, covered with a wet cloth. You can garnish with additional parsley before serving.

Serves: 8-10

Tip: You can add mussels instead of clams or do both. You can also add lobster (before you add chicken stock).

Paella

Esta receta ha ganado varios premios en concursos internacionales de paella y había permanecido secreta hasta ahora. Aunque es un platillo típicamente español, goza de mucha popularidad en varias partes de América Latina. El secreto para el éxito en la elaboración de la paella es utilizar una paellera, es decir, una cacerola plana de por lo menos 16 pulgadas de diámetro y no muy profunda, a modo que los ingredientes no ocupen más de 2 pulgadas de alto al estar completamente cocidos.

1 taza de aceite de oliva
6 dientes de ajo (3 enteros y 3 finamente picados)
Sal y pimienta al gusto
1 1/2 libras de lomo de puerco, cortado en cubos de 1/2 pulgada
1 1/2 libras de pechuga de pollo deshuesada y cortada en cubos de 1/2 pulgada
1 libra de calamares limpios y cortados en anillos de 3/8 de pulgada
3/4 de libra de chorizo español cortado en cubos de 1/2 pulgada
2 cucharadas de pimentón (páprika ahumada dulce, importada de España)
1 1/2 frascos (12 onzas c/u) de pimientos Piquillo asados y rebanados muy delgados (se pueden encontrar en la sección internacional o de pastas de los supermercados)
1 cebolla picada
2 latas (12 onzas c/u) de puré de tomate
1 manojo de perejil finamente picado
1 taza de vino blanco seco
1 botella (8 onzas) de jugo de almeja
2 latas (33 onzas c/u) de caldo de pollo
1 cucharadita de azafrán español
1 libra de almejas pequeñas de concha dura
2 1/4 de libra de Arroz Español o Arroz Bomba (de no encontrarse, puede sustituirse con arroz Arborio)
1 1/2 libras de camarón sin pelar
2 frascos (11 onzas c/u) de puntas de espárragos blancos
2 latas (14 onzas c/u) de corazones de alcachofa enteros

Calentar el aceite de oliva en la paellera y agregar los dientes de ajo enteros. Cuando estén dorados, machacarlos en la misma paellera, agregar la carne de puerco y salpimentar al gusto. Freír el puerco hasta dorar y hacer a un lado dentro de la paellera. Agregar el pollo, salpimentar al gusto y freír hasta dorar ligeramente. Hacer a un lado con el puerco y agregar los calamares con sal y pimienta. Una vez cocidos, juntarlos con el puerco y el pollo y poner el chorizo en el centro. Cuando el chorizo haya dorado, mezclar con las carnes y el calamar, añadir el pimentón y mezclar bien. Hacer toda la mezcla a un lado y agregar los pimientos, la cebolla y el ajo picado y saltear hasta que las cebollas estén transparentes. Agregar el puré de tomate con el perejil y dejar que suelte el hervor. Combinar todos los ingredientes, añadir el vino blanco, el jugo de almeja, 6 tazas de caldo de pollo y permitir que suelte nuevamente el hervor.

Añadir el azafrán mezclando muy bien. Agregar las almejas asegurándose que abran ligeramente y desechar las que permanezcan cerradas. Cocer alrededor de 5 minutos y agregar el arroz repartiéndolo por toda la superficie. Colocar los camarones sobre la cama de arroz moviendo suavemente para asegurarse que todo se cueza correctamente.

Mientras se cuece el arroz, acomodar encima los espárragos y corazones de alcachofa en círculo. Añadir el resto del caldo de pollo conforme el arroz se va cociendo. Asegurarse que el arroz permanezca húmedo hasta cocerse, añadiendo más caldo de ser necesario. Apagar el fuego y dejar reposar por lo menos 10 minutos, cubierto con un trapo húmedo. Se puede adornar con perejil adicional antes de servir.

Porciones 8-10

Tip: Se pueden sustituir las almejas con mejillones o usar ambos. También se puede agregar langosta (antes de incorporar el caldo de pollo).

Grilled Lobster with Roasted Chile Salsa

Asian and Latin ingredients blend beautifully to make a delicious marinade and salsa for this lobster.

2 medium tomatoes, halved lengthwise
1 red onion, cut into 8 wedges
2 serrano chile peppers, stems removed
3 cloves garlic
1 tablespoon olive oil, plus more for grill
1 tablespoon fresh thyme leaves
1/4 cup cilantro, stems removed, and leaves chopped
1/3 cup sesame oil
2 tablespoons soy sauce
2 lobster tails (1 1/2 pounds each), split lengthwise and deveined
4 tablespoons butter, melted

Preheat oven to 450 degrees. Toss tomatoes, onion, peppers and garlic with olive oil. Arrange on a greased baking sheet in a single layer and sprinkle with thyme. Roast, stirring occasionally, until vegetables are charred, about 25 to 30 minutes. Remove from oven and let cool slightly, then puree in a blender with cilantro. With motor running, drizzle in sesame oil and soy sauce. Puree until smooth.

In a large baking dish, place lobsters, cut side up. Spoon half of salsa over lobsters. Cover with plastic wrap and refrigerate for 1 hour. Reserve remaining salsa.

Heat grill or ridged grill pan to medium heat. Oil rack or pan with olive oil. Remove lobster halves from marinade and place them, cut side down, on grill. Cook for 5 minutes then, using tongs, turn over. Baste with butter and grill another 5 minutes or until meat turns opaque. Place one lobster half on each plate and spoon remaining salsa on top.

Serves: 4

Langosta a la Parrilla con Salsa de Chiles Asados

Los ingredientes asiáticos y latinos se combinan maravillosamente para crear una deliciosa salsa para esta langosta.

2 jitomates bola medianos en mitades a lo largo
1 cebolla morada cortada en 8
2 chiles serranos sin rabo
3 dientes de ajo
1 cucharada de aceite de oliva, más un poco para el asador
1 cucharada de hojas de tomillo fresco
1/4 de taza de hojas de cilantro picadas
1/3 de taza de aceite de ajonjolí
2 cucharadas de salsa de soya
2 colas de langosta (1 1/2 libras cada una) partidas a lo largo y desvenadas
4 cucharadas de mantequilla derretida

Precalentar el horno a 230°C (450°F). Mezclar los jitomates, la cebolla, los chiles y el ajo con el aceite de oliva hasta que se cubran. Acomodar en una charola de horno engrasada, en una sola capa y espolvorear con el tomillo. Asar en el horno moviendo ocasionalmente de 25 a 30 minutos o hasta que las verduras estén bien doradas. Retirar del horno, enfriar ligeramente y licuar con el cilantro. Sin apagar la licuadora, añadir poco a poco el aceite de ajonjolí y la salsa de soya. Licuar hasta obtener una mezcla uniforme.

Colocar las langostas con el corte hacia arriba en un refractario grande y bañarlas con la mitad de la salsa. Cubrir con plástico autoadherente y refrigerar durante una hora. Reservar el resto de la salsa.

Calentar el asador o plancha acanalada a fuego medio. Engrasar la rejilla o plancha con aceite de oliva. Escurrir las langostas para quitarles el exceso de salsa y colocarlas a la plancha con el corte hacia abajo. Asar durante 5 minutos y voltear utilizando pinzas. Bañar con mantequilla y asar 5 minutos más o hasta que la carne se vuelva opaca. Servir cada mitad de langosta en un plato bañada con el resto de la salsa.

Porciones: 4

Grilled Lobster with Roasted Chile Salsa

Seared Sea Scallops with Lemongrass Sauce and Basil, Mint and Cilantro Salad

Asian cooking has spread throughout the world and is commonly found in Latin America today. This Thai recipe is so delicious, we couldn't resist sharing it.

Sauce
2 teaspoons canola oil
1 onion, chopped
6 stalks lemongrass, dry leaves removed, stems pounded and cut into 3 inch lengths
4 garlic cloves, finely chopped
3 red Thai bird chile peppers (found in Asian section of the grocery store), finely chopped (if unavailable, substitute serrano or fresh cayenne peppers)
2 cups dry white wine
1 can (28 ounces) whole tomatoes, plus juice
Salt and pepper to taste

Salad
1/2 cup Thai basil
1/2 cup fresh mint leaves
1/2 cup cilantro leaves
Juice from 1/2 lime
2 teaspoons canola oil
Salt and pepper to taste

Scallops
24 jumbo sea scallops
Salt and pepper to taste
1 tablespoon canola oil

Sauce

In a large nonstick skillet over low heat, sauté onions in oil with a pinch of salt until translucent, about 12 minutes. Stir in lemongrass, garlic and peppers. Add wine and raise heat to high, bring to a boil, then lower heat and simmer 5 minutes. Add tomatoes and juice, breaking up tomatoes. Simmer until sauce thickens, about 20 minutes. Force sauce through a colander and discard solids. Season with salt and pepper.

Salad

Toss all ingredients in a bowl. Season with salt and pepper.

Scallops

Season scallops with salt and pepper. Heat a large nonstick pan over high heat for 1 minute. Add oil and cook 8 scallops for 1 minute. Reduce heat to medium high and continue cooking scallops until golden, about 4 minutes. Turn scallops over and cook for 3 minutes more. Remove from heat. Repeat twice. Divide scallops and sauce among 8 plates. Top with salad.

Serves: 8

Tip: Thai basil has a more assertive taste than other sweet basils, so if you don't like the strong flavor, you can substitute any fresh basil.

Callos de Hacha en Salsa de Zacate Limón y Ensalada de Albahaca, Menta y Cilantro

La cocina asiática se ha extendido por todo el mundo y hoy en día es muy común en América Latina. Esta receta tailandesa es tan deliciosa que no pudimos evitar compartirla.

Salsa
2 cucharaditas de aceite de canola
1 cebolla picada
6 tallos de zacate limón, sin hojas secas, con los tallos machacados y cortados en trozos de 3 pulgadas
4 dientes de ajo finamente picados
3 chiles pájaro tailandés (buscar en la sección asiática en supermercados o reemplazar por chile de árbol o de Cayena frescos) finamente picados
2 tazas de vino blanco seco
1 lata (28 onzas) de jitomates enteros con todo y su jugo
Sal y pimienta al gusto

Ensalada
1/2 taza de albahaca tailandesa
1/2 taza de hojas de menta fresca
1/2 taza de hojas de cilantro
Jugo de 1/2 limón
2 cucharaditas de aceite de canola
Sal y pimienta al gusto

Callo de Hacha
24 callos de hacha gigantes
Sal y pimienta al gusto
1 cucharada de aceite de canola

Salsa
En una sartén de teflón grande a fuego lento, saltear en aceite la cebolla con un poco de sal alrededor de 12 minutos y añadir el zacate limón, el ajo y los chiles. Agregar el vino y aumentar el fuego a alto hasta que suelte el hervor. Bajar nuevamente el fuego y dejar hervir 5 minutos más. Añadir los jitomates con todo y jugo, machacándolos con una pala. Continuar hirviendo a fuego lento hasta que la salsa espese, aproximadamente 20 minutos. Pasar la salsa por un colador, forzándola con la pala y descartar los sólidos. Salpimentar al gusto.

Ensalada
Mezclar todos los ingredientes en una ensaladera y salpimientar al gusto.

Calla de Hacha
Salpimentar los callos de hacha. Calentar una sartén de teflón grande, a fuego alto durante 1 minuto. Añadir el aceite y freír 8 callos de hacha durante un minuto. Reducir el fuego a medio alto y continuar cociendo durante 4 minutos más o hasta que estén dorados. Voltear y cocinar 3 minutos más. Retirar del fuego y repetir el proceso con el resto de los callos de hacha. Dividir los callos de hacha y la salsa en 8 platos y cubrir con la ensalada.

Porciones: 8

Tip: La albahaca tailandesa tiene un sabor más fuerte que otras albahacas dulces. Si a usted no le gusta el sabor fuerte, puede sustituirla por cualquier otro tipo de albahaca fresca.

Shrimp with Orange Butter Sauce and Tequila Flambé

Shrimp with Orange Butter Sauce and Tequila Flambé

You can do your chopping ahead, but this dish is best when cooked at the last minute. Your guests will be as impressed with the final product as they will with the flambé!

Zest of 2 oranges
3/4 cup (1 1/2 sticks) butter
2 tablespoons olive oil
8 tablespoons onion, finely chopped
4 garlic cloves, finely chopped
32 medium shrimp, peeled and deveined
2 serrano chile peppers, finely chopped
Salt to taste
1/2 cup reposado tequila
1/2 cup cilantro leaves, finely chopped

Using a fine strainer, dip zest in boiling water for an instant and immediately dip in ice water. Repeat this process two more times. Place on a paper towel to dry.

In a large skillet over medium heat, melt butter mixed with olive oil. Sauté onions until transparent, add garlic and then shrimp, and stir frequently until shrimp turns pink. In a small bowl, combine peppers and blanched orange zest then add to shrimp. Season with salt to taste. Just before serving, pour tequila over shrimp and flambé until fire extinguishes. Sprinkle with cilantro and serve immediately.

Serves: 6

Tip: For a variation, try 2 chipotle in adobe sauce in lieu of the serrano chile peppers.

Camarones en Salsa de Mantequilla, Naranja y Flameados con Tequila

Se pueden picar los ingredientes con anticipación pero este platillo queda mejor preparado al momento. Sus invitados quedarán tan impresionados con el producto final como con el flameado.

Ralladura de 2 naranjas
1 1/2 barras de mantequilla
2 cucharadas de aceite de oliva
8 cucharadas de cebolla picada
4 dientes de ajo finamente picados
32 camarones medianos pelados y desvenados
2 chiles serranos finamente picados
Sal al gusto
1/2 taza de tequila reposado
1/2 taza de hojas de cilantro fresco finamente picadas

Utilizando un colador fino, sumergir la ralladura de naranja en agua hirviendo por un instante y de inmediato sumergir en agua con hielo. Repetir el proceso dos veces más. Colocar la ralladura sobre toallas de papel absorbente para que seque.

En una sartén grande a fuego medio, derretir la mantequilla con el aceite de oliva y saltear la cebolla. Agregar el ajo y por último los camarones moviendo frecuentemente hasta que tomen el clásico color rosado. En un tazón pequeño, combinar los chiles con la ralladura de naranja y agregar a los camarones. Sazonar con sal al gusto. Justo antes de servir, vaciar el tequila sobre los camarones y flamear hasta extinguirse el fuego. Esparcir el cilantro sobre los camarones y servir de inmediato.

Porciones: 6

Tip: Para una variación de este platillo, se pueden sustituir los chiles serranos por 2 chiles chipotles en adobo.

Shrimp with Dried Chiles

The spiciness of the chiles in this recipe is offset slightly by the sweetness of the prunes. Don't be afraid to try this unusual combination – you will be pleasantly surprised!

4 tablespoons vegetable oil
1 onion, chopped
3 garlic cloves, minced
12 dried pasilla chile peppers, seeded and finely chopped
6 dried ancho chile peppers, seeded and finely chopped
12 dried guajillo chile peppers, seeded and finely chopped
1 cup water
1 teaspoon thyme
1 teaspoon marjoram
2 bay leaves
Salt or granulated chicken bouillon to taste
1 cup seedless prunes, chopped or fig preserves (use less)
4 pounds small shrimp, cooked or fig balsamic (use much less)

In a large pan, heat oil and sauté onion and garlic until soft. Add peppers and fry evenly. Add water, thyme, marjoram, bay leaves, chicken bouillon or salt and prunes. Simmer for 5 to 7 minutes. Check seasoning and add shrimp. Bring back to simmer, cover and turn off heat. Let stand for 10 to 15 minutes, keeping warm and stirring occasionally, allowing shrimp to absorb flavor. Remove bay leaves before serving.

Serves: 6-8

Tip: Serve with guacamole and your favorite rice.

Camarones en Chile Seco

En esta receta lo picoso de los chiles se compensa ligeramente con la dulzura de las ciruelas pasa. No tema probar esta combinación tan poco usual, se sorprenderá gratamente.

4 cucharadas de aceite vegetal
1 cebolla picada
3 dientes de ajo finamente picados
12 chiles pasilla secos sin semilla picados
6 chiles mulatos secos sin semilla picados
12 chiles guajillos secos sin semilla picados
1 taza de agua
1 cucharadita de tomillo
1 cucharadita de mejorana
2 hojas de laurel
Sal o consomé de pollo al gusto
1 taza de ciruelas pasa deshuesadas y picadas
4 libras de camarón pequeño cocido

En una sartén grande, calentar el aceite y saltear la cebolla y los ajos. Añadir los chiles picados y dejar que doren un poco. Agregar el agua, el tomillo, la mejorana, el laurel, el consomé de pollo o sal y las ciruelas pasa. Hervir suavemente de 5 a 7 minutos. Rectificar la sazón y agregar los camarones. Dejar que suelte nuevamente el hervor, tapar y apagar el fuego. Dejar reposar sobre la hornilla de 10 a 15 minutos, moviendo ocasionalmente para que los camarones absorban el sabor. Sacar las hojas de laurel antes de servir.

Porciones: 6-8

Tip: Servir acompañado de guacamole y arroz.

Seared Tuna with Mango and Avocado Salsa

This dish presents beautifully plated individually or can be doubled or tripled for a large group and served on a platter.

Salsa
2 tablespoons extra-virgin olive oil
Juice of 2 limes
2 jalapeño peppers, seeded and minced (amount to taste)
2 tablespoons diced red onion
2 tablespoons red bell pepper, seeded and diced
3 teaspoons cilantro, stems removed and leaves minced
1 avocado, pitted, peeled and into 1/4 inch cubes
1 mango, pitted, peeled and cut into 1/4 inch cubes

Fish
2 tablespoons extra-virgin olive oil
Salt and pepper to taste
2 large Ahi-tuna sushi grade steaks (if you cannot find sushi grade tuna, substitute any good quality steaky fish)
2 limes, cut in wedges, for garnish

Salsa
In a medium bowl, mix olive oil, lime juice, jalapeño, onion, red bell pepper and cilantro. Salt and pepper to taste. Gently toss in avocado and mango. Set aside.

Fish
In a medium skillet, heat olive oil over medium high heat. Season tuna steak with salt and pepper and sear each side for about 45 to 60 seconds. The edges and outside should be brown but inside should be rare. Cut tuna into 1/2 inch slices. Fan them out on a plate, top with relish and decorate with lime wedges.

Serves: 4

Tip: On its own, the salsa makes a great dip with tortilla chips or tostadas.

Atún Sellado con Salsa de Mango y Aguacate

Este platillo se ve muy bonito presentado individualmente o puede ser duplicado o triplicado para un grupo grande servido en un platón.

Salsa
2 cucharadas de aceite de oliva extra-virgen
Jugo de 2 limones
2 chiles jalapeños sin semillas, desvenados y finamente picados
2 cucharadas de cebolla morada picada
2 cucharadas de pimiento rojo sin semillas, picado
3 cucharaditas de hojas de cilantro fresco finamente picadas
1 aguacate cortado en cubos de 1/4 de pulgada
1 mango cortado en cubos de 1/4 de pulgada

Atún
2 cucharadas de aceite de oliva extra virgen
Sal y pimienta al gusto
2 filetes grandes de atún Ahi para sushi (se puede sustituir por cualquier pescado de buena calidad)
2 limones cortados en cuartos para decoración

Salsa
En un tazón mediano mezclar el aceite, el jugo de limón, el chile jalapeño, el pimiento, el cilantro y la cebolla. Salpimentar al gusto. Integrar el aguacate y el mango con cuidado. Reservar.

Atún
En una sartén mediana, calentar el aceite de oliva a fuego medio alto. Salpimentar los filetes de atún y sellarlos por ambos lados de 45 a 60 segundos.
El exterior y las orillas del filete deben estar dorados pero el interior deberá quedar crudo. Cortar los filetes en rebanadas de 1/2 pulgada. Acomodarlas en forma de abanico en un platón, cubrirlas con la salsa y adornar con los cuartos de limón.

Porciones: 4

Tip: Por sí sola, la salsa resulta un dip excelente con tostadas o totopos.

Seared Tuna with Mango and Avocado Salsa

Sea Bass with Red Chiles

Sea Bass with Red Chiles

Pull out your fine linens – this dish will impress even your most discerning guests. For a variation, eliminate the sliced potatoes and serve over mashed potatoes (as shown).

3/4 cup olive oil, divided
1 1/2 tablespoons garlic, finely chopped
3 each: ancho, mulato and guajillo chile peppers, veins and seeds removed, and cut in thin strips
Juice of 1 lime
1 tablespoon Worcestershire sauce
1 tablespoon Maggi (found in the Asian or Latin section of the grocery store)
1/2 cup white wine
3 cups fish stock
8 filets of sea bass (approximately 1 inch thick)
3 egg whites, lightly beaten
1/2 cup sesame seeds
4 large potatoes, peeled and thinly sliced
1 cup parsley, stems removed and leaves finely chopped
Salt and pepper to taste

In a large skillet over medium heat, sauté garlic in 1/4 cup olive oil. Add peppers and continue cooking until light golden. Add lime juice, Worcestershire sauce and Maggi seasoning, stirring for about 2 minutes. Add white wine and simmer for 5 minutes. Add fish stock and simmer for 10 minutes more. Set aside.

Wash fish and pat dry with paper towels. Season with salt and pepper to taste, dip in egg whites and dredge with sesame seeds. In a large skillet over medium heat, fry fish in remaining 1/2 cup oil until golden brown. Place on paper towels to drain excess oil.

Preheat oven to 375 degrees and grease a 9x13 inch baking dish. In a large saucepan, place potatoes laid flat on bottom and add water to cover. Cook for about 10 minutes, making sure the potatoes remain firm. Drain and season with salt and pepper. Arrange potatoes in baking dish, creating a thick layer, and place filets on top. Cover fish with pepper mixture and some sauce, reserving the rest to serve separately at the table. Sprinkle with parsley and bake for about 10 minutes, allowing sauce to simmer. Serve immediately with the extra sauce on the side.

Serves: 8

Tip: Try saving the leftover potato skins. Chop them into small pieces and sauté them over high heat in a little butter and oil with finely chopped onion, seeded and finely chopped serrano chile peppers, salt and pepper. When they are browned, remove and serve with carnitas or in tacos with one of our salsas.

Robalo con Chiles Rojos

Este platillo impresionará hasta al más crítico de sus invitados. Una variación de este platillo puede hacerse eliminando las papas rebanadas y sirviéndolo sobre puré de papa.

3/4 de taza de aceite de oliva
1 1/2 cucharada de ajo finamente picado
3 chiles de cada uno: ancho, mulato y guajillo, desvenados, sin semillas y cortados en tiras delgadas
Jugo de 1 limón
1 cucharada de salsa inglesa
1 cucharada de jugo Maggi
1/2 taza de vino blanco
3 tazas de caldo de pescado o fumet de pescado
8 piezas de filete de robalo de aproximadamente 1 pulgada de grueso
3 claras de huevo ligeramente batidas
1/2 taza de semillas de ajonjolí natural
4 papas grandes peladas y rebanadas en rodajas delgadas
1 taza de perejil finamente picado
Sal y pimienta al gusto

En una sartén grande a fuego medio, saltear el ajo con 1/4 de taza de aceite de oliva. Añadir los chiles secos y freír hasta que se doren ligeramente. Agregar el jugo de limón, la salsa inglesa y el jugo Maggi, moviendo durante 2 minutos. Añadir el vino blanco y hervir a fuego lento aproximadamente 5 minutos. Agregar el caldo de pescado y continuar hirviendo a fuego lento durante 10 minutos más.

Lavar los filetes de pescado y secar con toallas de papel absorbente. Salpimentar al gusto. Pasar cada filete por las claras de huevo y cubrir con ajonjolí. Freír los filetes en el resto del aceite en una sartén grande a fuego medio, hasta que doren. Colocar sobre toallas de papel absorbente para quitar el exceso de grasa.

Precalentar el horno a 175°C (375°F) y engrasar un refractario de 9x13 pulgadas. En una cacerola grande, colocar las papas rebanadas en el fondo y cubrir con agua. Cocer aproximadamente 10 minutos cuidando que queden firmes. Escurrir y salpimentar al gusto. Acomodar las rebanadas en el refractario creando una cama gruesa y colocar los filetes encima. Cubrir los filetes con los chiles y parte de la salsa, reservando el resto para servir en la mesa. Espolvorear con perejil picado y hornear aproximadamente 10 minutos permitiendo que la salsa suelte el hervor. Servir de inmediato.

Porciones: 8

Tip: Procure reservar la cáscara de las papas. Cortarlas en trozos pequeños y saltearlas a fuego alto con un poco de mantequilla y aceite, un poco de cebolla finamente picada, chiles serranos picados, sal y pimienta. Cuando estén doradas, retirar del fuego y reservar para servir con carnitas o en tacos con una de nuestras salsas.

Packets of Sole

Cooking this fish in pockets of foil keeps it moist and allows the various flavors to come together beautifully.

6 filets of sole
2 limes
2 medium tomatoes, cored and chopped
1 medium onion, finely chopped
4 jalapeño peppers, seeds and veins removed and finely chopped
3 tablespoons olive oil
24 small shrimp, cooked and chopped
2 tablespoons butter, softened
Salt and pepper to taste
2 cups, grated Swiss cheese

Sprinkle fish with lime juice 2 hours ahead. Cover and keep in refrigerator.

Preheat oven to 350 degrees. In a large skillet, sauté tomatoes, onion and peppers in olive oil. Add shrimp and cook for 2 to 3 minutes longer. Season fillets with salt and pepper and place them on foil squares greased with butter. Spoon some of tomato mixture and sprinkle cheese on each one. Close packets and bake for about 15 minutes.

Serves: 6

Tip: This recipe is full of flavor and best served with a simple side like white rice.

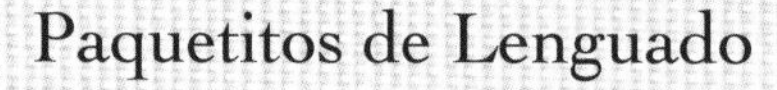

Paquetitos de Lenguado

Al hornear estos filetes en paquetes de papel aluminio se conservan jugosos y esto permite que los diferentes sabores se combinen maravillosamente.

6 filetes de lenguado
2 limones
2 jitomates medianos sin el centro y picados
1 cebolla mediana finamente picada
4 chiles jalapeños sin semillas, desvenados y picados
3 cucharadas de aceite de oliva
24 camarones pequeños cocidos y picados
2 cucharadas de mantequilla sin sal suavizada
Sal y pimienta al gusto
2 tazas de queso suizo rallado

Rociar los filetes de lenguado con el limón 2 horas antes. Cubrir y reservar en el refrigerador.

Precalentar el horno a 175°C (350°F). En una sartén grande, saltear el jitomate, la cebolla y los chiles en el aceite de oliva. Agregar los camarones y cocer de 2-3 minutos. Salpimentar los filetes y acomodarlos en cuadros de papel aluminio engrasados con mantequilla. Poner un poco de la mezcla del jitomate y queso rallado sobre cada uno. Cerrar bien los paquetes y hornear aproximadamente 15 minutos.

Porciones: 6

Tip: Esta receta tiene mucho sabor y se puede servir con arroz blanco.

Fish Tacos

Lighten up your taco craving with these crispy fish tacos. For an even lighter version, season and broil or grill fish filets in lieu of breading and panfrying.

1 cup all-purpose flour
1 1/2 teaspoons kosher salt
1 teaspoon ground black pepper
1 teaspoon ground red cayenne pepper
4 eggs
2-3 cups panko (Japanese breadcrumbs)
4 large trout filets (or other similar fish), cut crosswise into 1 inch strips
Vegetable oil
16-24 flour tortillas
Chipotle Coleslaw (see recipe below)

In a small bowl, combine flour, salt, black pepper and red pepper. In a medium bowl, whisk eggs until frothy. And in a third bowl, place panko.

Dredge fish strips in flour mixture. Then dip them in eggs and roll them in panko. In a large skillet, heat enough oil to completely cover bottom of pan. Fry fish, turning once, until golden brown and crispy. Remove to a plate covered with paper towels. Repeat until all fish is fried. Add more oil if necessary.

Warm tortillas and fill them with fish and Chipotle Coleslaw. Serve immediately.

Chipotle Coleslaw

1/2 cup mayonnaise
1/2 cup sour cream
4 tablespoons white wine vinegar
1 tablespoon molasses
1 1/2 teaspoons sugar
1 can (7 ounces) chipotles in adobe sauce, chipotles minced with 2 teaspoons adobo sauce from the can
1 teaspoon kosher salt
6 cups, finely shredded green cabbage
6 cups, finely shredded red cabbage
12 green onions, chopped
1 cup cilantro leaves

In a medium bowl, stir together mayonnaise, sour cream, vinegar, molasses, sugar, chipotles in, adobo sauce and salt. In a large bowl, toss together green and red cabbage, green onions and cilantro. Pour dressing over vegetables, toss well and refrigerate for at least 30 minutes and up to 4 hours. Before serving, add more salt and pepper to taste.

Serves: 8

Tip: For a less spicy alternative, use the Mango and Avocado Salsa (see recipe on page 140) instead of the Chipotle Coleslaw.

Tacos de Pescado

Aligere su antojo de tacos con estos tacos de pescado crujiente. Para una versión aún más ligera, sazone y ase los filetes de pescado en vez de empanizarlos y freírlos.

1 taza de harina de trigo
1 1/2 cucharaditas de sal kosher
1 cucharadita de pimienta negra molida
1 cucharadita de pimienta roja (de Cayena) molida
4 huevos
2-3 tazas de panko
4 filetes de trucha (o un pescado similar) grandes cortados a lo ancho en tiras de 1 pulgada
Aceite vegetal
16-24 tortillas de harina
Ensalada de col con chipotle

En un tazón pequeño, mezclar la harina, la sal y ambos tipos de pimienta. En otro tazón mediano, batir los huevos hasta formar espuma. En un tercer tazón, colocar el panko.

Pasar las tiras de pescado por la mezcla de harina, posteriormente pasarlos por el huevo y por último, empanizarlos con el panko. En una sartén grande, calentar suficiente aceite para cubrir completamente el fondo. Freír el pescado volteando una vez hasta que dore y esté crujiente. Pasarlo a un plato cubierto con toallas de papel absorbente para quitar el exceso de grasa. Repetir hasta freír todo el pescado. Añadir más aceite de ser necesario.

Calentar las tortillas y hacer los tacos con el pescado y la ensalada de col con chipotle. Servir de inmediato.

Ensalada de Col con Chipotle

1/2 taza de mayonesa
1/2 taza de crema agria
4 cucharadas de vinagre de vino blanco
1 cucharada de melaza
1 1/2 cucharaditas de azúcar
1 lata (7 onzas) de chiles chipotles en adobo picados, más 2 cucharaditas del adobo de la lata
1 cucharadita de sal kosher
6 tazas de col verde finamente rallada
6 tazas de col roja finamente rallada
12 cebollitas verdes picadas
1 taza de hojas de cilantro

En un tazón mediano, mezclar la mayonesa, la crema agria, el vinagre, la melaza, el azúcar, los chiles chipotles en adobo y la sal. En un tazón grande, mezclar las coles, las cebollitas y el cilantro. Aderezar bien y refrigerar por lo menos 30 minutos y hasta 4 horas. Antes de servir agregar sal y pimienta al gusto.

Porciones: 8

Tip: Para una alternativa menos picosa, utilice la salsa de mango (página 140) en lugar de la ensalada de col con chipotle.

Salmon in Guajillo Sauce

This dish is light on fuegoies, but heavy on flavor.

Sauce
10 large dried guajillo chile peppers, seeds and stem removed
2 garlic cloves, unpeeled
3/4 cup Italian dressing
1/4 cup sliced almonds, toasted

Salmon
2 pounds salmon, cut in 8 pieces
8 banana leaves (cut into 10 inch lengths)
1/2 cup sliced almonds, toasted
1/4 cup cilantro leaves, chopped

Preheat oven to 350 degrees.

Sauce
Soak peppers in 4 cups of hot water until tender about 10 minutes; drain and reserve 1/4 cup of liquid. In a small pan, roast garlic cloves over medium high heat for about 10 minutes. Peel garlic and puree in a blender with peppers and reserved liquid. Add Italian dressing and almonds, and continue blending until creamy.

Salmon
Place salmon pieces in a bowl and coat with sauce. Place banana leaves, 1 each, on a 12 inch square sheet of foil. Place 1 piece of salmon on each leaf and cover with sauce. Pull four corners of each sheet upwards and twist them together to make a bundle. Place on a baking sheet and bake until fish flakes easily, about 20 minutes. Mix remaining 1/2 cup almonds with cilantro, open bundles, discard foil and spoon mixture on each one. Serve immediately.

Serves: 8

Tip: If you cannot find banana leaves, use parchment paper, and discard paper with foil after cooking.

Salmón en Salsa de Guajillo

Este platillo es ligero en calorías, pero abundante en sabor.

Salsa
10 chiles guajillos secos grandes sin rabo ni semillas
4 tazas de agua caliente
2 dientes de ajo sin pelar
3/4 de taza de aderezo italiano
1/4 de taza de almendras fileteadas y tostadas

Salmón
2 libras de salmón cortado en 8 trozos
8 hojas de plátano (cortadas en tiras de 10 pulgadas)
1/2 taza de almendras fileteadas y tostadas
1/4 de taza de hojas de cilantro fresco picadas

Calentar el horno a 175°C (350°F).

Salsa
Remojar los chiles en agua caliente durante 10 minutos o hasta que se ablanden; escurrirlos y reservar 1/4 de taza del líquido. En una sartén chica a fuego medio alto, dorar los ajos aproximadamente 10 minutos. Pelarlos y licuar junto con los chiles, su líquido, el aderezo y 1/4 de taza de almendras, hasta lograr una mezcla cremosa.

Salmón
Colocar los trozos de salmón en un tazón y cubrir perfectamente con la salsa. Colocar las hojas de plátano sobre 8 hojas cuadradas de papel aluminio de 30 cm. Poner un trozo de salmón en cada una y cubrir con la salsa. Levantar las 4 esquinas del papel, juntarlas y torcerlas para formar paquetes. Colocar sobre una charola y hornear aproximadamente 20 minutos o hasta que el pescado se desbarate al probar con un tenedor. Combinar la 1/2 taza de almendras restantes con el cilantro. Abrir los paquetes, descartar el papel aluminio y cubrir el pescado con la mezcla. Servir de inmediato.

Porciones: 8

Tip: Si no puede encontrar hojas de plátano, utilice papel para hornear y descártelo junto con el papel aluminio después de hornear.

Salmon in Guajillo Sauce

Chipotle Meatballs

Meatballs are served throughout the world. The spices, meats and vegetables used vary from culture to culture. This typical Mexican versión boils the meatballs in a slightly spicy broth.

2 pounds ground beef
1/2 cup breadcrumbs
2 eggs, slightly beaten
Salt and pepper to taste
4 tomatoes, grilled and peeled
4 garlic cloves
1 cup chicken stock
3 tablespoons vegetable oil
2-4 dried chipotle chile peppers, seeded and thinly sliced

In a large bowl, mix beef, breadcrumbs, eggs and salt and pepper to taste. Form meatballs to desired size. Set aside.

In a blender, puree tomatoes and garlic with one or two tablespoons of stock. In a saucepan, heat oil and fry peppers. Add tomato purée and continue frying for 5 minutes. Add remaining stock, season to taste and bring to a boil. Add meatballs one by one, taking care not to break them. Bring to a boil once more. Reduce heat, cover and cook until done, approximately 20 to 25 minutes.

Serves: 6-8

Tip: Serve with white rice and tortillas or crusty bread.

Albóndigas Enchipotladas

Las albóndigas se sirven en todo el mundo aunque los condimentos, la carne y las verduras utilizados varían entre las diferentes culturas. Esta receta típicamente mexicana, utiliza un caldo ligeramente picante para cocer las albóndigas.

2 libras de carne molida de res
1/2 taza de pan molido
2 huevos ligeramente batidos
Sal y pimienta al gusto
4 jitomates asados y pelados
4 dientes de ajo
1 taza de caldo de pollo
3 cucharadas de aceite vegetal
2-4 chiles chipotles secos, sin semilla y en rebanadas delgadas

En un tazón grande mezclar la carne, el pan molido, los huevos, la sal y la pimienta y formar las albóndigas al tamaño deseado. Reservar.

Moler el jitomate y el ajo en la licuadora con 1-2 cucharadas de caldo. En una cacerola, calentar el aceite y dorar los chiles. Agregar el jitomate molido y continuar friendo durante 5 minutos. Añadir el resto del caldo, sazonar al gusto y dejar que suelte el hervor. Agregar las albóndigas una a una, cuidando que no se desbaraten. Dejar que suelte el hervor una vez más, bajar el fuego, tapar y cocer de 20 a 25 minutos o hasta que estén bien cocidas.

Porciones: 6-8

Tip: Servir con arroz blanco y tortillas o pan.

Sirloin Tacos

These mouth-watering tacos may not be on your diet, but they are worth the splurge! The flavor makes sirloin the meat of choice for these.

2 1/2-3 pounds prime sirloin steak, 1 inch thick
4 tablespoons olive oil, divided
Juice of 4 limes
1 tablespoon Worcestershire sauce
1/2 cup soy sauce
1/2 tablespoon Maggi (found in the Asian or Latin section of the grocery store)
1/2 tablespoon granulated chicken bouillon
Salt and pepper to taste
1 medium white onion, finely chopped
3 cloves garlic, pressed
Corn tortillas

Trim fat from meat and cut it into small pieces, discarding gristle. Place fat in a small skillet with 1 tablespoon olive oil and set aside. Cut meat into 1/2 inch cubes and place in a large skillet with 2 tablespoons olive oil, lime juice, Worcestershire, soy sauce, Maggi and chicken bouillon. Stir to combine and let marinate for a few minutes.

Sauté trimmed fat over medium high heat. Once it is well browned and slightly crispy, transfer to skillet with meat. Set aside small skillet. Cook meat over medium high heat, stirring frequently.

Meanwhile, heat 1 tablespoon olive oil in small skillet used to cook fat and sauté onion and garlic until softened and slightly browned. Add to skillet with the meat.

Continue cooking meat until thoroughly browned and well combined, about 30 minutes. Serve with warm tortillas and salsa of your choice.

Serves: 6

Tip: These tacos are delicious served with Sautéed Onions and Chiles (see recipe page 183).

Tacos de Sirloin

Se hará agua la boca con estos tacos que seguramente no están incluidos en su dieta, pero son un lujo que vale la pena. Por su sabor, el sirloin es la carne ideal.

2 1/2 - 3 libras de sirloin de 1 pulgada de grosor
4 cucharadas de aceite de oliva
Jugo de 4 limones
1 cucharada de salsa inglesa
1/2 taza de salsa de soya
1/2 cucharada de jugo Maggi
1/2 cucharada de consomé de pollo en polvo
Sal y pimienta al gusto
1 cebolla blanca mediana finamente picada
3 dientes de ajo prensados
Tortillas de maíz

Desprender la grasa de la carne y cortarla en trozos pequeños desechando el cartílago. Colocar la grasa en una sartén pequeña con una cucharada de aceite de oliva y reservar. Cortar la carne en cubos de 1/2 pulgada y ponerla en una sartén grande con 2 cucharadas de aceite de oliva, el jugo de limón, la salsa inglesa, la salsa de soya, el jugo Maggi y el consomé. Mezclar bien y marinar durante unos minutos.

Freír la grasa a fuego medio alto y una vez que esté dorada y ligeramente crujiente, transferirla a la sartén de la carne. Reservar la sartén pequeña. Cocer la carne a fuego medio alto moviendo frecuentemente.

Mientras tanto, calentar 1 cucharada de aceite de oliva en la sartén pequeña utilizada anteriormente; saltear el ajo y la cebolla hasta que estén suaves y ligeramente dorados. Añadir a la sartén de la carne.

Continuar cociendo la carne hasta que esté bien integrada con los demás ingredientes, aproximadamente 30 minutos. Servir con tortillas calientes y su salsa preferida.

Porciones: 6

Tip: Estos tacos son deliciosos servidos con Cebollas y Chiles Asados (página 183).

Crispy Cuban Beef

Crispy Cuban Beef

As a result of the colonization of Cuba by Spain, Cuban cuisine is influenced heavily by Spain, but also suggests the flavors of the Caribbean and Africa.

1 1/2 pounds flank steak, cut into 4-5 pieces
1 green bell pepper, cored, seeded and quartered
2 large white onions, 1 quartered, 1 thinly sliced
2 bay leaves
3 garlic cloves, minced
1 teaspoon salt
1/3 cup fresh lime juice
3 tablespoons olive oil
Salt and ground black pepper to taste

In a large saucepan, combine flank steak, bell pepper, quartered onion and bay leaves. Add enough water to cover. Bring to a boil. Reduce heat to medium and simmer for 20 minutes. Transfer steak to cutting board and let cool. After meat is cooled, cut into thin strips and transfer to a bowl.

In a large bowl, combine meat, meat, garlic, salt, lime juice, olive oil and sliced onion. Mix well. Let marinate at room temperature for 1 to 1 1/2 hours.

Heat a large, flat griddle until hot. Working in batches, spread shredded beef and onion on griddle in a thin layer. Season with salt and pepper. Cook over high heat, turning once or twice, until sizzling and crispy in spots, about 10 minutes per batch.

Transfer to a platter and serve warm.

Serves: 4-6

Tips: Beef can be boiled and shredded ahead of time and refrigerated overnight. This recipe is delicious served with black beans and white rice.

Vaca Frita

Como resultado de la colonización de Cuba por España, la cocina cubana tiene una gran influencia española, pero también incluye sabores del Caribe y África.

1 1/2 libras de falda de res en 4 ó 5 trozos
1 pimiento verde sin corazón ni semillas cortado en 4
2 cebollas blancas grandes (1 cortada en 4 y 1 en rebanadas muy delgadas)
2 hojas de laurel
3 dientes de ajo finamente picados
1 cucharadita de sal
1/3 de taza de jugo de limón fresco
3 cucharadas de aceite de oliva
Sal y pimienta negra

En una cacerola grande, poner la carne, el pimiento, los cuartos de cebolla y las hojas de laurel. Añadir suficiente agua para cubrir y hervir. Reducir el fuego a medio y cocer durante 20 minutos. Transferir la carne a una tabla de picar y dejar enfriar. Una vez fría, la carne se corta en tiritas delgadas y se pone en un tazón grande. Añadir el ajo, la sal, el jugo de limón, el aceite de oliva y la cebolla rebanada y mezclar bien. Dejar marinar a temperatura ambiente de 1 a 1 1/2 horas.

Calentar bien una plancha grande. Dividiéndola en tantos, extender la carne y la cebolla sobre la plancha en una capa delgada. Sazonar con sal y pimienta. Asar a fuego alto, volteando una o dos veces, hasta que esté dorada y crujiente en algunos puntos (aproximadamente 10 minutos por cada lado).

Transferir a un platón y servir caliente.

Porciones: 4-6

Tip: La carne se puede cocer y desmenuzar el día anterior y guardar en el refrigerador. Esta receta es deliciosa servida con arroz blanco y frijoles negros.

Filet Mignon with Chipotle Chile Sauce

This main course is a little more work than your typical beef tender, but well worth the trouble!

Sauce
3/4 cup vegetable oil
4 to 6 dried or 3 canned chipotle chile peppers
2 ancho chile peppers
1 1/2 white onions, quartered
4 whole garlic cloves
Salt to taste
25 tomatillos, husks removed and cleaned
1/2 cup chopped cilantro
1/3 cup olive oil or vegetable oil
2 thick slices white onions

Beef
2 tablespoons butter
1/2 cup olive oil
8 filet mignon beef steaks (5 to 6 ounces each)
Salt to taste
3/4 tablespoon freshly ground black pepper
1 1/2 cups beef broth

Serve
2 tablespoons vegetable oil
8 corn tortillas
8 slices Monterey Jack cheese
1/2 cup cilantro leaves, chopped

Sauce
In a large frying pan, heat vegetable oil. Add chipotle and ancho peppers briefly. Remove peppers and drain on a paper towel. Add onions and garlic to oil and brown. If necessary, add more oil. Salt to taste. Add tomatillos and 3 cups water. Boil until soft, about 15 minutes. Remove from heat and let cool slightly. In a blender, puree tomatillo mixture in batches, adding cilantro. Set aside.

In a large pan, heat 1/3 cup olive oil or vegetable oil and brown onion slices. Remove onion and discard. Add sauce and cook over low heat for 40 minutes or until fat rises to the surface, about 40 minutes. Skim fat off top and discard. Correct seasoning. Keep warm.

Beef
Heat a heavy, dry frying pan. Add 1 tablespoon butter and 1/4 cup olive oil and brown 4 filets for 3 to 4 minutes per side, turning once. When juice begins to rise to surface of filets, sprinkle with salt and pepper. Remove and keep warm. Repeat with remaining filets. Add beef broth to pan juices and boil until reduced by half. Add sauce and simmer for 25 minutes. Add meat to sauce and heat for 5 to 8 minutes.

Serve
In a small frying pan, heat 2 tablespoons of vegetable oil. Heat tortillas in pan, turning once. Drain tortillas on a paper towel. Place a tortilla on each plate, top with a filet and cover with 1 cheese slice. Cover with sauce and sprinkle with cilantro.

Serves: 8

Tip: For a variation, eliminate the cheese slices and tortilla, and serve the filets and sauce on top of a bed of mashed potatoes with grated Monterey Jack cheese sprinkled on top.

Filete Mignon con Salsa de Chipotle

Este platillo es un poco laborioso, pero vale la pena el trabajo.

Salsa
3/4 de taza de aceite vegetal
4-6 chiles chipotles secos ó 3 chiles chipotles adobados de lata
2 chiles anchos
1 1/2 cebollas blancas en cuartos
4 dientes de ajo enteros
Sal al gusto
25 tomatillos sin cáscara y limpios
3 tazas de agua
1/2 taza de cilantro fresco picado
1/3 de taza de aceite de oliva o aceite vegetal
2 rebanadas gruesas de cebolla blanca

Carne
2 cucharadas de mantequilla
1/2 taza de aceite de oliva
8 filetes mignon (5-6 onzas cada uno)
Sal al gusto
3/4 de cucharada de pimienta negra fresca molida
1 1/2 tazas de caldo de res

Para Servir
2 cucharadas de aceite vegetal
8 tortillas de maíz
8 rebanadas de queso Monterey Jack
1/2 taza de cilantro fresco picado

Salsa
En una sartén grande calentar el aceite vegetal. Freír los chiles chipotles y los chiles anchos brevemente y transferir sobre toallas de papel absorbente. En el mismo aceite freír la cebolla y los ajos hasta dorar, añadir más aceite si fuera necesario. Sazonar con sal y agregar los tomatillos con 3 tazas de agua. Hervir durante 15 minutos o hasta que se suavicen. Retirar del fuego y enfriar unos minutos. Licuar con el cilantro. Reservar.

En otra sartén grande, calentar el aceite de oliva o vegetal y dorar las rebanadas de cebolla. Sacarlas y desecharlas. Agregar la salsa a la sartén y dejar que hierva a fuego lento durante 40 minutos o hasta que la grasa haya subido a la superficie. Extraer la grasa y desechar. Corregir la sazón y mantener caliente.

Carne
Calentar a fuego alto una sartén gruesa. Agregar 1 cucharada de mantequilla y 1/4 de taza de aceite de oliva. Sellar 4 filetes de 3 a 4 minutos por cada lado, volteándolos una sola vez. Cuando empiece a salir jugo en la superficie de la carne, espolvorear con sal y pimienta. Transferir a un platón y mantener calientes. Repetir el proceso con los otros 4 filetes, utilizando el resto de la mantequilla y el aceite. Vaciar el caldo de res en la sartén revolviéndolo con los jugos y reducir a la mitad. Vaciar la salsa y hervir a fuego lento durante 25 minutos. Poner los filetes en la salsa y calentar de 5 a 8 minutos.

Para Servir
Calentar 2 cucharadas de aceite vegetal en una sartén pequeña. Freír las tortillas, una a una, por ambos lados. Escurrir las tortillas sobre toallas de papel absorbente. Colocar una tortilla en cada plato, poner un filete encima y cubrir con una rebanada de queso. Bañar con la salsa y espolvorear con cilantro.

Porciones: 8

Tip: Para una variación de este platillo, eliminar las rebanadas de queso y las tortillas y colocar los filetes a una cama de puré de papa y espolvorear con queso Monterey Jack rallado.

Beef Churrasco

Beef Churrasco

Beef churrasco is a favorite South American dish. Our recipe is one from Michael Cordúa, one of Houston's most well-known chefs. The Chimichurri Sauce is used not only as a marinade but as a dip served with plantain chips.

Churrasco
1 beef tenderloin, center cut (2-3 pounds), trimmed of fat and silver skin
Coarse salt and freshly ground black pepper

Make a cut along long side of tenderloin about 1/4 inch deep and continue cutting the beef in a jelly roll fashion so that you are rolling out steak into a large rectangle. Add salt and pepper to taste, and baste with Chimichurri Sauce (see recipe below). Cook on a very hot grill to desired degree of doneness. Serve with additional Chimichurri Sauce.

Chimichurri Sauce
3 bunches curly parsley, chopped
6 tablespoons, chopped garlic
2 cups extra-virgin olive oil
1 cup white vinegar
Coarse salt and freshly ground black pepper

Place all ingredients in a food processor and blend until well combined. Let sit for at least 2 hours before serving.

Serves: 6

Tips: The center-cut tenderloin comes from the middle of a whole tenderloin. This meat is the most tender part of the tenderloin and is cylindrical in shape, allowing for even cooking. It can be purchased from a butcher or you can buy a whole tenderloin and cut the center out, reserving the rest of the meat for another use.

Churrasco

El Churrasco es un platillo favorito de América del Sur. Nuestra receta es de Michael Cordúa, uno de los chefs mejor conocidos en Houston. El Chimichurri se utiliza no solamente para marinar sino también como dip servido con tostones de plátano macho.

Churrasco
1 corazón o centro de filete de res (2-3 libras) perfectamente limpio
Sal gruesa y pimienta negra molida fresca

Hacer un corte a lo largo del filete de aproximadamente 1/4 de pulgada de profundidad y continuar cortando en espiral de modo que se vaya "desenrollando" un rectángulo. Espolvorear con sal y pimienta al gusto y bañar con chimichurri. Asar la carne sobre una parrilla o plancha bien caliente hasta alcanzar el término deseado. Servir con chimichurri.

Chimichurri
3 manojos de perejil chino picados
6 cucharadas de ajo fresco picado
2 tazas de aceite de oliva extra virgen
1 taza de vinagre blanco
Sal gruesa y pimienta negra molida fresca

Moler todos los ingredientes en un procesador de alimentos hasta lograr una salsa uniforme. Reposar por lo menos 2 horas antes de servir.

Porciones: 6

Tips: El corazón o centro de filete se obtiene de la caña completa del filete. Esta es la parte más suave del filete y tiene forma cilíndrica, lo cual facilita un cocimiento uniforme. Se puede pedir por separado en la carnicería o comprar la pieza completa y cortarla usted mismo para utilizar el resto de la caña en otros guisos.

Beef Tenderloin with Chipotle Garlic Butter

Spice up your beef tenderloin with this rich and tangy chipotle butter.

Beef
1 beef tenderloin, center cut (2-3 pounds)
2 teaspoons kosher salt
2 teaspoons ground black pepper
3 tablespoons unsalted butter, softened
2 tablespoons vegetable oil
Chipotle Garlic Butter (see recipe below)

Place beef in a roasting pan and sprinkle evenly with salt. Cover and set aside for an hour at room temperature.

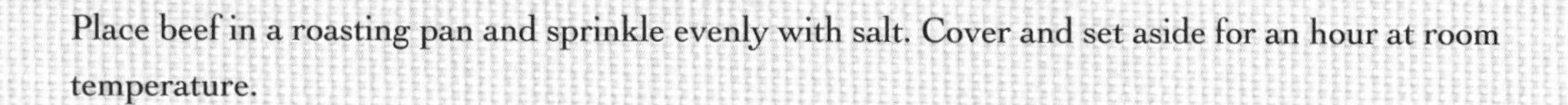

Preheat oven to 300 degrees. Pat meat dry and sprinkle with pepper. Using your hands, spread butter evenly over the top and sides of beef. Place in a large baking dish, and cook until desired doneness.

In a large skillet, heat oil until very hot. Sear roast on all four sides for 1 minute each side. Set roast on a serving platter and spread evenly with half of Chipotle Garlic Butter. Let sit for 10 minutes before slicing. Serve with remaining Chipotle Garlic Butter.

Chipotle Garlic Butter
6 tablespoons butter, softened
1 large chipotle in adobo sauce, minced with 1 teaspoon adobo sauce
3 garlic cloves, pressed
1 teaspoon agave or honey
1 teaspoon lime zest
1 teaspoon fresh lime juice
1 tablespoon cilantro leaves, minced
1 teaspoon kosher salt

Mix all ingredients in a bowl until well combined.

Serves: 4-6

Tip: Use a meat thermometer to test if the roast is ready. For medium rare it should read 125 degrees (about 45 to 55 minutes) and for medium 135 degrees (about 55 to 77 minutes.)

Filete de Res con Mantequilla de Chipotle y Ajo

Esta mantequilla de chipotle le dará a su filete un sabor delicioso y diferente.

Filete de res
1 caña de filete de res (2-3 libras)
2 cucharaditas de sal kosher
2 cucharaditas de pimienta negra molida
3 cucharadas de mantequilla sin sal suavizada
2 cucharadas de aceite vegetal
Mantequilla de chipotle y ajo

Colocar el filete en una charola para asar y espolvorearlo por todos lados con sal. Cubrir y dejar a temperatura ambiente durante una hora.

Precalentar el horno a 150°C (300°F). Secar la carne con toallas de papel absorbente y espolvorearla con pimienta. Utilizando las manos, untar el filete perfectamente con la mantequilla. Colocar en un refractario grande y hornear hasta obtener el término deseado.

Calentar el aceite en una sartén grande. Sellar el filete durante un minuto por cada uno de los cuatro lados. Transferirlo a un platón y cubrirlo con la mitad de la mantequilla de chipotle y ajo. Dejar reposar durante 10 minutos antes de rebanar. Servir con el resto de la mantequilla de chipotle y ajo.

Mantequilla de Chipotle y Ajo
6 cucharadas de mantequilla suavizada
1 chile chipotle grande en adobo finamente picado y mezclado con 1 cucharadita de salsa de adobo
3 dientes de ajo prensados
1 cucharadita de agave o miel de abeja
1 cucharadita de ralladura de limón
1 cucharadita de jugo de limón fresco
1 cucharada de hojas de cilantro picadas
1 cucharadita de sal kosher

Mezclar todos los ingredientes en un tazón hasta que estén bien integrados.

Porciones: 4-6

Tip: Utilizar un termómetro de carne para determinar el cocimiento. Para término medio-rojo, la temperatura interna deberá ser de 50°C (125°F) aproximadamente de 45-55 minutos y para término medio deberá ser de 57°C (135°F) aproximadamente de 55-70 minutos.

Leg of Lamb with Spicy Mint Jelly

This impressive piece of meat is great for a dinner party, but if you prefer, you can serve this sweet and spicy jelly on lamb chops or alongside a rack of lamb.

1 pound leg of lamb (5-7 pounds)
1 cup all-purpose flour
1/2 tablespoon salt
1 tablespoon ground black pepper

Preheat oven to 325 degrees. Rinse and dry lamb. Combine flour, salt and pepper, and pat flour mixture evenly over lamb to cover. Put in a large roasting pan (fat side up) and bake until meat thermometer reads 160 degrees (for medium), or about 30 minutes per pound. Remove from oven and let sit for 10 minutes. Slice and serve with Spicy Mint Jelly.

Serves: 8

Spicy Mint Jelly
1 cup white vinegar
1/4 cup chiles jalapeños, minced
1/4 cup serrano chile peppers, minced
6 1/2 cups sugar
3 drops green food coloring
1 cup fresh mint, stems removed and leaves coarsely chopped
6 ounces fruit pectin

Combine 2 cups water, vinegar, peppers, sugar and food coloring in a large saucepan. Bring to a rolling boil, stirring occasionally. Boil for 3 minutes. Add mint and pectin, and boil for 1 minute more. Strain into hot sterilized jars.

Yields: 9 cups

Tips: Spicy Mint Jelly is pretty and makes a great gift idea.

Pierna de Cordero con Jalea Picante de Menta

Esta impresionante pieza de carne es perfecta para una cena elegante, pero si se prefiere, esta jalea dulce y picante se puede servir con chuletas de cordero o costillar de cordero.

1 pierna de cordero de 5-7 libras
1 taza de harina de trigo
1/2 cucharada de sal
1 cucharada de pimienta negra molida

Calentar el horno a 160°C (325°F). Enjuagar y secar la pierna. Combinar la harina, la sal y la pimienta y cubrir la pierna completamente con la mezcla. Colocar en una charola de horno para asar (con el lado de la grasa hacia arriba) y hornear 30 minutos por cada libra de peso o hasta que un termómetro registre 160 grados, para término medio. Retirar del horno y dejar enfriar 10 minutos. Rebanar y servir acompañada de Jalea Picante de Menta.

Porciones: 8

Jalea Picante de Menta
2 tazas de agua
1 taza de vinagre blanco
1/4 de taza de chiles jalapeños picados
1/4 de taza de chiles serranos picados
6 1/2 tazas de azúcar
3 gotas de colorante verde para alimentos
1 taza de hojas de menta fresca sin tallo picadas
6 onzas de pectina de fruta

Combinar el agua, el vinagre, los chiles, el azúcar y el colorante en una cacerola grande. Calentar hasta que hierva intensamente y dejar hervir durante 3 minutos. Agregar la menta y la pectina y hervir 1 minuto más. Pasar por un colador a frascos previamente esterilizados.

Rinde: 9 tazas

Tips: La Gelatina Picante de Menta tiene una muy bonita presentación y es un excelente regalo.

Leg of Lamb with Spicy Mint Jelly

Carnitas (Pork) Tacos

Carnitas means "little meats" and can be prepared many ways. This simple recipe uses a crust of salt to preserve the flavor and moistness of the meat. If you are not serving a crowd, the leftover meat is great for taquitos, or on top of sopes, arepas or tostadas.

1 boneless pork loin roast, center cut (5 to 6 pounds)
Kosher salt
24 corn tortillas

Garnishes
5 limes, cut in wedges
Salsa of your choice
1 white onion, chopped
1 bunch cilantro leaves, chopped
2-3 avocados, cubed, or Guacamole (see recipe on page 43)
2-3 cups chicharron (fried pork skins), crumbled

Preheat oven to 350 degrees. Wash and pat dry roast. Place in large glass pan and cover top and sides with salt. Bake until top has a golden crust and meat is cooked thoroughly, about 2 to 2 1/2 hours. Remove and let cool for 15 minutes. Take salt crust off and discard. Shred meat to make it easier to assemble tacos and place on a platter. Place warm tortillas and garnishes on the table.

Serves: 8-10

Tip: This recipe will be delicious with any of our salsas or sauces – especially the Chile de Arbol and Sesame Salsa (see recipe page 91) or the Guajillo Salsa (see recipe page 89).

Tacos de Carnitas

Las carnitas se pueden preparar de diferentes maneras. Esta sencilla receta utiliza una costra de sal para preservar el sabor y el jugo de la carne. Si no se sirve a una multitud, la carne sobrante es ideal para taquitos, sopes, arepas o tostadas.

1 lomo de puerco de 5-6 libras
Sal kosher
24 tortillas de maíz

Guarniciones
5 limones en cuartos
Salsa al gusto
1 cebolla blanca picada
1 manojo de hojas de cilantro picado
2-3 aguacates en cubos o guacamole (página 43)
2-3 tazas de chicharrón de puerco en trocitos

Precalentar el horno a 175°C (350°F). Lavar y secar la carne. Colocarla en un refractario y cubrirla completamente con sal por arriba y por los lados. Hornear de 2 a 2 1/2 horas, hasta que la costra de arriba esté dorada y la carne se haya cocido completamente. Sacar del horno y dejar enfriar 15 minutos. Quitar la costra de sal y descartar. Desmenuzar la carne para facilitar la elaboración de los tacos y colocarla en un platón. Servir con tortillas calientes y las guarniciones.

Porciones: 8-10

Tip: Esta receta quedará deliciosa con cualquiera de nuestras salsas – especialmente con la Salsa de Chile de Árbol y Ajonjolí (página 91) o la Salsa de Chile Guajillo (página 89).

Carnitas (Pork) Tacos

Aztec Pudding

Aztec pudding is a traditional Mexican casserole. It takes on many forms and can be made with any type of meat or as a vegetarian dish with chopped vegetables in lieu of meat.

1/2 large white onion, finely chopped
2 cloves garlic, finely chopped
1 tablespoon vegetable oil
2 pounds ground beef or pork (or 1/2 beef and 1/2 pork)
6 or 7 poblano peppers, roasted, peeled, seeded and deveined (see recipe page 59)
1 can (12 ounces) evaporated milk
Chicken bouillon to taste
Tortilla chips
1 cup shredded Monterey Jack

In a medium skillet, sauté onion and garlic in oil until beginning to turn golden. Add ground meat and stir until crumbled and browned evenly. Remove from heat and set aside.

In a blender, puree peppers, evaporated milk and chicken bouillon until smooth. Add mixture to meat and let simmer for a few minutes, taking care not to dry it out. Adjust seasoning.

Preheat oven to 350 degrees. In a large baking dish, arrange alternate layers of chips and then meat. Top with shredded cheese. Cover with aluminum foil and bake until cheese melts and pudding is well heated.

Services: 6-8

Tip: Serve with Refried Beans (see recipe page 204) and a light salad.

Budín Azteca

El budín azteca es un platillo tradicional mexicano. Puede hacerse con distintos tipos de carne o llegar a ser un delicioso platillo vegetariano si se omite la carne y se añaden verduras picadas.

1/2 cebolla blanca grande finamente picada
2 dientes de ajo finamente picados
1 cucharada de aceite
2 libras de carne molida de res o puerco (o mitad res y mitad puerco)
6-7 chiles poblanos pelados y desvenados (página 59)
1 lata (12 onzas) de leche evaporada
Consomé de pollo en polvo al gusto
Totopos de maíz
1 taza de queso Monterey Jack rallado

En una cacerola con aceite, saltear la cebolla y el ajo hasta que empiecen a dorar. Agregar la carne molida moviendo constantemente hasta que se desmorone y adquiera un tono café. Retirar del fuego y reservar.

Moler los chiles poblanos en la licuadora con la leche evaporada y el consomé de pollo. Añadir la mezcla a la carne y dejar que hierva a fuego lento durante unos minutos, cuidando que no se seque. Rectificar la sazón.

Precalentar el horno a 175° (350°F). En un molde refractario extender capas alternadas de totopos y de carne. Espolvorear con el queso rallado. Cubrir con papel aluminio y hornear hasta que el queso se derrita y el budín esté bien caliente.

Porciones: 6-8

Tip: Acompañar con Frijoles Refritos (página 204) y una ensalada ligera.

Pork Tenderloin with Chimichurri Sauce

Chimichurri sauce is originally from Uruguay and Argentina, but is now commonly found in countries further north like Nicaragua and Mexico. It is typically green and varies slightly from recipe to recipe. This is one of our favorites.

Chimichurri Sauce
1 1/2 cups chopped fresh flat-leaf parsley
6 tablespoons chopped fresh cilantro
12 garlic cloves, chopped
2/3 cup red wine vinegar
1 cup olive oil
4 teaspoons salt
2 teaspoons red pepper flakes
Freshly ground black pepper, to taste

In a small bowl, whisk together parsley, cilantro, garlic, vinegar, olive oil, salt, red pepper flakes and black pepper. Use immediately, or store in refrigerator up to 4 hours.

Marinated Pork Tenderloin
1 1/2- 2 pounds pork tenderloin
2 cups Chimichurri Sauce (recipe above)

Place the pork and about 1 cup of Chimichurri Sauce in a gallon plastic bag. Marinate in refrigerator for about 2 hours turning occasionally. Reserve other half of sauce in refrigerator.

Preheat oven to 350 degrees. Remove pork from bag and discard sauce. Place in a large baking dish and bake until meat thermometer registers 160 to 165 degrees or about 35 minutes per pound. Slice pork and serve with reserved Chimichurri Sauce. Pork can also be grilled.

Serves: 4

Tip: If you are not a pork eater, try this recipe with chicken breasts or turkey tenderloins.

Lomo de Puerco con Chimichurri

El Chimichurri es originario de Uruguay y Argentina, pero hoy en día es muy común en países como Nicaragua y México. Es típicamente verde y varía ligeramente entre una receta y otra. Esta es una de nuestras favoritas.

Chimichurri
1 1/2 tazas de hojas de perejil fresco picadas
6 cucharadas de hojas de cilantro picadas
12 dientes de ajo picados
2/3 de taza de vinagre de vino rojo
1 taza de aceite de oliva
4 cucharaditas de sal
2 cucharaditas de chile rojo en hojuelas
Pimienta negra molida

En un tazón mezclar el perejil, el cilantro, el ajo, el vinagre, el aceite de oliva, la sal, las hojuelas de chile y la pimienta negra. Si no se va a utilizar de inmediato, refrigerar hasta por 4 horas.

Lomo de Puerco Marinado
1 1/2-2 libras de lomo de puerco
2 tazas de chimichurri (receta anterior)

Poner la carne y aproximadamente la mitad del chimichurri en una bolsa de plástico sellable de un galón. Marinar en el refrigerador por lo menos 2 horas, volteando la bolsa de vez en cuando. Reservar el resto del chimichurri en el refrigerador.

Precalentar el horno a 175°C (350°F). Sacar la carne de la bolsa y descartar la salsa. Colocar la carne en un refractario y hornear 35 minutos por libra o hasta que el termómetro de carne marque 160 a 165°F. Rebanar la carne y servir con el resto del chimichurri. La carne también puede cocinarse en la parrilla en vez del horno.

Porciones: 4

Tip: Esta receta también puede hacerse con pollo o pavo.

Pork Tinga

Tinga is a unique Mexican dish most commonly prepared with chicken or pork. If you have any leftovers, it will make a great topping for tostadas or sopes the next day!

1 boneless pork loin roast, center cut (4-5 pounds)
1 1/2 medium white onions, divided
5 garlic cloves, divided and peeled
5 tablespoons granulated chicken bouillon, divided
4 tablespoons vegetable oil
1-1 1/2 pounds fresh tomatillos, peeled, rinsed and chopped
1 tablespoon dry oregano
1 1/2 teaspoons fresh ground black pepper
1 round (8 ounces) panela cheese, sliced
1 can (7 ounces) chipotles in adobo sauce
2 avocados, pitted, peeled and cut in slices
24-36 corn tortillas

Wash and dry pork then place in a large pot and cover with water. Cut 1/2 onion in quarters and add to pork. Slice 2 garlic cloves in half and add to pork with 3 tablespoons chicken bouillon. Over high heat, bring to a boil then reduce to a simmer and cook for 2 hours. Remove from heat, allow to cool and shred. Reserve liquid to use later.

Slice remaining onion in strips and finely chop 3 garlic cloves. In a large stockpot over medium heat, sauté onion, garlic and tomatillos in oil until softened and slightly golden. Add 4 to 5 cups broth from pork into pot and bring to a boil. Add 3 tablespoons chicken bouillon, oregano, pepper and shredded meat. Bring back to a boil and lower heat. Simmer for 20 to 30 minutes more. Adjust seasoning by adding salt or chicken bouillon to taste.*

Preheat oven to 350 degrees. In a large casserole dish, place meat and enough sauce to cover it. Add cheese slices and chipotles on top in alternating rows. Heat in oven just long enough to melt cheese and warm through. Remove and place avocado slices on top. Serve with warm tortillas.

Serves: 10-12

Tip: *This dish can be prepared a day ahead to this point, covered and stored in the refrigerator. When ready to cook, remove and return to room temperature then proceed with the recipe.

Tinga de Puerco

La tinga es un platillo típico mexicano que se prepara comúnmente con pollo o puerco. Con lo que sobre se pueden preparar deliciosos sopes o tostadas al día siguiente.

4-5 libras de lomo de puerco
1 1/2 cebollas blancas medianas
5 dientes de ajo
5 cucharadas de consomé de pollo en polvo
4 cucharadas de aceite vegetal
1-1 1/2 libra de tomatillos pelados, enjuagados y picados
1 cucharada de orégano
1 1/2 cucharaditas de pimienta negra molida
8 onzas de queso panela en rebanadas
1 lata (7 onzas) de chiles chipotles en adobo
2 aguacates cortados en rebanadas
24-36 tortillas de maíz

Lavar el puerco y cocerlo en una olla grande, a fuego alto, con agua suficiente para que lo cubra y agregar 1/2 cebolla en trozos, 2 dientes de ajo pelados y partidos a la mitad y 3 cucharadas de consomé en polvo. Cuando suelte el hervor, reducir el fuego y cocinar tapado durante 2 horas. Una vez cocida la carne, dejar enfriar y desmenuzar. Reservar el caldo.

Rebanar la cebolla restante en rajas y picar finamente 3 dientes de ajo. En una olla grande, saltear la cebolla, el ajo y los tomatillos con 4 cucharadas de aceite hasta que empiecen a dorar. Agregar de 4 a 5 tazas del caldo donde se coció la carne y dejar que suelte el hervor. Añadir 3 cucharadas de consomé en polvo, el orégano, la pimienta y la carne desmenuzada. Dejar hervir a fuego lento durante 30 minutos. Rectificar la sazón.*

Precalentar el horno a 175°C (350°F). Poner la carne en un refractario cubriéndola con suficiente salsa. Alternar hileras de chiles chipotles y rebanadas de queso panela encima de la carne. Calentar en el horno lo suficiente para que el queso se derrita y la carne se caliente. Retirar del horno y colocar las rebanadas de aguacate encima. Servir con tortillas calientes.

Porciones: 10-12

Tip: *Este platillo puede prepararse con un día de anticipación hasta este punto. Cubrir y refrigerar. Para servir, regrese el platón a temperatura ambiente y continúe con la receta.

Pork Tinga

Pork Loin with Chile Ancho Sauce

In Spain, pork is often paired with fruit. This Mexican versión trades sweet for smokey and a little spicy.

5 or 6 dried ancho chile peppers
1/4 cup vinegar
1 pork loin roast, center cut (2-3 pounds)
1 medium onion, cut in large pieces
1 large garlic clove, cut in half
Granulated chicken bouillon to taste

In a small saucepan, boil 3 cups water, peppers and vinegar until peppers are soft. Remove from heat and cool slightly. Open peppers and remove seeds and stems. In a blender, puree pepper mixture to obtain a smooth sauce and set aside.

In a pressure cooker, brown pork loin evenly on all sides with onion and garlic. Add sauce and enough water to cover meat completely. Season with chicken bouillon. Secure top and cook for 45 minutes from when pressure steam begins to come out.

Once ready, remove meat from cooker and let it rest for a few minutes. Meanwhile, return sauce to blender and puree until smooth. If sauce is too thin, return to saucepan and thicken with 2 teaspoons cornstarch dissolved in 1/4 cup of cold water. Bring to a boil, stirring constantly, and cook until desired thickness.

Cut meat into slices and place on a platter. Cover with Chili Ancho Sauce.

Serves: 6

Tip: Any leftover meat is ideal for sandwiches or tortas.

Lomo de Puerco en Chile Ancho

En España el puerco es frecuentemente guisado con fruta. Esta versión mexicana intercambia lo dulce por sabor ahumado y un poco picante.

3 tazas de agua
5-6 chiles anchos secos
1/4 taza de vinagre
1 caña de lomo de puerco 2-3 libras
1 cebolla mediana partida en trozos
1 diente de ajo grande partido a la mitad
Consomé de pollo en polvo al gusto

En una cacerola pequeña, hervir los chiles en 3 tazas de agua y el vinagre hasta que se suavicen. Retirar del fuego y enfriar ligeramente. Abrir los chiles, sacar las semillas y quitar el rabo. Licuar con el agua en que se hirvieron hasta obtener una salsa uniforme y reservar.

En una olla de presión, sellar el lomo por todos lados con la cebolla y el ajo. Agregar los chiles molidos y agua suficiente para que se cubra completamente la carne. Sazonar con el consomé de pollo. Asegurar la tapa y cocinar 45 minutos a partir de que empiece a salir el vapor a presión.

Una vez listo, sacar el lomo y dejarlo reposar unos minutos. Mientras tanto, regresar la salsa en la que se coció el lomo a la licuadora para integrarla. Si está muy aguada, regresarla a la olla y espesarla con 2 cucharaditas de fécula de maíz (Maizena) disueltas en 1/4 de taza de agua fría. Mover constantemente hasta que suelte el hervor y obtenga la consistencia deseada.

Rebanar la carne, acomodar las rebanadas en un platón y bañarlas con la salsa de chile ancho.

Porciones: 6

Tip: La carne sobrante es ideal para sándwiches o tortas.

Fresh flor de calabaza

Flor de Calabaza Casserole

This layered casserole makes a great weekday meal and is wonderful comfort food.

3 tablespoons butter
1 white onion, chopped
2 cans (7 ounces each) flor de calabaza, drained (or fresh flor de calabaza)
Granulated chicken bouillon to taste
Ground black pepper to taste
20 flour tortillas, cut in thin strips
2 chicken breasts, cooked and shredded
2 cups Monterey Jack or mozzarella cheese, shredded
2 cups Salsa Verde (see recipe page 89)
1 cup Mexican crema

Preheat oven to 350 degrees. In a large saucepan, sauté onion with butter until translucent. Add flor de calabaza, season to taste with bouillon and pepper, and stir until cooked.

In a greased 9x13inch casserole dish, place a layer of tortillas, followed by a layer each of chicken, flor de calabaza mixture and cheese. Repeat process, ending with cheese. Pour salsa verde on top and then evenly spread crema.
Bake for 35 minutes.

Serves: 8

Tip: For a vegetarian version, replace chicken with 3 cups cooked spinach and add more salt in lieu of the chicken bouillon.

Budín de Flor de Calabaza

Este platillo es un alimento ideal para un día entre semana y es maravillosamente reconfortante.

3 cucharadas de mantequilla sin sal
1 cebolla blanca picada
2 latas (7 onzas c/u) de flor de calabaza escurrida (o flor de calabaza fresca)
Consomé de pollo en polvo al gusto
Pimienta negra molida al gusto
20 tortillas de harina cortadas en tiras delgadas
2 pechugas de pollo cocidas y deshebradas
2 tazas de queso Monterey Jack o mozzarella rallado
2 tazas de Salsa Verde (página 89)
1 taza de crema mexicana

Calentar el horno a 175° (350°F). En una sartén, saltear la cebolla con la mantequilla. Agregar la flor de calabaza, sazonar al gusto con el consomé de pollo y la pimienta y mover hasta que esté cocida.

En un refractario de 9x13 pulgadas, acomodar una capa de tortillas, una capa de pollo, una capa de flor de calabaza y finalmente una capa de queso. Repetir el proceso en el mismo orden hasta terminar con queso. Bañar todo con la salsa y esparcir la crema encima. Hornear durante 35 minutos.

Porciones: 8

Tip: Para una versión vegetariana, sustituya el pollo con 3 tazas de espinaca cocida y sazonar con sal en lugar de consomé de pollo.

Chicken Pibil

Chicken Pibil

"Pibil" refers to the technique of cooking meat underground in a stone-lined pit often wrapped in banana leaves; however, this modern recipe simplifies things by eliminating banana leaves and steaming the meat in a sealed dish in the oven.

4 whole chicken breasts, skin removed
2 achiote cubes (if not available in the Latin section of your grocery, ask your grocer to order it)
2 garlic cloves
3 cups freshly squeezed orange juice
3 canned chipotles adobados adobo sauce
1/2 cup white vinegar
Granulated chicken bouillon to taste
4 bay leaves
Tortillas

Preheat oven to 350 degrees. Place chicken breasts in a Dutch oven or large baking dish with cover. In a blender, puree achiote, garlic, orange juice, chipotles, vinegar and chicken bouillon. Pour over chicken and distribute bay leaves evenly on top. Bake covered for 1 hour. Allow to cool slightly. Discard bones and bay leaves and shred chicken. Serve with Red Onion Salsa (see recipe below) and warm tortillas.

Red Onion Salsa

3 red onions, thinly sliced
1/4 cup vinegar
4-6 chiles jalapeños, seeded, deveined and julienned
Juice of 3 limes
1/3 cup olive oil
White pepper to taste
Granulated chicken bouillon to taste
1 teaspoon oregano
Salt and black pepper to taste

Soak onion in vinegar and enough water to cover onions for 4 to 5 hours. Drain onions and mix with chiles jalapeños. In a small bowl, whisk together lime juice, olive oil, white pepper, bouillon and oregano. Add salt and pepper to taste. Pour over peppers and onions, and mix well.

Serves: 8

Tips: Red onion salsa can be made a day ahead and kept in a sealed container in the refrigerator. For a variation, replace chicken breasts with pork tenderloin.

Pollo Pibil

"Pibil" es el nombre de la técnica para cocinar carne bajo tierra, en un pozo formado con piedras y con frecuencia cubierto con hojas de plátano. Sin embargo, esta receta moderna simplifica el proceso eliminando las hojas de plátano y cociendo la carne al vapor en un platón sellado dentro del horno.

4 pechugas de pollo enteras sin piel
2 pastillas de achiote
2 dientes de ajo
3 tazas de jugo de naranja fresco
3 chiles chipotles adobados de lata
1/2 taza de vinagre blanco
Consomé de pollo en polvo al gusto
4 hojas de laurel
Tortillas

Precalentar el horno a 175°C (350°F). Colocar las piezas de pollo en un refractario. Licuar el achiote, el ajo, el jugo, los chiles chipotles, el vinagre y el consomé. Bañar el pollo con la salsa y repartir las hojas de laurel entre las piezas de pollo. Cubrir con papel aluminio y hornear durante 1 hora. Enfriar ligeramente, desechar los huesos y las hojas de laurel y deshebrar el pollo. Servir con Salsa de Cebolla Morada y tortillas calientes.

Salsa de Cebolla Morada

3 cebollas moradas en rajas
1/4 de taza de vinagre
4-6 chiles jalapeños frescos cortados en tiritas
Jugo de 3 limones
1/3 de taza aceite de oliva
Pimienta blanca al gusto
Consomé de pollo en polvo al gusto
1 cucharadita de orégano
Sal y pimienta negra al gusto

Remojar la cebolla en agua con vinagre de 4 a 5 horas. Escurrir y mezclar con las tiritas de chile. En un tazón pequeño, mezclar bien el jugo de limón, la pimienta blanca, el consomé y el orégano. Salpimentar al gusto y vaciar sobre los chiles y cebolla mezclando bien.

Porciones: 8

Tips: La Salsa de Cebolla Morada es mejor si se prepara con un día de anticipación y se guarda tapada en el refrigerador. Para una variación de este platillo, sustituir el pollo por lomo de puerco.

Chicken Breasts with Jalapeño Sauce

Chicken is often found on the menu in Latin America since it is one of the most readily available and inexpensive meats. This rich and creamy entrée is bursting with flavor!

6 boneless chicken breasts, cut in half
1 pound Monterey Jack cheese, cut into 12 sticks
2 tablespoons salt
1 teaspoon white pepper
3 tablespoons butter

Sauce
2 cups Mexican crema
2 cups milk
4 heaping tablespoons of pickled chiles jalapeños, very finely chopped
Vinegar from jalapeño jar to taste
8 bunches cilantro, leaves only, finely chopped
2 tablespoons white onion, finely chopped
1 tablespoon granulated chicken bouillon
4 1/2 tablespoons butter
2 heaping tablespoons all-purpose flour
1 cup warm chicken broth
1 cup white wine for cooking

Make a lengthwise cut on one side of each chicken breast so that a cheese stick can be inserted without opening them completely. Season to taste with salt and pepper.

Preheat oven to 400 degrees. Arrange chicken breasts in an ovenproof dish, cut side up, pressed close together to prevent cheese from spilling out. Put a dab of butter on each chicken piece. Set aside.

In a bowl, combine crema, milk, chiles jalapeños, vinegar, cilantro and onion. Season to taste with chicken bouillon. Spoon half of mixture onto chicken breasts and bake covered with aluminum foil for 30 minutes.

In a medium skillet, melt butter and fry flour until golden brown. Carefully add chicken broth, remaining cream sauce and white wine. Simmer for a few minutes. Remove from oven and pour wine mixture over chicken to mix with sauce it was cooked in as much as possible. Check seasoning.

Serves: 12

Tip: Delicious with Refried Beans (see recipe page 204) and plain white rice.

Pechugas Rellenas a la Jalapeña

El pollo es generalmente encontrado en los menus de la cocina Latinoamerica por su facil preparación. Esta receta cremosa y picante le encantará.

6 pechugas de pollo deshuesadas y partidas a la mitad
1 libra de queso Monterey Jack cortado en 12 barritas
2 cucharadas de sal
1 cucharadita de pimienta blanca
3 cucharaditas de mantequilla

Salsa
2 tazas de crema mexicana
2 tazas de leche
4 cucharadas copeteadas de chiles jalapeños en escabeche finamente picados
Un poco de vinagre de los chiles
8 manojos de cilantro, sólo hojas, finamente picadas
2 cucharadas de cebolla finamente picada
1 cucharada de consomé de pollo en polvo
4 1/2 cucharadas de mantequilla
2 cucharadas copeteadas de harina de trigo
1 taza de caldo de pollo caliente
1 taza de vino blanco para cocinar

Hacer un corte longitudinal por un lado en cada pechuga de modo que se pueda introducir una barra pequeña de queso sin abrirlas totalmente. Salpimentar al gusto.

Precalentar el horno a 200°C (400°F). Acomodar las pechugas en un refractario engrasado con mantequilla, sentadas sobre el lado opuesto al corte y recargadas unas con otras para que no se salga el queso. Poner un trocito de mantequilla encima de cada pechuga.

En un tazón, mezclar la crema, la leche, un poco de vinagre de la lata de los chiles, el cilantro, la cebolla y los chiles jalapeños. Sazonar con el consomé en polvo al gusto. Bañar las pechugas con la mitad de la salsa y hornear tapadas con papel aluminio durante 30 minutos.

Mientras tanto, en una cacerola derretir la mantequilla y dorar la harina. Agregar el caldo de pollo, la mitad restante de la salsa y el vino blanco. Dejar hervir a fuego lento unos minutos para que se sazone la salsa. Al retirar las pechugas del horno, bañarlas por segunda vez con esta última salsa, tratando de mezclarla lo mejor posible con el líquido en el que se cocieron. Rectificar la sazón.

Porciones: 12

Tip: Son deliciosas acompañadas de arroz blanco y Frijoles Refritos (página 204).

Chicken Breasts with Jalapeño Sauce

Arroz con Pollo

This delicious all-in-one meal is a classic from Spain and Latin America.

1 frying chicken (about 4 pounds), cut in serving size pieces
1 onion, chopped
2 cloves garlic, minced
1 cup olive oil
1 bay leaf
2 tablespoons salt
1 pound raw rice
1 pinch saffron
1 green bell pepper, cut in strips
1 jar (4 ounces) whole pimentos, drained and cut in strips
1 1/2 cups frozen peas, cooked until crisp-tender

Preheat oven to 350 degrees. In a large skillet over high heat, fry chicken with onion and garlic in oil until brown. Carefully add water, bring to a boil and cook for 5 minutes more. Add bay leaf, salt, rice, saffron and green pepper. Remove from heat and place in 9x13 inch casserole. Bake for 20 to 30 minutes, stirring at least twice. Continue baking until water has been absorbed and chicken is fork tender. Remove from oven and garnish with peas and pimentos.

Serves: 6-8

Tip: This dish makes wonderful leftovers.

Arroz con Pollo

Esta deliciosa comida que consiste en un solo platillo es un clásico en España y América Latina.

1 pollo para freír (aproximadamente 4 libras) cortado en piezas
1 cebolla picada
2 dientes de ajo finamente picados
1 taza de aceite de oliva
6 tazas de agua
1 hoja de laurel
2 cucharadas de sal
1 libra de arroz
1 pizca de azafrán
1 pimiento verde cortado en rajas
1 frasco (4 onzas) de pimientos enteros cortados en tiritas
1 1/2 tazas de chícharos precocidos, descongelados

Calentar el horno a 175°C (350°F). En una sartén grande a fuego alto, freír el pollo en el aceite con la cebolla y el ajo hasta que dore. Agregar el agua cuidadosamente, dejar que suelte el hervor y cocer 5 minutos más. Añadir la hoja de laurel, la sal, el arroz, el azafrán y el pimiento verde. Retirar del fuego y transferir a un refractario de 9x13 pulgadas. Hornear de 20 a 30 minutos, mezclando por lo menos dos veces. Continuar horneando hasta que el agua se haya absorbido y el pollo esté tierno al pincharlo con un tenedor. Retirar del horno y adornar con los chícharos y los pimientos.

Porciones: 6-8

Tip: Las sobras de este platillo son deliciosas.

Enchiladas Verdes de Pollo

Ever wonder how to make delicious enchiladas verdes at home? This easy recipe is simple and delicious enough to become part of your regular menu!

2 boneless, skinless chicken breasts
2 garlic cloves, peeled and halved
1 white onion, quartered
4-6 serrano chile peppers, stems removed
10 large tomatillos, husked and rinsed
1/4 cup cilantro
1-2 tablespoons granulated chicken bouillon
3 tablespoons vegetable oil, divided
12-14 tortillas
1 cup Monterey Jack cheese, shredded
1/2 cup Mexican crema

In a large saucepan, boil chicken breasts in 6 cups water until cooked through, about 20 minutes. Remove chicken and reserve water. Allow chicken to cool, then shred and set aside in a large bowl.

In reserved water, cook garlic, onion, peppers and tomatillos over medium high heat until tomatillos soften and begin to burst, about 15 minutes. Let cool for a few minutes, then pour into a blender, add cilantro and chicken bouillon and puree.

In a large saucepan, heat 1 tablespoon oil and cook tomatillo sauce until it thickens slightly. Mix 1/2 to 1 cup sauce with shredded chicken.

In a skillet, heat 2 tablespoons oil. Heat tortillas one by one on both sides and set aside on paper towels to drain.

Fill each tortilla with chicken and roll into a taco. Place on serving plates and bathe with sauce. Sprinkle cheese on top and garnish with crema.

Serves: 4-6

Tip: If you are short on time, substitute prepared rotisserie chicken for the chicken breasts and add an extra tablespoon of chicken bouillon to the sauce.

To make enchilades for a large group, mix half the cheese with the shredded chicken and sauce. Heat the tortillas, fill and roll them, and place in 9x13 baking dish. Cover with salsa and remaining cheese. Heat in 350 degree oven until cheese is melted.

Enchiladas Verdes de Pollo

¿Alguna vez se ha preguntado cómo hacer unas deliciosas enchiladas verdes en casa? Esta receta es tan fácil y deliciosa que pasará a formar parte de su menú regular.

2 pechugas de pollo deshuesadas y sin piel
6 tazas de agua
2 dientes de ajo partidos a la mitad
1 cebolla blanca en cuartos
4-6 chiles serranos sin rabo
10 tomatillos grandes sin cáscara y enjuagados
1/4 de taza de cilantro
1-2 cucharadas de consomé de pollo en polvo
3 cucharadas de aceite vegetal
12-14 tortillas
1 taza de queso Monterey Jack rallado
1/2 taza de crema mexicana

En una cacerola grande, hervir las pechugas en el agua hasta que estén cocidas, aproximadamente 20 minutos. Sacar el pollo y reservar el caldo. Una vez frío, desmenuzar el pollo y reservar en un tazón.

Cocinar la cebolla, el ajo, los chiles serranos y los tomatillos en el caldo a fuego medio alto hasta que los tomatillos estén suaves y empiecen a reventar, aproximadamente 15 minutos. Enfriar durante unos minutos y vaciar todo en la licuadora. Agregar el cilantro y el consomé de pollo y licuar hasta obtener una salsa uniforme.

En una cacerola grande, freír la salsa en 1 cucharada de aceite hasta que espese un poco. Mezclar de 1/2 a 1 taza de salsa con el pollo deshebrado.

En una sartén con 2 cucharadas de aceite, freír las tortillas ligeramente por ambos lados, una por una, y colocar sobre toallas de papel absorbente para eliminar el exceso de grasa.

Hacer tacos con el pollo y acomodarlos en platos individuales. Bañar con la salsa, espolvorear con el queso y adornar con la crema.

Porciones: 4-6

Tip: Si está corto de tiempo, las pechugas de pollo se pueden sustituir con pollo rostizado, agregando una cucharada de consomé de pollo en polvo a la salsa.

Para un grupo grande, mezclar la mitad del queso con el pollo deshebrado y la salsa. Freír las tortillas ligeramente y hacer los tacos. Colocar en un refractario de 9x13 pulgadas, bañar con el resto de la salsa y espolvorear con el queso. Calentar en el horno a 175°C (350°F) hasta que el queso se derrita.

Chile Ancho Enchiladas

Chile Ancho Enchiladas

This authentic ancho chile salsa adds zing to these enchiladas and is also delicious on grilled chicken or fish.

7 ancho chile peppers, rinsed, deveined and seeded
1/2 medium tomato, chopped
2 garlic cloves
1 tablespoon granulated chicken bouillon
1/2 cup plus 1 tablespoon vegetable oil
Salt to taste
12 soft corn tortillas
3 cups cooked chicken, shredded
1/2 white onion, finely chopped
4 ounces anejo cheese, crumbled
Iceberg lettuce, shredded

Boil chile peppers and tomato in enough water to cover them until peppers are soft. In a blender, puree chile pepper mixture with garlic and enough water to make a thick salsa; add chicken bouillon. In a wide saucepan, heat 1 tablespoon oil and cook salsa until thickened and heated through. Add salt to taste.

Heat 1/2 cup oil in a skillet. One at a time, heat tortillas in pan for 10 to 15 seconds, turning once. Drain excess oil from tortillas and dip each one in salsa until covered on both sides. Fill each tortilla with shredded chicken, onion and cheese, and roll them or fold them in half and place on a platter previously covered with lettuce. Pour remaining salsa over enchiladas.

Yields: 12 enchiladas

Tip: For a vegetarian version, use salt to season salsa in lieu of chicken bouillon and replace chicken with more cheese.

Enchiladas de Chile Ancho

Esta salsa de chile ancho le da un fabuloso sabor a este platillo; también puede servirse con pollo o pescado.

7 chiles anchos lavados y sin semillas
1/2 jitomate partido
2 dientes de ajo
1 cucharada de consomé de pollo
1/2 taza más 1 cucharada de aceite vegetal
Sal al gusto
12 tortillas de maíz
3 tazas de pollo cocido desmenuzado
1/2 cebolla finamente picada
4 onzas de queso añejo desmoronado
Hojas de lechuga picada

Limpiar, desvenar y hervir los chiles en poca agua hasta que se suavicen. Agregar medio jitomate. Licuar los chiles, el jitomate y el ajo con agua suficiente para lograr una salsa espesa. Sazonar con consomé de pollo. Freír esta salsa con poco aceite y agregar sal al gusto.

En una sartén calentar 1/2 taza de aceite y pasar las tortillas una a una. Escurrir el exceso de grasa e inmediatamente pasarlas por la salsa. Rellenar las tortillas con el pollo desmenuzado y enrollarlas como tacos o simplemente doblarlas a la mitad acomodándolas sobre un platón previamente cubierto con hojas de lechuga. Espolvorear con la cebolla y el queso.

Rinde: 12 enchiladas

Tip: Para una versión vegetariana de este platillo sazonar con sal en lugar de consomé de pollo y rellenar de queso.

Poblano Chiles in Walnut Sauce (Nogada)

Legend says this dish was created by Augustinian nuns for a visit to Puebla by Mexico's emperor, Don Augustin de Iturbide, on his saint's day and in celebration of Mexico's victory in the War of Independence. Its red, green and white colors reflect those of the Mexican flag and make it the dish of choice to serve for Independence Day celebrations even today.

48 fresh walnuts, shelled and peeled

Peppers
12 large poblano chile peppers with stem
1 cup vegetable oil
2 tablespoons salt
1 tablespoon apple cider vinegar

Picadillo
1 tomato, broiled and peeled
3 garlic cloves, pressed
1/2 cup onion, chopped
1 pound ground meat (beef or pork)
2 tablespoons vegetable oil
Salt to taste
1/3 cup green apple, peeled and cubed
1/3 cup plantains, cubed
1/2 cup crystallized pineapple, chopped
1/2 cup raisins
1/2 cup almonds, peeled and chopped
2 pieces acitrón, finely chopped (crystallized biznaga cactus can be found in Latin specialty stores or ask your grocery to find it for you)
1/2 cup pine nuts
1/2 teaspoon sugar
1/2 teaspoon ground cinnamon

Nogada Sauce
1/2 cup milk or enough to cover nuts
7 ounces fresh goat cheese
Salt and pepper (or nutmeg) to taste
Pomegranate seeds for garnish
Parsley sprigs for garnish

Soak shelled walnuts in water and place in refrigerator overnight.

Peppers
In a large skillet, fry whole peppers in 1 cup hot oil, turning frequently, until skin blisters all over, taking care not to perforate them. Transfer peppers to a bowl of cold water and use your fingers to peel off thin skin and discard. Remove peppers, dry and make a lengthwise cut without opening them completely. Remove seeds and veins. Soak in enough water to cover and sprinkle with salt and vinegar. Let soak for about 10 minutes. Remove, pat dry and set aside.

Picadillo
In a blender, puree tomato, onion and garlic with 1/4 cup water. In a large skillet, brown meat in oil. Strain tomato mixture onto meat, salt to taste, and add apples, plantains and pineapple. Cook for 5 minutes. Add raisins, almonds and acitrón, and cook for 3 minutes more. Add pine nuts, sugar and cinnamon, and continue cooking until liquid is evaporated.

Nogada Sauce
While preparing picadillo, soak skinned walnuts in milk. In a blender, puree walnuts and cheese, adding enough milk to obtain a thick sauce. Season to taste with salt and pepper.

Stuff dry peppers with picadillo, overlapping cut edges and, if necessary, secure them with a toothpick. Place stuffed peppers on a platter and spoon Nogada sauce over each. Decorate with pomegranate seeds and parsley.

Serves: 12

Tips: Buy 2 or 3 extra poblanos in case some are damaged while peeling. The picadillo filling and Nogada sauce can be prepared the day before and reheated before stuffing.

Spanish recipe page 178

Poblano Chiles in Walnut Sauce

Chiles en Nogada

Cuenta la leyenda que este platillo fue creado por las monjas Agustinas durante una visita que hizo a Puebla el emperador de México, Agustín de Iturbide, tanto para celebrar el día de su santo como el triunfo de México en la Guerra de Independencia. Sus colores verde, blanco y rojo reflejan los colores de la bandera de México y lo hacen hoy en día, el platillo favorito para las celebraciones del Día de la Independencia.

48 nueces de castilla frescas sin cáscara ni piel

Chiles
12 chiles poblanos grandes con rabo
1 taza de aceite vegetal
2 cucharadas de sal
1 cucharada de vinagre de manzana

Picadillo
1 jitomate asado y pelado
3 dientes de ajo prensados
1/2 taza de cebolla blanca picada
1 libra de carne molida (res o cerdo)
2 cucharadas de aceite vegetal
Sal al gusto
1/3 de taza de manzana verde pelada y picada
1/3 de taza de plátano macho en cubitos
1/2 taza de piña cristalizada picada
1/2 taza de pasas
1/2 taza de almendras peladas y picadas
2 trozos de acitrón finamente picados
1/2 taza de piñones
1/2 cucharadita de azúcar
1/2 cucharadita de canela molida

Nogada
1/2 taza de leche o suficiente para cubrir las nueces
7 onzas de queso fresco de cabra
Sal y pimienta (o nuez moscada) al gusto
Granos de granada para adornar
Ramas de perejil para adornar

Remojar las nueces sin piel en agua y guardar en el refrigerador desde la noche anterior.

Chiles
Freír los chiles en 1 taza de aceite bien caliente volteándolos constantemente hasta que aparezcan ampollas en la piel con cuidado de no perforarlos. Transferirlos a un tazón con agua fría y, utilizando los dedos, desprender la piel y descartarla. Secar los chiles y hacer un corte longitudinal sin que se abran completamente. Sacar las semillas y desvenar. Remojar aproximadamente 10 minutos en agua suficiente para cubrirlos completamente, con sal y vinagre. Secar con toallas de papel absorbente y reservar.

Picadillo
Moler el jitomate, el ajo y la cebolla en la licuadora con 1/4 de taza de agua. En una sartén grande freír la carne en el aceite, moviendo hasta que se separe y adquiera un tono café. Colar la mezcla de jitomate y añadir a la carne con sal al gusto, las manzanas, los plátanos y la piña y dejar cocer 5 minutos. Agregar las pasas, las almendras y el acitrón y cocer 3 minutos más. Por último, añadir el piñón, el azúcar y la canela y cocer hasta que se consuma el líquido.

Nogada
Remojar las nueces en la leche mientras se prepara el picadillo. Licuar las nueces con el queso, añadiendo suficiente leche para lograr una salsa espesa. Salpimentar al gusto.

Rellenar los chiles, ya secos, con el picadillo. Traslapar los bordes y, de ser necesario, asegurarlos con un palillo de dientes. Colocarlos en un platón y bañar con la nogada. Adornar con granos de granada y ramitas de perejil.

Porciones: 12

Tip: Se recomienda comprar 2 ó 3 chiles extra por si llegara a dañarse alguno al pelarlos. El picadillo y la nogada pueden prepararse el día anterior. Recalentar antes de rellenar los chiles.

English recipe page 176

Buen Provecho

6 chapter six

sides

Stuffed Eggplant

Stuffed Eggplant

This makes a delicious vegetarian main course or a lovely side dish.

2 small to medium eggplants
1/2 cup extra-virgin olive oil, divided
1 medium red onion, roughly chopped
2 garlic cloves, minced
1 leek, rinsed well and roughly chopped
1 large tomato, peeled
Coarse salt and ground black pepper
Fresh chopped dill to taste
3/4 cup (6 ounces) crumbled feta cheese

Preheat oven to 350 degrees. Slice each eggplant in half lengthwise and brush all sides with olive oil. Place eggplant halves in a baking dish, and bake uncovered until cooked through, turning to cook evenly, about 30 minutes. Remove from oven and cool slightly.

Using a spoon, scoop out middle of each eggplant half, leaving some eggplant and all of purple skin intact to refill later; reserve eggplant centers and set aside.

In a large skillet over medium high heat, sauté onions, garlic and leeks until onion is translucent. Grate tomato and add to onion mixture. Add eggplant centers and while cooking break apart with a wooden spoon. Season with salt and pepper. Continue cooking for a few more minutes until most of liquid is gone. Add dill to taste and stir; remove from heat.

Spoon mixture into each eggplant half. Top each with crumbled feta cheese and return to oven for a few minutes to reheat before serving.

Serves: 4

Tip: Eggplants will last many weeks, but only if you don't store them in the refrigerator but rather in a plastic bag with holes at room temperature.

Berenjenas Rellenas

Este puede ser un delicioso platillo principal vegetariano o servirse como guarnición de cualquier carne, pollo o pescado.

2 berenjenas pequeñas
1/2 taza de aceite de oliva extra virgen
1 cebolla morada mediana picada en grueso
2 dientes de ajo finamente picados
1 poro bien enjuagado y picado en grueso
1 jitomate grande pelado
Sal gruesa al gusto
Pimienta fresca molida al gusto
Eneldo fresco picado
3/4 de taza (6 onzas) de queso feta desmoronado

Precalentar el horno a 175°C (350°F). Cortar las berenjenas a la mitad a lo largo y untar las mitades con aceite de oliva por todos lados. Colocarlas en un refractario y hornearlas destapadas por 30 minutos o hasta que se hayan cocido completamente, volteándolas para que se cuezan parejo. Retirar del horno y dejar enfriar un poco.

Con una cuchara sacar el centro de cada berenjena, dejando un poco de carne alrededor y la cáscara morada intacta para rellenar posteriormente. Reservar y no desechar la pulpa.

En una sartén grande, calentar el aceite restante a fuego medio alto. Saltear la cebolla, el ajo y el poro hasta que la cebolla esté transparente. Agregar el jitomate hasta que se fría un poco y añadir los centros de las berenjenas haciéndolos pedacitos con una cuchara de madera mientras se fríen. Salpimentar al gusto y continuar cociendo hasta que se haya secado la mayor parte del líquido. Añadir el eneldo y mezclar bien. Retirar del fuego.

Rellenar las mitades de las berenjenas con la mezcla y cubrirlas con el queso feta. Regresarlas al horno para calentarlas unos minutos antes de servir.

Porciones: 4

Tip: Las berenjenas pueden durar varias semanas guardadas en bolsas de plástico agujeradas a temperatura ambiente, mas no en el refrigerador.

Sautéed Onions and Chiles

There are over 500 varieties of chile peppers. The best known are chiles jalapeños, chiles serranos, poblanos, habaneros, árbol, chipotles, guajillos and pasilla.

2 tablespoons olive oil
1 1/2 large white onions, thinly sliced
4 serrano chile peppers, seeded and thinly sliced lengthwise
2 chiles jalapeños, seeded and thinly sliced lengthwise
1 garlic clove, peeled and minced
Juice of 5 limes
1/4 cup soy sauce
1 tablespoon Maggi (found in the Asian or Latin section of the grocery store)
1 tablespoon granulated chicken bouillon or to taste

In a medium skillet over medium heat, sauté onions, peppers and garlic in olive oil until slightly browned, about 5 minutes. Add lime juice, soy sauce, Maggi and bouillon. Continue to cook on medium high heat, stirring often, until onions and peppers are softened and mixture is thoroughly combined.

Yields: About 2 cups

Tip: This is an excellent accompaniment for the Sirloin Tacos (see recipe page 149) or any grilled meat.

Chiles con Cebolla Salteados

Existen más de 500 variedades de chiles, de los cuales los más conocidos en México son: el jalapeño, el serrano, el poblano, el habanero, el de árbol, el chipotle, el guajillo y el pasilla.

2 cucharadas de aceite de oliva
1 1/2 cebolla blanca grande en rodajas delgadas
4 chiles serranos sin semillas y rebanados en tiras delgadas a lo largo
2 chiles jalapeños sin semillas y rebanados en tiras delgadas a lo largo
1 diente de ajo pelado y picado
Jugo de 5 limones
1/4 de taza de salsa de soya
1 cucharada de jugo Maggi
1 cucharada de consomé de pollo en polvo o al gusto

En una sartén mediana a fuego medio, saltear la cebolla y los chiles en el aceite de oliva durante 5 minutos o hasta que empiecen a dorar. Agregar el jugo de limón, la salsa de soya y el consomé. Continuar cocinando a fuego medio alto, mezclando bien hasta que la cebolla y los chiles estén suaves y los ingredientes estén bien integrados.

Rinde: 2 tazas

Tip: Esta receta es un excelente acompañamiento para los Tacos de Sirloin (página 149) o cualquier pollo o carne asados.

Baked Polenta with Tomato Sauce

Although considered to be an Italian recipe, polenta is a favorite among Peruvians and Argentineans. The polenta can be shaped into circles, triangles, diamonds or just about any other unique form.

Salt to taste
1 1/2 cup polenta
4 tablespoons olive oil
1/2 cup white onion, finely chopped
2 garlic cloves, minced or pressed
1/2 cup celery finely chopped
2 or 3 tomatoes, finely chopped
2 cups tomato puree
Granulated chicken bouillon to taste
Ground black pepper to taste
1 large carrot, cooked, peeled and finely chopped
1 cup Parmesan cheese, grated

Grease a jelly roll pan with olive oil. Season 4 cups water with salt and bring to a boil. Slowly add polenta, stirring constantly with a wooden spoon to prevent lumps. Reduce heat and continue stirring until it thickens. You may add water if mixture gets too thick.

Pour polenta immediately into pan, spreading it with a spatula dipped in cold water to a 1/2 inch thickness, and allow to cool completely before baking. Preheat oven to 350 degrees. Bake for about 20 minutes. Cool while preparing sauce.

In a large skillet over medium heat, sauté in olive oil onions and garlic until onions are translucent. Add celery and cook for 2 minutes longer. Mix in tomatoes, stirring occasionally until cooked. Add tomato puree and season with bouillon and pepper. Bring sauce to a boil and add carrots. Cook for a few minutes longer.

Cut cooled polenta into squares and arrange in an ovenproof casserole dish. Add sauce and Parmesan cheese. Warm in oven before serving.

Serves: 6

Tip: This dish also makes a nice vegetarian main course and can be layered for an added special touch.

Polenta Horneada con Salsa de Jitomate

A pesar de que la polenta está considerada como una receta italiana, ésta goza de gran popularidad entre peruanos y argentinos. A la polenta se le puede dar cualquier forma como circular, triangular o de diamante.

4 tazas de agua hirviendo
Sal al gusto
1 1/2 taza de polenta en polvo
4 cucharadas de aceite de oliva
1/2 taza de cebolla blanca finamente picada
2 dientes de ajo finamente picados o prensados
1/2 taza de apio finamente picado
2 ó 3 jitomates frescos finamente picados
2 tazas de puré de tomate
Consomé de pollo en polvo al gusto
Pimienta molida al gusto
1 zanahoria grande cocida y finamente picada
1 taza de queso parmesano

Engrasar una charola galletera con bordes. Poner a hervir el agua y sazonar con sal. Añadir la polenta poco a poco moviendo continuamente con una pala de madera para evitar que se formen grumos. Reducir el fuego y continuar moviendo la mezcla hasta que espese. Se puede agregar un poco de agua en caso de espesar demasiado.

Vaciar inmediatamente la mezcla en la charola extendiéndola con una espátula mojada en agua fría, hasta alcanzar un grosor de 1/2 pulgada y dejar que enfrie completamente. Precalentar el horno a 175°C (350°F) y cuando la polenta esté fría, hornear alrededor de 20 minutos. Sacar del horno y dejar a un lado mientras se prepara la salsa.

En una sartén grande saltear la cebolla y el ajo en aceite hasta que la cebolla esté transparente. Añadir el apio a que se fría ligeramente durante 2 minutos más. Agregar el jitomate moviendo ocasionalmente hasta cocerse e incorporar el puré de tomate. Sazonar con el consomé y la pimienta al gusto. Una vez que la salsa haya soltado el hervor, agregar la zanahoria y dejar hervir unos minutos más. Una vez fría cortar la polenta en cuadros condar y acomodarlos en un refractario para cubrirlos con la salsa y el queso parmesano. Calentar en el horno antes de servir.

Porciones: 6

Tip: Este platillo también puede fungir como un excelente plato principal y arreglarlo en capas para darle una presentación especial.

Baked Polenta with Tomato Sauce

Stuffed Ancho Peppers

Do not think the addition of chocolate to this recipe is a mistake. Many Mexican sauces or moles contain chocolate – not the sweetened type used to make desserts but a bittersweet chocolate usually packaged in squares.

Peppers
8 ancho chile peppers (with stem for ease of handling)
2 tablespoons white vinegar
1 tablespoon sugar
1 tablespoon salt
1 16-ounce package anejo or Monterey Jack cheese, cut into 8 rectangular pieces
1/2 cup all-purpose flour
3 eggs, separated
Oil for frying

Sauce
2 tomatoes
1/2 onion, chopped
2 tablespoons vegetable oil
2 garlic cloves, chopped
1 bolillo roll, cut into cubes
3/4 cup peanuts
2 cloves
2 cups chicken broth
1/3 cup sesame seeds, toasted
2 ounces or 1/2 square Mexican chocolate
Salt to taste

Peppers
Soak peppers in 4 cups of warm water with vinegar, sugar and salt until they are malleable but not too soft. Make a cut lengthwise, remove veins and seeds, taking care not to break pepper skins and rinse well. Stuff peppers with cheese, bring edges together and secure with a toothpick. Roll them in flour. Beat egg whites until they form firm peaks. Beat egg yolks separately and fold them into egg whites, alternating with 1 tablespoon of flour sprinkled over mixture. Dip each pepper into egg mixture. In a small skillet, heat about 1 inch of oil over medium heat and fry peppers, turning only and once making sure they have an even golden color all over. Remove from pan to a paper towel-lined plate to absorb excess oil.

Sauce
Grill and peel tomatoes. Chop and set aside. In a medium skillet, sauté onion in oil until transparent, add garlic, bread and peanuts and continue stirring until peanuts turn light gold. Add tomatoes and cloves and continue stirring for 3 more minutes. Remove from heat and cool for a few minutes. In a blender, puree the tomato mixture with broth and sesame seeds (reserve some for decoration). Return mixture to pan, add chocolate, season to taste with salt and stir over medium heat until chocolate melts completely.

Arrange coated peppers on a plate and cover with sauce. Sprinkle with toasted sesame seeds.

Serves: 8

Tips: This dish can be made with fresh poblanos as well. Eliminate the soaking and proceed accordingly. You can also fill the peppers with manchego or queso fresco. The dish is nice served over white rice.

Chiles Anchos Rellenos

El haberle añadido chocolate a esta receta no es un error. Muchas de las salsas mexicanas contienen algo de chocolate, no del tipo dulce, sino el amargo que usualmente viene empacado como tablillas en cuadros.

Chiles
8 chiles anchos (con rabos para fácil manejo)
2 cucharadas de vinagre
1 cucharada de azúcar
1 cucharada de sal
8 rebanadas (paquete de 16 onzas) de queso añejo o Monterey Jack cortadas en rectángulos
1/2 taza de harina
3 huevos, separar claras de yemas
Aceite para freír

Salsa
2 jitomates
1/2 cebolla picada
2 cucharadas de aceite vegetal
2 dientes de ajo picados
1 bolillo en trocitos
3/4 de taza de cacahuates
2 clavos
2 tazas de caldo de pollo
1/3 de taza de ajonjolí tostado
2 onzas ó 1/2 tablilla de chocolate mexicano amargo
Sal al gusto

Chiles
Remojar los chiles en 4 tazas de agua tibia con el vinagre, el azúcar y la sal hasta que se ablanden un poco. Hacer un corte a lo largo y desvenar sacando las semillas con cuidado de no romperlos. Enjuagar bien, secar en toallas de papel absorbente y rellenar los chiles con las rebanadas de queso cerrándolos juntando los bordes y asegurándolos con un palillo de dientes. Revolcar en harina.

En una sartén mediana calentar aceite suficiente para freír los chiles, como 1 pulgada. Batir las claras a punto de turrón y las yemas por separado a punto de listón. Envolver las yemas poco a poco dentro de las claras alternando con 1 cucharada de harina espolvoreada a la mezcla. Pasar cada chile por la mezcla de huevo a que se cubra completamente y freírlo en el aceite muy caliente, volteándolo una sola vez y asegurándose que se dore parejo. Sacar de la sartén, escurrir y colocar sobre toallas de papel absorbente para absorber el exceso de grasa.

Salsa
Asar y pelar los jitomates. Cortar en trozos y reservar. En una sartén mediana saltear la cebolla en el aceite, añadir los ajos, el bolillo y los cacahuates y continuar moviendo hasta que estos últimos se doren un poco. Agregar el jitomate y los clavos y continuar moviendo 3 minutos más. Licuar con el caldo de pollo y el ajonjolí, reservando un poco para adornar. Regresar la salsa a la sartén, añadir el chocolate y mover a fuego medio hasta que éste se haya derretido por completo. Sazonar con sal al gusto.

Servir los chiles en un platón bañados con la salsa y espolvorear con un poco de ajonjolí tostado.

Porciones: 8

Tips: Este plato también se puede preparar con chiles poblanos frescos. Elimine el remojo y siga el procedimiento. También puede rellenar los pimientos con manchego o queso fresco. Este plato va muy bien servido sobre arroz blanco.

Poblano Pepper Soufflé

Poblano Pepper Soufflé

Hmm… a soufflé in a Latin cookbook? Although a typical French dish, our soufflé is all Latin with the extra punch of poblano chile peppers.

5 poblano chile peppers, roasted, peeled and seeded (see recipe page 59)
1 can (12 ounces) evaporated milk
3 eggs
1/2 teaspoon cream of tartar
1 1/2 cups Monterey Jack cheese, grated
1/2 tablespoon granulated chicken bouillon or to taste
6 buttered ramekins (1 cup each)

Preheat oven to 350 degrees. Julienne poblano peppers and set aside. In a blender, mix together milk, eggs, cream of tartar, cheese and bouillon until smooth. Pour into ramekins and add peppers evenly. Place ramekins in a hot water bath and bake until firm and golden brown, about 45 minutes.

Yields: 4-6 individual soufflés

Tip: To cook in a hot water bath, fill a large, rimmed baking pan with enough water to submerge the bottom half of the ramekins. All soufflés must be served immediately.

Soufflé de Rajas Poblanas

Un soufflé en un recetario latino? A pesar de que el soufflé es un platillo típico de Francia, nuestro soufflé se convierte en latinoamericano gracias al picante sabor de los chiles poblanos.

5 chiles poblanos asados, pelados y sin semillas (página 59)
1 lata (12 onzas) de leche evaporada
3 huevos
1/2 cucharadita de crémor tártaro
1 1/2 tazas de queso Monterey Jack rallado
1/2 cucharada de consomé de pollo en polvo o al gusto
6 moldes refractarios individuales (ramekins de 1 taza) engrasados con mantequilla

Precalentar el horno a 175°C (350°F). Cortar los poblanos a la juliana* y reservar. En la licuadora batir juntos la leche, los huevos, el crémor tártaro, el queso y el consomé hasta que quede una mezcla uniforme. Vaciar en los moldes ya preparados y repartir las rajas de poblano entre cada uno. Colocar los moldes a baño maría con agua caliente y hornear alrededor de 45 minutos o hasta que hayan cuajado y empiecen a dorarse. Servir de inmediato.

Rinde: 4-6 soufflés individuales

Tip: Para preparar el baño maría, llenar una charola con bordes altos con suficiente agua caliente para que el nivel llegue a la mitad de los moldes.
* En rajas muy delgadas.

Rajas con Crema

This traditional Mexican side dish can also be turned into a taco main course by adding a drained can of corn and wrapping the mixture in corn tortillas.

8 poblano chile peppers, roasted, peeled and seeded (see recipe page 59)
1/2 cup (1 stick) butter
1/4 cup olive oil
1/2 onion, sliced
1 garlic clove, pressed
Salt and pepper to taste
1/2 cup heavy whipping cream
1/2 cup Monterey Jack cheese, grated

Cut poblanos into thin strips. In a large skillet, heat butter and oil. Add onions and garlic and sauté until translucent. Add poblanos, salt and pepper and sauté until thoroughly heated. Stir in cream and cook until slightly thickened. Add cheese and stir to melt. Serve warm.

Serves: 8

Tip: For a lighter version, eliminate the cheese.

Rajas con Crema

Esta es una guarnición tradicional mexicana que puede convertirse en un platillo principal al añadirle una lata de elote en grano y sirviéndolo en tacos con tortillas de maíz.

8 chiles poblanos asados y sin semillas (página 59)
1/2 taza (1 barra) de mantequilla
1/4 de taza de aceite de oliva
1/2 cebolla blanca en rodajas
1 diente de ajo prensado
Sal y pimienta al gusto
1/2 taza de crema espesa para batir
1/2 taza de queso Monterey Jack rallado

Cortar los chiles en tiras delgadas. En una sartén grande calentar la mantequilla con el aceite y saltear la cebolla y el ajo hasta que estén transparentes. Agregar las rajas de poblano, salpimentar y mezclar bien hasta que los chiles estén bien calientes. Añadir la crema y continuar moviendo hasta que espese ligeramente. Agregar el queso y mezclar bien hasta que se derrita. Servir caliente.

Porciones: 8

Tip: Para una versión más ligera eliminar el queso.

New Potatoes with Cilantro

This dish calls for "new" potatoes, which typically means red, creamer or fingerling potatoes harvested very young.

1/2 cup oil
1 bunch (about 1 cup) cilantro leaves, coarsely chopped
4 serrano chile peppers, cut lengthwise and seeded
Salt to taste
20 small new potatoes, halved

In a blender, puree 1/2 cup water with oil, water, cilantro, peppers and salt until smooth. In a large pot, add pepper puree and potatoes. Bring to a boil, cover and cook until potatoes are tender, about 5 to 10 minutes.

Serves: 4

Tip: Don't overcook the potatoes or they will be mushy.

Papitas de Cambray al Cilantro

Este platillo lleva papas de cambray, un tipo de papa pequeña, generalmente roja, cosechada muy tierna. También se puede preparar con papas alevines.

1/2 taza de aceite
1/2 taza de agua
1 manojo (más o menos 1 taza) de hojas de cilantro picadas en grueso
4 chiles serranos sin semillas y cortados a lo largo
Sal al gusto
20 papitas de cambray cortadas a la mitad

En la licuadora moler el agua con el aceite, el cilantro, los chiles y la sal hasta obtener una mezcla homogénea. En una olla grande combinar la mezcla con las papas y poner todo a cocer. Al empezar a hervir, tapar y dejar cocinar de 5 a 10 minutos o hasta que las papas estén suaves.

Porciones: 4

Tip: No deje que las papas se cuezan demasiado porque se harán pastosas.

Potatoes with Chile de Árbol

Dried chiles de árbol peppers are usually bright red, about 4 inches long and very hot, so adjust the spice to your taste.

10-12 dried chiles de árbol peppers
1-2 tablespoons vegetable oil
2 pounds small potatoes, cut in half
2 cloves garlic
Granulated chicken bouillon
Juice of two limes

In a medium skillet, fry peppers in oil until softened. Remove peppers from pan and add potatoes. Sauté potatoes in same oil. While potatoes are cooking, in a blender puree peppers, garlic, and bouillon with 1 cup water. Pour sauce over potatoes, cover and simmer until potatoes are done, about 10 to 15 minutes. Add lime juice and serve.

Serves: 6

Tip: Remember that chile pepper seeds are to blame for a great part of a pepper's hotness. Removing the seeds before frying the peppers will make them less spicy. In any case, it is always recommended to adjust the spiciness to your taste.

Papitas con Chile de Árbol

El chile de árbol seco es generalmente de color rojo brillante, como de 4 pulgadas de largo y muy picante, por lo que para esta receta se recomienda ajustar la cantidad de chiles a su gusto.

10-12 chiles de árbol secos
1 ó 2 cucharadas de aceite vegetal
2 libras de papa pequeña cortadas a la mitad
2 dientes de ajo
1 taza de agua
Consomé de pollo en polvo
Jugo de 2 limones

En una sartén mediana freír los chiles en aceite hasta que se suavicen. Sacar de la sartén y en el mismo aceite, saltear las papas. Licuar los chiles con el agua, el ajo y el consomé y agregar la mezcla a las papas. Hervir tapadas a fuego lento hasta que las papas estén listas, de 10 a 15 minutos. Agregar el jugo de limón y servir.

Porciones: 6

Tip: Recuerde que las semillas de los chiles son portadoras de gran parte de la fuerza picante de los mismos. Si se les quitan las semillas antes de freírlos, el chile se volverá menos agresivo. Se recomienda siempre ajustar la cantidad.

Jalapeño Roasted Potatoes

Potatoes are grown worldwide but South American fields grow more than 3,000 varieties mainly on the farms of Peru, Bolivia, Ecuador, Chile and Colombia.

2 pounds fingerling potatoes, washed and halved lengthwise
1 tablespoon olive oil plus 1/3 cup for baking
4 large chiles jalapeños, sliced into 1/4 inch rings
Kosher salt and ground black pepper to taste

Preheat oven to 450 degrees. Lightly brush a rimmed baking sheet with 1 tablespoon olive oil. In a large bowl, toss potatoes, oil, chiles jalapeños, salt and pepper together. Transfer to baking sheet in a single layer with cut side of potatoes facing down. Roast or until potatoes are golden, for 25 to 30 minutes.

Serves: 6

Papas Asadas con Chiles Jalapeños

La papa es cosechada en todo el mundo, sin embargo los campos sudamericanos cuentan con más de tres mil variedades, especialmente en Perú, Bolivia, Ecuador, Chile y Colombia.

2 libras de papas alevines (fingerling) lavadas y cortadas a la mitad, a lo largo
1/3 de taza más 1 cucharada de aceite de oliva
4 chiles jalapeños grandes rebanados en rodajas de 1/4 de pulgada
Sal kosher al gusto
Pimienta negra al gusto

Precalentar el asador a 450°F (230°C) a fuego indirecto medio y engrasar ligeramente una charola para hornear con 1 cucharada de aceite de oliva. En otro recipiente, mezclar las papas con el resto del aceite, los chiles jalapeños, la sal y la pimienta. Vaciar en la charola previamente engrasada asegurándose que las papas descansen sobre el lado del corte y con la cáscara hacia arriba. Asar de 25 a 30 minutos o hasta que las papas se hayan dorado.

Porciones: 6

Jalapeño Roasted Potatoes

Mexican Rice

Rices prepared in Mexico are always fried before adding broth. The frying time varies according to the taste of the cook, which affects the flavor as well as the color.

2 cups long grain white rice
4 medium tomatoes, quartered
1/4 cup vegetable oil
1/2 large white onion, chopped
3-4 cloves garlic, chopped
4 cups chicken stock (recipe page 112) or water
1/2 cup carrots, finely chopped
1/4 cup fresh green peas, shelled
1 tablespoon granulated chicken bouillon or salt to taste

Soak rice for 5 minutes in warm water. (Longer soaking time in hotter water will reduce cooking time.) Rinse, drain and set aside. Puree tomatoes in a blender and strain. In a 4 quart pot over medium heat, sauté in oil the onions and garlic for 1 to 2 minutes. Stirring constantly, add rice and cook until rice is translucent. Add pureed tomatoes and cook for 5 minutes. Add chicken stock, carrots, peas and chicken bouillon or salt to taste. Bring mixture to a boil, then cover, reduce heat to low and simmer until liquid has been absorbed and rice is tender and cooked through, about 15 to 20 minutes. Remove from heat and let sit for 5 to 10 minutes before serving.

Serves: 8

Mexican Rice

Arroz a la Mexicana

Cualquier tipo de arroz cocinado en México se fríe siempre antes de agregarle el caldo en el que se cocerá. El sabor y el color final del arroz serán determinados por la cantidad de tiempo que éste se deje freír.

2 tazas de arroz de grano largo
4 jitomates medianos cortados en cuartos
1/4 de taza de aceite vegetal
1/2 cebolla blanca grande picada
3-4 dientes de ajo picados
4 tazas de caldo de pollo (página 112) o agua
1/2 taza de zanahoria finamente picada
1/4 taza de chícharos frescos pelados
1 cucharada de consomé de pollo o sal al gusto

Remojar el arroz en agua tibia durante 5 minutos. Enjuagar, escurrir y reservar. Moler los jitomates en la licuadora y colar. En una cacerola mediana calentar a fuego medio el aceite y saltear la cebolla y el ajo durante 1 ó 2 minutos. Añadir el arroz moviendo frecuentemente hasta que se ponga transparente. Cuidadosamente agregar el jitomate licuado y cocinar durante 5 minutos. Añadir el caldo, la zanahoria, el chícharo y el consomé de pollo o sal al gusto. Cuando suelte el hervor, reducir el fuego a lo más bajo, tapar y cocer de 15 a 20 minutos o hasta que el líquido se haya absorbido y el arroz esté tierno. Retirar del fuego y dejar reposar de 5 a 10 minutos antes de servir.

Porciones: 8

Corn and Poblano Rice

An easy dish that is sure to be a crowd pleaser.

1 cup rice
1 1/2 cups (12 ounces) frozen corn, thawed and drained
4 large poblano chile peppers, roasted, peeled and seeded coarsely chopped (see recipe page 59)
1 1/2 cups (12 ounces) Monterey Jack or quesadilla cheese, grated
1 cup Mexican crema
1 teaspoon salt
1 teaspoon ground black pepper

Preheat oven to 350 degrees. Grease a 9x13 inch baking dish. Cook rice according to package directions. Cool slightly. In a large bowl, stir all ingredients together until well combined. Place mixture in baking dish and bake about 30 minutes.

Serves: 8-10

Arroz con Elote y Poblano

Un platillo fácil de preparar que seguramente dejará satisfecho a un grupo grande.

1 taza de arroz
1 1/2 tazas de granos de elote congelados, descongelados y escurridos
4 chiles poblanos asados y limpios (página 59) picados en grueso
1 1/2 tazas (12 onzas) de queso Monterey Jack o queso para quesadillas rallado
1 taza de crema mexicana
1 cucharadita de sal
1 cucharadita de pimienta negra molida

Precalentar el horno a 175°C (350°F) y engrasar un refractario de 9x13 pulgadas. Cocinar el arroz de acuerdo a las instrucciones del paquete. Enfriar ligeramente. En un tazón grande, mezclar todos los ingredientes y vaciarlos en el refractario. Hornear 30 minutos o hasta que esté bien caliente.

Porciones: 8-10

Venezuelan Rice

This colorful and healthy rice is a staple in most Venezuelan households.

3 cups white rice
2-3 tablespoons corn oil
2 garlic cloves, minced
1/2 medium white onion, chopped
1/2 yellow bell pepper, seeded and chopped
1/2 red bell pepper, seeded and chopped
1 carrot, peeled and grated
Salt to taste
1 teaspoon vinegar

Rinse rice in a strainer until water runs clear. Drain. In a heavy large pot, heat oil and stir fry garlic, onions, bell peppers and carrots until barely softened. Add rice and continue stirring for 3 to 4 minutes. Add 5 cups water, salt and vinegar. On high heat, cook rice mixture until water is no longer visible. There will be "holes" in rice. Turn heat to low, stir, cover pot and cook for 5 to 10 minutes more.

Serves: 6-8

Tip: For a different twist, add any non-spicy pepper.

Arroz Venezolano

Este estilo de arroz, de un atractivo colorido y a la vez muy sano, es un alimento básico en la mayoría de los hogares venezolanos.

3 tazas de arroz blanco
2-3 cucharadas de aceite de maíz
2 dientes de ajo finamente picados
1/2 cebolla blanca mediana picada
1/2 pimiento morrón amarillo sin semillas y picado
1/2 pimiento morrón rojo sin semillas y picado
1 zanahoria pelada y rallada
5 tazas de agua a temperatura ambiente
Sal al gusto
1 cucharadita de vinagre

En un colador enjuagar el arroz bajo el chorro de agua hasta que ésta salga transparente. Dejar escurrir. Calentar el aceite en una olla gruesa. Freír el ajo, la cebolla, los pimientos morrones y la zanahoria, moviendo constantemente hasta que se suavicen un poco. Agregar el arroz y seguir moviendo de 3 a 4 minutos. Añadir el agua, la sal y el vinagre. Cocer a fuego alto hasta que el agua desaparezca: se verán "agujeros" en el arroz. Bajar la lumbre a fuego lento y cocer tapado de 5 a 10 minutos más.

Porciones: 6-8

Tip: Para un giro diferente agregue chiles que no sean picantes.

Venezuelan Rice

Grilled Chili Lime Corn on the Cob with Grilled Lobster

Grilled Chili Lime Corn on the Cob

In Mexico, white corn is preferred over the sweeter yellow corn. White corn is used for making tortillas and tamales, as a vegetable or even for just eating on the cob.

6 ears corn with husk
6 tablespoons butter, softened
2 teaspoons lime zest
1 teaspoon chili powder
1 teaspoon kosher salt
1/2 teaspoon ground black pepper
2 large garlic cloves, pressed
Salt and pepper to taste

Pull back husks from each ear of corn without detaching. Remove as much silk as possible and fold husks back over ears. Soak ears in water for 30 minutes. Drain ears, open husks and dry corn with paper towels.

Preheat grill for indirect medium heat (350 to 450 degrees). Combine butter, lime zest, chili powder, salt, pepper and garlic in a small bowl until mixed well. Spread each ear evenly with butter mixture. Fold husks back over ears and tie in place with kitchen string. Grill corn over indirect heat until tender and husks are charred about 20 to 30 minutes. Remove husks and salt and pepper to taste.

Serves: 6

Tip: Also try corn on the cob steamed or roasted and seasoned with mayonnaise, fresh grated cotija cheese, chile piquin and lime juice as prepared in street stands in Mexico. It's also immensely popular served as hot corn kernels in plastic cups, called *esquites*.

Elotes a la Parrilla con Chile y Limón

En México, el elote blanco es más común que el amarillo, que es más dulce. Ya sea para preparar masa para tortillas, tamales, como verdura o en mazorca, el maíz blanco es el más tradicional.

6 elotes blancos sin pelar
6 cucharadas de mantequilla suavizada
2 cucharaditas de ralladura de limón
1 cucharadita de chile en polvo
1 cucharadita de sal kosher
1/2 cucharadita de pimienta negra molida
2 dientes de ajo grandes prensados
Sal al gusto
Pimienta al gusto

Abrir las hojas de los elotes sin desprenderlas y sacar todo el cabello del elote. Envolver de nuevo con las hojas y remojar en agua durante 30 minutos. Escurrir y secar por dentro con toalles de papel. Calentar el asador a fuego indirecto medio (350-450°F). Combinar en un tazón pequeño la mantequilla, la ralladura del limón, la sal, la pimienta y el ajo, mezclando todo muy bien. Untar cada elote con la mantequilla preparada y volver a cubrirlo con las hojas, sujetándolos con un cordón de cocina. Asar los elotes a fuego indirecto hasta que estén tiernos y las hojas se hayan quemado, de 20 a 30 minutos. Desprender las hojas y salpimentar al gusto.

Porciones: 6

Tip: Pruebe también el elote en mazorca cocido al vapor o asado y sazonado con mayonesa, jugo de limón, queso Cotija desmenuzado y chile piquín. También puede probar la muy popular variedad llamada "esquites": granos de elote preparados de manera similar y servidos calientes en vasos de plástico.

Frijoles Charros with Poblano Peppers

These beans are a variation on the classic Latin charro beans. They are served slightly soupy but filled with flavor.

Beans
2 cups pinto beans
3 tablespoons vegetable oil
1/4 white onion, sliced
1 tablespoon granulated chicken bouillon

Pepper Mixture
2 bacon slices, chopped
1/4 white onion, finely chopped
2 garlic cloves, finely chopped
1 tablespoon vegetable oil
2 poblano chile peppers, seeded and finely chopped
1 tomato, finely chopped
1/2 cup lentil beans

In a large bowl, cover beans with cold water. Remove any beans that float or other debris. Rinse and wash one more time. Drain and place in a large pot with oil, sliced onions, chicken bouillon and enough water to cover. Cover, bring to a boil, reduce heat to medium low and cook for 1 hour, making sure there is always enough water to cover them.

While beans are cooking, in a medium skillet, fry bacon with onion and garlic for about 5 minutes. Add oil, poblanos and tomato. Stirring occasionally, cook mixture until poblanos are softened slightly After the beans have cooked for 1 hour, add poblano mixture and lentils. Check seasoning and continue cooking until beans are cooked to desired softness, about 30 minutes.

Serves: 8

Frijoles Charros con Poblano

Esta receta es una variedad de los clásicos y populares frijoles charros. Quedan ligeramente caldosos, pero llenos de sabor.

Frijoles
2 tazas de frijoles pintos
3 cucharadas de aceite vegetal
1/4 de cebolla blanca en rebanadas
1 cucharada de consomé de pollo en polvo

Mezcla de Poblanos
2 rebanadas de tocino picadas
1/4 de cebolla blanca finamente picada
2 dientes de ajo finamente picados
1 cucharada de aceite vegetal
2 chiles poblanos sin semillas y picados
1 jitomate finamente picado
1/2 taza de lentejas

En un tazón grande cubrir los frijoles con agua fría. Descartar los que floten o cualquier otra basura que contengan. Enjuagar y escurrir un par de veces. En una olla grande calentar el aceite y saltear la cebolla. Agregar los frijoles, suficiente agua para cubrirlos y el consomé de pollo. Tapar y una vez que suelte el hervor, ajustar el fuego a medio bajo y dejar hervir aproximadamente 1 hora cuidando que no les falte líquido durante el tiempo de cocción. Si es necesario, agregar más agua.

Mientras se cuecen los frijoles, freír en una sartén mediana el tocino, la cebolla y el ajo, de 4 a 5 minutos. Agregar el aceite, los poblanos picados y el jitomate. Mover ocasionalmente y continuar cociéndolos hasta que los chiles se suavicen. Cuando los frijoles hayan cocido durante 1 hora, incorporar la mezcla de poblanos, rectificar la sazón y agregar las lentejas. Cocer hasta que los frijoles estén en su punto.

Porciones: 8

Frijoles Charros with Poblano Peppers

Traditional Beans or "Frijoles de la Olla"

In the past these beans were always cooked in an *olla* (clay pot), but in modern kitchens they are often prepared in pressure cookers or metal pots. This basic recipe can be customized with any herbs or spices you like.

2 cups black or pinto beans, cleaned and rinsed
1 white onion, sliced
3 tablespoons bacon drippings or vegetable oil
2 tablespoons salt or granulated chicken bouillon
1 fresh epazote sprig (optional)

In a large bowl, cover beans with room temperature water and let soak for at least 4 hours or overnight. Discard any beans that float and drain.

Place beans in a large heavy pot and cover with water. Add onion, bacon drippings or oil and salt or bouillon and bring to a boil. Reduce heat to medium low, cover and cook until beans are slightly tender, about 1 1/2 to 2 hours. Uncover, add epazote and correct seasoning. Cook for another 30 minutes.

Serves: 6

Tips: Pot beans can be served as is, with rice or garnished with a spoonful of cream. The epazote and onion are most typical, but can be replaced with cilantro, whole chiles jalapeños or chiles serranos, chipotles, chorizo or any other flavors you can imagine!

Frijoles Tradicionales o Frijoles de la Olla

Antiguamente estos frijoles se cocían en ollas de barro, pero en las cocinas modernas se preparan en ollas de presión u ollas de metal. Esta receta básica puede variarse añadiéndole cualquier tipo de hierbas o especias de su elección.

2 tazas de frijoles negros o pintos limpios y enjuagados
1 cebolla blanca partida en rodajas
3 cucharadas de manteca de cerdo o aceite vegetal
2 cucharadas de sal o consomé de pollo en polvo
1 rama de epazote fresco (opcional)

En un tazón grande cubrir los frijoles con agua tibia y remojar por lo menos 4 horas o desde la noche anterior. Desechar los frijoles que floten y escurrir. En una olla grande a fuego alto, poner los frijoles y cubrir con agua. Agregar la cebolla, el aceite, la sal o consomé y la manteca o aceite y dejar que suelten el hervor. Bajar el fuego a medio bajo, tapar y cocer de 1 1/2 a 2 horas o hasta que los frijoles estén casi tiernos. Agregar el epazote, rectificar la sazón y cocer 30 minutos más.

Porciones: 6

Tips: Los frijoles de la olla pueden servirse tal como están, con arroz, solos o con una cucharada de crema. El epazote y la cebolla se pueden sustituir por cilantro, chiles jalapeños o chiles serranos enteros, chile chipotle, chorizo o cualquier sabor que se desee.

Refried Beans

Many people think "refried" means fried twice, but in actuality *refrito* means well fried or well cooked, which is when until all the liquid is gone.

1/3 cup vegetable oil
1/2 white onion, finely chopped
4 cups Traditional Beans (recipe page 203)
Queso fresco or cotija cheese, crumbled

Heat oil in a large skillet and sauté onion until translucent. Add beans and 1/2 to 1 cup of their stock, mash them with a potato masher and continue to cook until all the liquid has been absorbed. Remove from heat. Serve with cheese sprinkled on top.

Serves: 6

Tips: For a saltier, richer flavor, vegetable oil can be replaced with bacon drippings or lard. Although homemade pot beans are preferred, in a pinch you can use canned beans and add 1 cup chicken stock or water and proceed as directed above.

Frijoles Refritos

Mucha gente piensa que refritos significa fritos dos veces, pero en realidad *refrito* significa bien frito, hasta que todo el líquido desaparezca.

1/3 de taza de aceite vegetal
1/2 cebolla blanca finamente picada
4 tazas de Frijoles de la Olla (página 203)
Queso fresco o Cotija desmoronado

Calentar el aceite en una sartén grande y saltear la cebolla. Agregar el frijol con aproximadamente de 1/2 a 1 taza de su caldo, machacarlos y dejar cocer hasta que el líquido se haya absorbido. Retirar del fuego y servir con queso espolvoreado encima.

Porciones: 6

Tip: Para obtener un sabor más rico o salado, sustituir el aceite vegetal por manteca de cerdo. Aunque lo ideal es utilizar frijoles de la olla, en una emergencia se pueden utilizar frijoles de lata añadiendo 1 taza de caldo de pollo o agua y proceder como se indica arriba.

Extra-ordinario

7 chapter seven

breakfast & breads

Red Chilaquiles

Red Chilaquiles

Almost nothing tastes as good on a Sunday morning as a big plate of Red Chilaquiles. This spicy sauce served over crispy tortilla triangles with cheese and onions is a mixture that makes even waking up early on a weekend morning a good thing.

1 1/2 pounds tomatoes, cored but not seeded
3/4 white onion, quartered
3 cloves garlic
2-4 serrano chile peppers, seeded and stemmed, sliced lengthwise
1-2 tablespoons granulated chicken bouillon or to taste
1-2 tablespoons vegetable oil
20 corn tortillas
Vegetable oil for frying
1 small white onion, chopped
1 cup Mexican crema
1 cup queso fresco cheese, crumbled

In a medium saucepan filled with about an inch of water, simmer tomatoes, onions, garlic and peppers. Remove from heat when tomato skins begin to separate and are easily peeled and when onion and peppers are softened slightly. Using tongs, remove tomato skins and cook salsa 2 to 3 minutes longer. Stir in bouillon and let mixture cool slightly. Place salsa in a blender place in a blender and puree. Heat oil in a saucepan and cook puree over medium heat, stirring frequently, until slightly thickened, about 5 to 10 minutes.

Meanwhile, cut each tortilla into 6 triangles. Heat 1/4 to 1/2 inch oil in a frying pan and fry tortillas in batches until golden brown. Drain on paper towels.

To serve, place tortilla chips on plates and cover with tomato and pepper salsa. Garnish with onions, crema and cheese.

Serves: 6

Tip: Shredded chicken can also be added to the sauce and/or plain chilaquiles can be served as a complement to eggs any style.

Chilaquiles Rojos

Es difícil que algo sea tan sabroso como un gran plato de chilaquiles en una mañana de domingo. Esta salsa picante servida sobre crujientes pedacitos de tortilla con queso y cebolla, es una mezcla por la que vale la pena el haberse levantado temprano durante el fin de semana.

1 1/2 libras de jitomates sin el rabo
3/4 de cebolla blanca en cuartos
3 dientes de ajo
2-4 chiles serranos sin semillas ni rabo, cortados a lo largo
1-2 cucharadas de consomé de pollo en polvo
1-2 cucharadas de aceite vegetal
20 tortillas de maíz
Aceite vegetal para freír
1 cebolla blanca pequeña picada
1 taza de crema mexicana
1 taza de queso fresco desmoronado

En una cacerola mediana, en 1 pulgada de agua a fuego lento, hervir los jitomates, la cebolla, el ajo y los chiles hasta que se separe la piel del jitomate y se pueda pelar fácilmente y la cebolla y los chiles se hayan suavizado. Utilizando pinzas de cocina, pelar los jitomates y dejar hervir de 2 a 3 minutos más. Agregar el consomé y dejar enfriar ligeramente. Moler todo en la licuadora hasta hacer un puré. Calentar aceite en la cacerola y freír la mezcla a fuego medio moviendo frecuentemente hasta que haya espesado ligeramente de 5 a 10 minutos.

Mientras, cortar las tortillas en 6 triángulos y freírlas en tandas en 1/4 a 1/2 pulgada de aceite bien caliente hasta que se doren. Drenar en toallas de papel absorbente.

Para servir, colocar los totopos en platos y bañar con la salsa de jitomate con chile. Agregar el queso, la crema y la cebolla picada.

Porciones: 6

Tip: También se puede añadir pollo desmenuzado a la salsa y/o servir los chilaquiles como guarnición de huevos al gusto.

Mexican Scrambled Eggs

This classic and simple egg dish is perfect for breakfast, but try serving it for dinner on a night when you don't have time to put a complicated meal on the table.

2 tablespoons vegetable oil
1/4 white onion, finely chopped
2-3 serrano chile peppers, seeded and finely chopped
2 tomatoes, finely chopped
8 eggs
Salt and pepper to taste
12 corn tortillas

In a large non-stick frying pan, heat oil over medium heat. Sauté onions and peppers until golden. Add tomatoes and cook for a few more minutes.

In a medium bowl, beat eggs and season with salt and pepper. Pour over tomato mixture. Cook on medium heat, stirring frequently, until eggs are cooked to taste, about 3 to 4 minutes. They should not be dry, so be careful not to overcook them. Serve with corn tortillas and Refried Beans (see recipe page 204).

Serves: 4

Huevos a la Mexicana

Este clásico platillo muy fácil de preparar es perfecto para el desayuno, pero también puede servirlo una noche que no tenga tiempo de cocinar algo complicado.

2 cucharadas de aceite
1/4 de cebolla blanca finamente picada
2-3 chiles serranos sin semilla y finamente picados
2 jitomates finamente picados
8 huevos
Sal y pimienta al gusto
12 tortillas de maíz

Calentar el aceite en una sartén. Saltear la cebolla y los chiles hasta que se suavicen. Agregar el jitomate y dejar que se cueza un poco.

Batir los huevos en un tazón por separado, salpimentar al gusto e incorporarlos a la mezcla. Cocinar a fuego medio de 3 a 4 minutos moviendo frecuentemente hasta que los huevos adquieran la consistencia deseada, cuidando que queden tiernos y no demasiado cocidos. Servir con tortillas de maíz y Frijoles Refritos (página 204).

Porciones: 4

Baked Eggs with Cheese Sauce

A rich, creamy breakfast dish that's also beautifully presented.

8 individual ovenproof molds or ramekins, greased with butter
8 eggs
Salt and pepper to taste
2 tablespoons butter
1/2 onion, finely chopped
1 garlic clove, pressed
2 cups heavy whipping cream
1 cup Monterey Jack cheese, grated
1 chicken bouillon cube
1/2 cup Parmesan cheese, grated
Parsley for garnish
Hot sauce to taste

Preheat oven to 350 degrees. Break eggs in molds, season with salt and pepper, and bake in water bath until cooked but soft to the touch, about 30 minutes.

While eggs are baking, in a large skillet over medium heat, melt butter and sauté onion and garlic until translucent. Add cream, stirring well. At boiling point, lower heat and mix in Monterey Jack cheese and chicken bouillon cube. Continue stirring and cook for 2 more minutes. Divide sauce among molds and sprinkle with Parmesan cheese.

Garnish with parsley and/or add a few drops of hot sauce.

Serves: 8 single or 4 double

Huevos al Horno en Salsa de Queso

Un desayuno suculento y cremoso cuya presentación es también muy atractiva.

8 moldes refractarios individuales engrasados con mantequilla
8 huevos
Sal y pimienta al gusto
2 cucharadas de mantequilla
1/2 cebolla blanca finamente picada
1 diente de ajo prensado
2 tazas de crema espesa para batir
1 taza de queso Monterey Jack rallado
1 cubo de caldo de pollo
1/2 taza de queso parmesano rallado
Perejil para adornar
Salsa picante al gusto

Precalentar el horno a 175°C (350°F). Cascar los huevos en los moldes individuales, salpimentarlos y colocarlos en una charola a baño maría. Hornear aproximadamente 30 minutos o hasta que el huevo esté cocido pero suave al tacto.

Mientras están listos los huevos, en una sartén grande a fuego medio derretir la mantequilla y saltear el ajo y la cebolla. Añadir la crema moviendo para mezclar bien los ingredientes. Al empezar a hervir y sin dejar de mover, bajar el fuego al mínimo, añadir el queso rallado y el cubo de caldo de pollo. Cocinar por 2 minutos más, repartir la salsa entre los moldes con huevo y espolvorear con queso parmesano.

Adornar con perejil picado y/o unas gotas de salsa picante.

Porciones: 8 raciones de 1 huevo ó 4 de 2 huevos

Machaca with Eggs

Machaca is a dried, spiced meat (most commonly beef). The meat is rehydrated, pounded to make it tender and then used to make any number of dishes, among them the most famous of all: machaca with eggs. For centuries people have dried meat as a way to preserve it, but adding chiles and other spices is thought to have been developed by the ranchers and cowboys of northern Mexico.

3 tablespoons extra-virgin olive oil
2 serrano chile peppers, minced
3 tablespoons onion, minced
7 ounces machaca (dried beef), rinsed in water and cut into 1 inch strips (ask for it in the meat section of your grocery store)
6 eggs
Salt and pepper to taste
Flour tortillas

In a medium saucepan, heat olive oil and sauté serrano peppers and onions until golden. Add rehydrated beef and stir-fry for a few minutes. In a bowl, slightly beat eggs and season with salt and pepper. Mix in fried meat and return whole mixture to saucepan. Over medium heat, stir frequently until eggs are set but still moist. Serve with flour tortillas and a salsa of your choice.

Serves: 4

Machaca con Huevo

La machaca es una carne seca (generalmente de res) tratada con algunas especias, deshidratada y machacada para ablandarla. Se usa en una variedad de platillos entre los que se encuentra el más famoso de todos: machaca con huevo. Durante siglos el hombre ha secado la carne como un método de conservación, pero el haber añadido chiles y especias al proceso se les atribuye a los rancheros y vaqueros del norte de México.

3 cucharadas de aceite de oliva
2 chiles serranos finamente picados
3 cucharadas de cebolla blanca finamente picada
7 onzas de machaca* enjuagada y deshebrada en tiras de 1 pulgada
6 huevos
Sal y pimienta al gusto
Tortillas de harina

En una cacerola calentar el aceite de oliva y saltear los chiles serranos y la cebolla hasta dorar. Agregar la machaca y freír por unos minutos. En un tazón batir ligeramente los huevos y sazonar con sal y pimienta. Mezclar la carne con los huevos en el mismo tazón y regresar toda la mezcla a la cacerola. Cocinar a fuego medio moviendo frecuentemente hasta que los huevos estén cocidos, pero todavía tiernos. Servir con tortillas de harina y una salsa de su gusto.

*Puede encontrar la machaca en la sección de carnes de su supermercado.

Porciones: 4

Poached Eggs in Red Salsa

A special dish that combines Mexican flavor with French culinary techniques. Chiles de árbol are dried red Mexican peppers usually found in the pod or as a powder. They will spice up any dish and are often used in soups, stews or salsas.

10-15 dried chile de árbol peppers
1 cube tomato bouillon with chicken flavor
1-2 teaspoons vegetable oil
1 bunch epazote, chopped (found in the produce section of many grocery stores)
3 quarts water
3 tablespoons white vinegar
8 eggs
4 large slices toast
1 cup Monterey Jack cheese, shredded

Boil peppers in 1 cup water with tomato bouillon for about 10 minutes. In a blender, puree pepper mixture. In a small skillet, fry pepper salsa in oil. Add epazote and cook for 5 minutes, stirring occasionally. Remove from heat, but keep warm.

In a large pot, bring water and vinegar to a rolling boil. One by one, crack each egg into a small bowl and, with extra care, slide it into boiling water as near the surface as possible so it will not break. Once all eggs are in pot and as soon as water starts to boil again, lower heat and cook for 3 minutes. With a slotted spoon, remove eggs carefully from water and set on a paper towel to dry.

Place a slice of toast on a plate, add two poached eggs on top and cover with salsa. Sprinkle with cheese and serve immediately.

Serves: 4

Tip: Try this delicious salsa on any egg dish.

Huevos Escalfados en Salsa Roja (Pochés)

Un platillo especial que combina el sabor de México con las técnicas culinarias de Francia. El chile de árbol es un chile seco mexicano que generalmente se encuentra entero o molido en polvo. Comúnmente se utiliza en sopas, cocidos de carne o salsas.

10-15 chiles de árbol secos
1 cubito de consomé de pollo con jitomate
1-2 cucharaditas de aceite vegetal
1 manojo de epazote picado
3/4 de galón de agua
3 cucharadas de vinagre blanco
8 huevos
4 rebanadas de pan tostado
1 taza de queso Monterey Jack rallado

Hervir los chiles de árbol y el consomé de pollo en 1 taza de agua, aproximadamente 10 minutos. Licuar y freír la salsa en el aceite agregando el epazote. Cocer durante 5 minutos moviendo ocasionalmente y rectificar la sazón. Retirar del fuego, pero mantener caliente.

En una cacerola profunda calentar el agua y el vinagre hasta que hierva a borbotones. Uno por uno, ir cascando los huevos en un tazón pequeño o taza y con sumo cuidado deslizarlos en el agua hirviendo lo más cerca posible de la superficie para evitar que se rompa la yema. Cuando vuelva a hervir el agua, bajar el fuego al mínimo y dejar cocer por 3 minutos. Con un cucharón, sacar los huevos cuidadosamente y colocarlos en toallas de papel absorbente para quitarles el exceso de agua.

En un plato poner una rebanada de pan tostado, dos huevos escalfados encima y bañarlos con la salsa. Espolvorear con el queso y servir de inmediato.

Porciones: 4

Tip: Sirva esta deliciosa salsa con diversas preparaciones de huevo.

Poached Eggs in Red Salsa

Baked Chiles Rellenos

Baked Chiles Rellenos

Chiles rellenos are often battered and fried on a dinner menu, but our versión is for breakfast and is baked with eggs and chorizo.

8 large poblano chile peppers, roasted and peeled (see recipe page 59)
12 ounces Mexican chorizo, casings removed
1 cup cotija cheese, crumbled or grated
1/2 teaspoon dried oregano (preferably Mexican)
1 cup Monterey Jack cheese, grated
12 eggs
1/3 cup flour
1 teaspoon baking powder
1/2 teaspoon salt

Preheat oven to 375 degrees and grease a 9x13 inch baking dish. Remove stem end of roasted and peeled peppers. Make a slice vertically through the peppers to remove seeds, but keep intact to stuff later. Set aside on paper towels to dry. In a large frying pan over medium heat, cook chorizo, stirring frequently and breaking up any lumps, until slightly browned and cooked through. Drain through a fine strainer to remove excess grease. In a large bowl, mix chorizo, cotija cheese and oregano. Stuff poblanos with mixture and lay them in baking dish. Sprinkle 1/2 cup of Monterey Jack cheese over peppers.

In a large bowl, whisk eggs until combined and continue whisking in flour, baking powder and salt until only small lumps remain. Pour egg mixture over peppers and sprinkle with remaining cheese. Bake until top starts to brown and eggs are set, about 30 minutes.

Serves: 8

Tip: If cotija cheese is not available, substitute with Parmesan cheese.

Chiles Rellenos Horneados

Generalmente los chiles rellenos son capeados y fritos, pero nuestra versión es para servirlos en el desayuno rellenos de chorizo con queso y horneados con huevo batido.

8 chiles poblanos grandes asados y pelados (página 59)
12 onzas de chorizo mexicano sin la tripa
1 taza de queso Cotija rallado o desmoronado
1/2 cucharadita de orégano
1 taza de queso Monterey Jack rallado
12 huevos
1/3 de taza de harina
1 cucharadita de polvo para hornear
1/2 cucharadita de sal

Precalentar el horno a 175°C (375°F) y engrasar un refractario de 9x13 pulgadas. Hacer un corte longitudinal a lo largo del chile dejando margen para que no se rompa. Cortar por un lado la base de los chiles de donde les sale el rabo y desvenar. Colocar sobre toallas de papel absorbente para que se sequen. En una sartén grande, freír el chorizo a fuego medio moviendo constantemente para que se desbarate y se dore un poco hasta que esté completamente cocido. Escurrir la grasa con ayuda de un colador fino. En un tazón grande, mezclar el chorizo, el queso Cotija y el orégano. Rellenar los chiles poblanos con la mezcla y colocarlos en el refractario engrasado. Espolvorear los chiles con 1/2 taza de queso Monterey Jack.

En un tazón grande, con un batidor de globo, batir los huevos hasta que estén bien mezclados. Añadir la sal, la harina y el polvo para hornear batiendo para que se integren totalmente. Bañar los chiles con la mezcla de huevos y espolvorear con el resto del queso. Hornear 30 minutos o hasta que la superficie empiece a dorar y los huevos estén cocidos.

Porciones: 8

Tip: Si no se consigue el queso Cotija, se puede sustituir con queso parmesano.

Chile and Cheese Quiche

This is where Mexico and France come together to ensure a fabulous breakfast. This is a great dish for entertaining as it can be prepared a day ahead and reheated when ready to serve.

4 large poblano chile peppers, roasted, peeled and seeded (see recipe page 59)
9 inch deep dish piecrust, unbaked
5 large eggs
1/2 cup whole milk
1/2 cup Mexican crema
2 tablespoons white onion, minced
2 large garlic cloves, pressed
1 teaspoon kosher salt
1/2 teaspoon ground black pepper
2 cups Monterey Jack cheese, grated

Cut peppers into thin strips. Set aside.

Preheat oven to 375 degrees. Prick holes in bottom of piecrust with a fork. Line with foil and fill with pie weights or dry beans. Cook for 10 minutes. Remove foil and pie weights. Whisk together eggs, milk, crema, onions, garlic, salt and pepper until combined. Pour into piecrust.

Sprinkle cheese evenly on top and place pepper strips over egg mixture. Bake until golden and set, about 45 to 60 minutes. Let sit for 15 minutes before slicing and serving.

Serves: 6

Tip: Quiche can be cooked 1 day ahead and stored covered in refrigerator. To reheat, uncover and warm for 25 to 30 minutes in a 325 degree oven until heated through.

Quiche de Chile y Queso

Es aquí donde México y Francia se unen para ofrecer un desayuno fabuloso. Este quiche es un platillo estupendo para servir a sus invitados ya que se puede preparar desde el día anterior y recalentar al momento de servirse.

4 chiles poblanos grandes asados, pelados y desvenados (página 59)
1 corteza para pay de 9 pulgadas sin hornear
5 huevos
1/2 taza de leche
1/2 taza de crema mexicana
2 cucharadas de cebolla blanca picada
2 dientes de ajo grandes prensados
1 cucharadita de sal kosher
1/2 cucharadita de pimienta negra molida
2 tazas de queso Monterey Jack rallado

Cortar los chiles en rajas y dejar a un lado.

Calentar el horno a 190°C (375°F). Picar la corteza del pay con un tenedor, cubrir con aluminio y llenar con pesas para hornear o frijoles crudos secos. Hornear 10 minutos. Retirar el aluminio y las pesas o frijoles y hornear 5 minutos más. Batir los huevos, la leche, la crema, la cebolla, el ajo, la sal y la pimienta hasta obtener una mezcla homogénea. Vaciar en la corteza para pay.

Distribuir el queso y las rajas de chile poblano sobre la mezcla de huevo. Hornear de 25 a 30 minutos o hasta que la superficie empiece a dorar y haya cuajado el quiche. Dejar reposar 15 minutos antes de rebanar y servir.

Porciones: 6

Tip: Puede ser preparado desde el día anterior y refrigerarse tapado. Para recalentar, hornear destapado a 150°C (325°F) de 25 a 30 minutos o hasta que se haya calentado completamente.

Chile and Cheese Quiche

Sausage and Cheese Breakfast Bread

This recipe is perfect for a special breakfast treat – easy, fast and guaranteed to be a kid pleaser.

1 pound ground pork sausage or chorizo, casing removed
1 can (14 ounces) refrigerated pizza dough
2 cups sharp cheddar or Colby Jack cheese, grated

Preheat oven to 350 degrees. In a large non-stick skillet over medium high heat, cook sausage, stirring until it crumbles and is no longer pink. Remove from pan. Thoroughly drain off grease and press sausage between paper towels.

Grease a jelly roll pan and place dough inside, unrolled into a rectangular shape. Evenly sprinkle sausage on top of dough, stopping 1 inch from the sides. Sprinkle with cheese and, beginning with long horizontal side, roll dough, sausage and cheese up like a jelly roll. Turn seam side down and crimp side edges together to secure filling.

Bake until browned, about 25 minutes. Let stand for about 10 minutes before slicing into rounds.

Serves: 6

Rollo de Salchicha y Queso para Desayuno

Esta receta es perfecta para una reunión de desayuno: fácil, rápida y a los niños les encantará.

1 libra de salchicha de puerco picante o chorizo
1 lata (14 onzas) de masa refrigerada para pizza
2 tazas de queso cheddar fuerte o Colby Jack rallado

Precalentar el horno a 175°C (350°F). En una sartén de teflón grande, cocinar a fuego medio alto la salchicha o chorizo moviendo constantemente hasta que se desmorone y haya perdido el color rosado. Escurrir perfectamente y presionar entre toallas de papel absorbente para remover el exceso de grasa.

Engrasar una charola para hornear y desenrollar la masa en un rectángulo en la charola. Teniendo el extremo largo del rectángulo horizontalmente, extender la salchicha sobre la masa dejando una pulgada libre en las orillas laterales y superior y esparcir encima el queso. Comenzando con el extremo largo con relleno hasta la orilla, enrollar la masa al estilo Niño Envuelto. Sellar el rollo a lo largo, colocarlo en la charola sobre la costura y pellizcar las orillas de los lados para que el relleno no se salga.

Hornear durante 25 minutos o hasta que dore. Dejar reposar 10 minutos antes de rebanar.

Porciones: 6

Black Bean and Chorizo Tortas

Tortas are a traditional Mexican sandwich made with a bolillo roll and can be filled with any kind of meat, beans, eggs, cheese or fish.

12 ounces Mexican chorizo sausage, casings removed
2 cans (15 ounces each) refried black beans
Salt and pepper to taste
8 bolillo rolls
8 ounces goat cheese, softened
2 avocados, pitted, peeled and thinly sliced
1 cup sliced pickled chiles jalapeños (optional)
2 cups iceberg or romaine lettuce, shredded

In a large skillet over medium heat, cook chorizo, stirring frequently and breaking up any lumps, until slightly browned and cooked through. Drain through a fine strainer to remove excess grease and return chorizo to pan. Add beans and cook until heated through, stirring to combine.

Cut bolillos lengthwise and, using your hands, remove some of the soft bread from center of rolls. Toast rolls until slightly crispy and golden brown. Spread goat cheese on one side of roll and chorizo-bean mixture on other side. Cover with avocado slices, chiles jalapeños (if desired) and lettuce. Press halves together and slice torta into 2 pieces. Best served warm.

Serves: 8

Tortas de Chorizo y Frijol Negro

Las tradicionales tortas mexicanas son el equivalente al sándwich americano. Hechas generalmente con bolillo, se pueden rellenar con cualquier tipo de carne, frijoles, huevo, queso, pescado y diferentes verduras.

12 onzas de chorizo mexicano sin la tripa
2 latas (15 onzas) de frijoles refritos negros
Sal y pimienta al gusto
8 bolillos
8 onzas de queso de cabra suavizado
2 aguacates en rebanadas delgadas
1 taza de chiles jalapeños en escabeche rebanados (opcional)
2 tazas de lechuga romana o iceberg finamente rebanada

En una sartén grande cocinar el chorizo a fuego medio, moviendo constantemente para que se desbarate hasta que dore un poco y esté completamente cocido. Escurrir la grasa utilizando un colador fino y regresar el chorizo a la sartén. Agregar los frijoles y mezclarlos con el chorizo hasta que se hayan integrado por completo y estén bien calientes.

Cortar los bolillos a lo largo y, utilizando los dedos, sacar parte del migajón. Tostar los bolillos en un tostador o en el horno hasta que estén crujientes y ligeramente dorados. Cubrir una mitad de cada bolillo con el queso de cabra y la otra mitad con los frijoles. Agregar rebanadas de aguacate, chiles jalapeños (opcional) y lechuga. Unir las mitades y cortar las tortas en 2 trozos.

Porciones: 8

Apricot Breakfast Pastry with Cranberry Grapefruit Mimosa
(see recipe page 13)

Apricot Breakfast Pastry

An impressive pastry that serves a big group for brunch. Make two and substitute any other fruit preserves to offer a variety.

Dough
1 cup (2 sticks) butter, softened
1 cup sour cream
2 cups all-purpose flour plus 1/4 cup to cover baking pan

Filling
8 ounces cream cheese, softened
1/2 cup sugar
1 egg

Topping
1 jar (16 ounces) apricot preserves

Advanced preparation required. Mix butter, sour cream and flour together until thoroughly combined. Place onto a large sheet of cellophane. Dough will be sticky. With floured hands, roll into a ball and wrap in cellophane. Put the wrapped dough in an airtight bag and seal it. Refrigerate overnight.

Remove dough from refrigerator and let soften slightly, about 30 minutes to an hour. Preheat oven to 350 degrees. Line a large (at least 16 x 13 inch) baking sheet with heavy foil and cover it generously with flour. Roll dough onto baking sheet in a loosely shaped rectangle about 1/4 inch thick. Fold up edges by pinching to make 1/2 inch wall to keep filling in.

Mix cream cheese, sugar and egg then spread over dough up to edges. In a small bowl, stir apricot preserves then spread evenly over filling. Bake until golden brown, about 1 hour, and let cool slightly. Using your hands or two large spatulas, remove to a large platter, cut into pieces and serve.

Serves: 8-10

Tip: Also delicious with blackberry preserves as a topping.

Tarta de Chabacano para Desayuno

Un pastelillo impactante. Nuestra receta es suficiente ideal para servir a un grupo grande en un *brunch*. Haga dos con diferente sabor de mermelada y podrá ofrecer variedad.

Masa
1 taza (2 barras) de mantequilla suavizada
1 taza de crema agria
2 tazas de harina más 1/4 de taza para cubrir la charola

Relleno
8 onzas de queso crema suavizado
1/2 taza de azúcar
1 huevo

Capa de Arriba
1 frasco (16 onzas) de mermelada de chabacano

Requiere de preparación con anticipación. Mezclar perfectamente la mantequilla, la crema agria y la harina. La masa estará muy pegajosa. Transferir a una hoja grande de celofán y con las manos enharinadas, formar una bola y envolver en el celofán. Meter la bola en una bolsa de plástico, sellarla y refrigerar de un día para otro.

Retirar la masa del refrigerador y dejarla reposar para que se suavice un poco de 30 minutos a 1 hora. Precalentar el horno a 175°C (350°F). Forrar una charola grande para hornear (cuando menos de 16 x 13 pulgadas) con aluminio grueso y cubrirla generosamente con harina. Palotear la masa hasta formar un rectángulo de aproximadamente 1/4 de pulgada de espesor. Doblar las orillas pellizcando con los dedos a modo de formar un borde para que el relleno no se derrame.

Hacer una pasta con el queso crema, el azúcar y el huevo y untar sobre toda la masa hasta las orillas. Con una cuchara, repartir uniformemente la mermelada sobre la capa de queso. Hornear durante una hora o hasta que dore. Enfriar ligeramente y transferir a un platón utilizando las manos o dos espátulas grandes. Cortar en porciones individuales y servir.

Porciones: 8-10

Tip: También es deliciosa con mermelada de zarzamora.

Morning Yogurt with Strawberry Compote

Not every morning should be spicy! This fresh yogurt and strawberry dish is guaranteed to bring your family back for seconds!

5-6 cup molded gelatin pan
2 envelopes gelatin
1/2 cup cold water
1/4 cup Mexican crema
7 tablespoons sugar
2 1/4 cups plain yogurt
8 ounces cream cheese, softened

Grease mold and place in freezer for approximately 10 minutes. Mix gelatin in cold water and heat in microwave for 20 seconds to dissolve completely. Set aside. In a small saucepan over low heat, cook crema mixture, stirring frequently until sugar is dissolved. Do not boil.

In a blender, combine gelatin, crema mixture, yogurt and cream cheese and puree until smooth. Pour into mold and refrigerate until set. Serve with strawberry compote.

Serves: 8

Strawberry Compote

6 cups fresh strawberries, washed, patted dry and sliced
1 cup sugar
1/2 cup Grand Marnier or 2 tablespoons lemon juice

In a large saucepan over medium heat, combine 4 cups strawberries, sugar and liquor. Bring to a boil, lower heat and simmer until fruit is soft, about 8 to 10 minutes. Remove from heat and cool.

In a blender or food processor fitted with a metal blade, puree strawberry mixture until smooth. Pour into a bowl and add remaining sliced strawberries. Gently mix well.

Yields: 2 cups

Gelatina de Yogurt

Todas sus mañanas deben ser emocionantes. La frescura de esta gelatina de yogurt y fresas hará que su familia esté de vuelta en segundos.

1 molde para gelatina de 5 ó 6 tazas
2 sobres de grenetina
1/2 taza de agua fría
1/4 de taza de crema mexicana
7 cucharadas de azúcar
2 1/4 de tazas de yogurt natural
8 onzas de queso crema suavizado

Engrasar el molde de gelatina y ponerlo en el congelador 10 minutos. Mezclar la grenetina en el agua fría y calentar 20 segundos en el horno de microondas para que se disuelva completamente. En una cacerola pequeña, disolver el azúcar con la crema a fuego lento, cuidando que no hierva.

Licuar la crema, el yogurt, el queso crema y la grenetina. Vaciar en el molde y refrigerar hasta que haya cuajado. Servir acompañada de la compota de fresa.

Porciones: 8

Compota de Fresa

6 tazas de fresas frescas lavadas, secadas con papel y rebanadas
1 taza de azúcar
1/2 taza de licor Grand Marnier ó 2 cucharadas de jugo de limón

En una olla grande a fuego medio, mezclar 4 tazas de fresas, el azúcar y el licor. Cuando suelte el hervor, reducir el fuego y cocinar hasta que las fresas estén suaves, de 8 a 10 minutos. Retirar de la estufa y enfriar.

En la licuadora o procesador de alimentos con cuchilla de metal, moler las fresas hasta obtener una mezcla uniforme. Vaciar en un tazón y añadir las fresas rebanadas restantes. Mezclar suavemente.

Rinde: 2 tazas

Banana Bread

When your bananas are too ripe to slice, then it's time to make banana bread. This recipe makes two loaves – one for your family and one for a gift.

3 cups sugar
1 cup (2 sticks) butter
2 teaspoons vanilla extract
4 eggs
3 1/2 cups all-purpose flour
2 teaspoons baking soda
1/2 teaspoon salt
1/2 cup buttermilk
6 very ripe bananas
1 cup pecans, chopped

Preheat oven to 325 degrees. Grease and flour two loaf pans. Using a mixer at low speed, combine ingredients in order listed above. Pour batter into loaf pans and bake for 1 hour.

Yields: 2 loaves

Tip: Wrap tightly in foil and freeze the extra loaf.

Pan de Plátano

Cuando los plátanos estén demasiado maduros para rebanarlos, es el momento de hacer este pan de plátano. Nuestra receta le alcanza para dos panqués: uno para su familia y otro para obsequiar o guardar.

3 tazas de azúcar
1 taza (2 barras) de mantequilla sin sal
2 cucharaditas de extracto de vainilla
4 huevos
3 1/2 tazas de harina de trigo
2 cucharaditas de bicarbonato de sodio
1/2 cucharadita de sal
1/2 taza de *buttermilk**
6 plátanos muy maduros
1 taza de nuez picada

Precalentar el horno a 160°C (325°F). Engrasar y enharinar dos moldes para pan. Utilizando una batidora en velocidad baja, combinar los ingredientes en el orden en que se mencionan. Vaciar la mezcla en los moldes y hornear durante 1 hora.

Rinde: 2 hogazas

Tip: Si le sobró un pan entero o una porción que deseé guardar para otro día, envuélvalo muy bien en papel aluminio y congélelo.
*Si no encuentra *buttermilk* haga una mezcla con una taza de leche y dos cucharadas de vinagre blanco.

Cinnamon Pecan Coffee Cake

Cinnamon Pecan Coffee Cake

If you get this in the oven before your family awakes, the sweet aroma of cinnamon and pecans will drag even the sleepiest teenager out of bed.

Batter
1/2 cup (1 stick) butter, softened
1 cup sugar
2 large eggs
1 teaspoon vanilla extract
2 cups all-purpose flour
1 teaspoon baking soda
1 1/2 teaspoons baking powder
1 cup sour cream

Filling
1/2 cup pecan pieces
1/2 cup sugar
1 teaspoon cinnamon

Preheat oven to 375 degrees. Grease a tube pan. In a large mixing bowl, cream butter and sugar. Add eggs one at a time, mixing after each one. Gradually add flour, baking soda, baking powder and sour cream until batter is smooth.

Stir filling ingredients together in a bowl. Pour half of batter in pan, then half of filling. Repeat. Bake for 30 to 35 minutes. Let cool slightly before removing from pan. Using a second plate, turn cake over so pecan topping is on top.

Serves: 8-10

Tip: Also makes a great dessert with a scoop of vanilla ice cream or whipped cream.

Pastel de Nuez y Canela

Si el pastel entra al horno antes de que la familia se despierte, el incitante aroma del pan horneado con nuez y canela, logrará levantar de la cama al más dormilón de los adolescentes.

Masa
1/2 taza de mantequilla sin sal suavizada
1 taza de azúcar
2 huevos grandes
1 cucharadita de extracto de vainilla
2 tazas de harina de trigo
1 cucharadita de bicarbonato de sodio
1 1/2 cucharaditas de polvo para hornear
1 taza de crema agria

Relleno
1/2 taza de nuez picada
1/2 taza de azúcar
1 cucharadita de canela en polvo

Calentar el horno a 190°C (375°F). Engrasar y enharinar un molde de rosca. En un tazón grande para batir suavizar la mantequilla y el azúcar. Sin dejar de batir, agregar los huevos uno a uno, esperando que se integre el primero antes de añadir el segundo. Gradualmente, agregar la harina, el bicarbonato, el polvo para hornear y la crema agria hasta obtener una masa homogénea.

En un tazón mezclar los ingredientes del relleno. Vaciar primero la mitad de la masa en el molde y después la mitad del relleno. Repetir con el resto de cada mezcla y hornear de 30 a 35 minutos. Enfriar ligeramente antes de desmoldar. Usando un segundo plato, voltear la rosca para que la capa de nueces quede arriba.

Porciones: 8-10

Tip: También es un postre excelente acompañado de una bola de helado de vainilla o de crema batida.

Arepas

Similar to Mexican *gorditas*, arepas are the South American equivalent of thick tortillas, especially for Colombians and Venezuelans. The size and shape of an English muffin, arepas are fried, grilled or baked and filled with almost anything, depending on the region.

2 cups masarepa (precooked corn flour found in the Latin section of most grocery stores)
2 cups milk or water, warmed
Salt to taste
2 tablespoons butter, softened
Grated cheese (optional)

Place masarepa in a large bowl, and then slowly add milk, stirring in a little at a time. Add salt and butter, and mix well. Let dough sit for 5 minutes. Add cheese if desired. Using floured hands, knead dough slightly. Divide dough and roll into 10 balls. Flatten balls into 4 inch rounds about 1/2 inch thick. In a hot skillet or grill pan over medium low heat, cook arepas, turning over a few times until lightly browned on both sides, about 10 to 12 minutes.

Yields: 10 arepas

Tip: The color of the arepas will vary depending on the color of the flour used.

Arepas

Arepas

Las arepas son consideradas como el equivalente de las "gorditas" mexicanas o tortillas "gordas" para los colombianos y venezolanos. Parecidas en tamaño y forma al panecillo inglés, las arepas se pueden freír, asar o cocer y rellenar con casi cualquier cosa, dependiendo de la región.

2 tazas de masarepa (harina de maíz precocido que se encuentra en la sección de productos latinos en la mayoría de supermercados)
2 tazas de leche o agua tibia
Sal al gusto
2 cucharadas de mantequilla suavizada
Queso rallado (opcional)

En un tazón grande mezclar la masarepa con la leche o agua agregando el líquido poco a poco hasta obtener una pasta uniforme. Añadir la sal y la mantequilla e integrar todo completamente. Dejar reposar la masa 5 minutos. Si se va usar queso, agregarlo amasando suavemente con las manos enharinadas para integrarlo. Dividir la masa en 10 bolitas y prensarlas para formar discos de 4 pulgadas de diámetro y 1/2 pulgada de espesor. Cocinar en una sartén gruesa o plancha a fuego medio alto volteándolas varias veces hasta que doren por ambos lados, aproximadamente de 10 a 12 minutos.

Rinde: 10 arepas

Tip: El color de las arepas podrá variar dependiendo del tipo de harina utilizada.

Buenos Días

8 chapter eight
desserts

Vanilla Bean Tres Leches Cake

Vanilla Bean Tres Leches Cake

A tres leches cake, or pastel tres leches (Spanish, "three milk cake"), or pan tres leches (Spanish, "three milk bread"), is a sponge cake—in some recipes a butter cake—soaked in three kinds of milk: evaporated milk, condensed milk and heavy whipping cream. When butter is not used, the tres leches is a very light cake, with many air bubbles. This distinct texture is why it does not have a soggy consistency, despite being soaked in a mixture of three types of milk.

Cake
6 extra large eggs
2 cups sugar
2 cups all-purpose flour
3 teaspoons baking powder
1 pinch salt
1/2 cup whole milk
1 teaspoon vanilla extract

Soaking Mixture
2 cups heavy whipping cream
1 vanilla bean
2 cans condensed milk (14 ounces each)
2 cans evaporated milk (12 ounces each)
3 egg yolks

Topping
3 egg whites, at room temperature
1/4 cup light corn syrup
1/4 cup sugar

Cake
Preheat oven to 350 degrees. Butter a deep 9x13 inch cake pan and set aside. In a large mixing bowl, beat eggs with sugar until smooth. In a separate bowl, sift together flour, baking powder and salt. Slowly mix flour mixture into eggs on low speed until completely incorporated. Add milk and vanilla, and mix until smooth. Pour batter into buttered pan, and bake until toothpick inserted in center comes out clean, about 30 to 45 minutes.

Soaking Mixture
While cake is baking, bring heavy cream to a simmer in a small saucepan. Slice vanilla bean and scrape seeds out with flat edge of a knife. Add both seeds and pod to cream. Turn off heat and whisk until seeds are dispersed. Cool for 10 minutes. In a large bowl, combine condensed milk, evaporated milk and egg yolks. Discard vanilla bean, and slowly whisk cream into condensed milk mixture. Set aside.

Once cake is finished baking, remove from oven and poke holes throughout top with a skewer. While cake is still warm, slowly ladle milk mixture over top, allowing cake to absorb each spoonful. Continue until cake looks as if it is flooded. Pan will be very full. Allow to cool, and transfer to refrigerator to chill for 2 to 4 hours, or preferably overnight.

Topping
To finish cake, make meringue topping. Using an electric mixer, beat egg whites with corn syrup and sugar. Spread across top, or finish cake with homemade whipped cream.

Serves: 10-12

Tip: Our tres leches gets better as it rests in your refrigerator; however, it will not be there for long as your late night snackers will probably finish whatever might be left.

Pastel de Tres Leches

El Pastel Tres Leches o Pan Tres Leches, es un panqué muy esponjoso, remojado en tres tipos de leche: evaporada, condensada y crema dulce para batir. Al no llevar mantequilla, la masa del "tres leches" es muy ligera y esponjosa. Esta textura distintiva, es la que impide que el pan se haga aguado a pesar de que se ha remojado en tres leches diferentes.

Pastel
6 huevos extra grandes
2 tazas de azúcar
2 tazas de harina
3 cucharaditas de polvo para hornear
1 pizca de sal
1/2 taza de leche entera
1 cucharadita de extracto de vainilla

Mezcla para remojar
2 tazas de crema para batir
1 vaina de vainilla
2 latas (14 onzas) de leche condensada
2 latas (12 onzas) de leche evaporada
3 yemas de huevo

Betún opcional
3 claras de huevo a temperatura ambiente
1/4 de taza de miel de maíz
1/4 de taza de azúcar

Pastel
Precalentar el horno a 175°C (350°F) y engrasar con mantequilla un molde para pan de 9x13 pulgadas. Batir los huevos con el azúcar hasta que ésta se disuelva, se vea clara y esponjada. En otro tazón, cernir los ingredientes secos: la harina, el polvo para hornear y la sal. A velocidad baja, agregar los ingredientes secos a la mezcla de los huevos hasta que se incorporen completamente. Añadir la leche y el extracto de vainilla. Batir hasta obtener una masa suave y homogénea. Vaciar la masa en el molde engrasado y hornear de 30 a 45 minutos o hasta que un palillo de dientes insertado en el centro salga limpio y seco.

Mezcla para remojar
Mientras que el pastel está en el horno, calentar la crema en una cacerola pequeña a fuego lento hasta que suelte el hervor; retirar del fuego, hacer un corte en la vaina de la vainilla y separar las semillas con la parte plana del cuchillo. Mezclar ambas con la crema moviendo bien para que las semillas se dispersen. Dejar que enfríe por 10 minutos. En un tazón grande, combinar las leches evaporada y condensada con las yemas. Desechar la vaina y, muy despacio, integrar ambas mezclas batiendo suavemente con batidor de globo y reservar.

Cuando el pastel haya salido del horno, hacer agujeros con una brocheta en toda la parte superior y antes de que se enfríe, rociar gradualmente la mezcla de leches con un cucharón, esperando que se vaya absorbiendo antes de cada adición. Continuar hasta que el panqué se vea inundado y aunque se llene el molde, sí habrá lugar para todo el líquido. Dejar que enfríe y refrigerar de 2 a 4 horas o, preferiblemente, de un día para otro.

Betún opcional
Para cubrir el pastel, hacer el betún de merengue. Batir las claras en velocidad alta a punto de turrón y gradualmente agregar la miel y el azúcar. Cubrir el pastel con el merengue.

Porciones: 10-12

Tip: Este pastel Tres Leches es mejor mientras más tiempo pase en el refrigerador, sin embargo, no pasará mucho tiempo ahí porque posiblemente alguien se lo comerá durante la noche.

Mexican Chocolate Cake

Chocolate cake is a staple in any recipe file. Our Mexican Chocolate Cake has the secret addition of coffee and cinnamon. It will satisfy the taste buds of even the most difficult of chocolate snobs in your life.

Cake
1/2 cup (1 stick) butter
1/2 cup vegetable oil
2 squares (1 ounce each) unsweetened chocolate
1 cup brewed coffee
2 cups all-purpose flour
1 teaspoon baking soda
2 cups sugar
1/2 cup buttermilk, shake before pouring
2 eggs, beaten
1 teaspoon ground cinnamon
1 teaspoon vanilla extract

Icing
1/2 cup (1 stick) butter
2 squares (1 ounce each) unsweetened chocolate
6 tablespoons whole milk
3 3/4 cups (1 pound box) powdered sugar
1 teaspoon vanilla extract
1/2 cup chopped pecans (optional)

Cake
Preheat oven to 350 degrees. Grease a 9x13 inch cake pan. In a small saucepan, heat butter, oil, chocolate and coffee, stirring frequently, until chocolate is melted. Remove from heat and set aside.

In a large mixing bowl, combine flour, baking soda, sugar, buttermilk, eggs, cinnamon and vanilla. Blend until smooth. Add chocolate mixture and mix well. Pour batter into cake pan. Bake for 35 minutes.

Icing
Just before cake is done, prepare icing. In a small saucepan over medium low heat, stir butter, chocolate and milk until chocolate is melted (take care not to scorch). Remove from heat.

In a mixing bowl, combine powdered sugar, vanilla and pecans. Add chocolate mixture and beat. Ice cake in pan while cake is still warm.

Serves: 8-10

Pastel de Chocolate Mexicano

El pastel de chocolate no puede faltar en ningún recetario de cocina. A nuestro Pastel de Chocolate Mexicano se le agregan café y canela como ingredientes secretos. Este pastel satisfará el paladar de los esnobs chocolateros más exigentes.

Pastel
1/2 taza (1 barra) de mantequilla
1/2 taza de aceite vegetal
2 cuadritos (1 onza c/u) de chocolate amargo
1 taza de café preparado
2 tazas de harina de trigo
1 cucharadita de bicarbonato de sodio
2 tazas de azúcar
1/2 taza de *buttermilk (agitar antes de utilizar)**
2 huevos batidos
1 cucharadita de canela en polvo
1 cucharadita de extracto de vainilla

Jarabe para bañar el pastel
1/2 taza (1 barra) de mantequilla
2 cuadritos (1 onza c/u) de chocolate amargo
6 cucharadas de leche entera
3 3/4 de taza (1 libra) de azúcar glass
1 cucharadita de extracto de vainilla
1/2 taza de nueces encarceladas (opcional)

Pastel
Precalentar el horno a 175°C (350°F). Engrasar con mantequilla derretida un molde para pastel de 9x13 pulgadas. En una cacerola pequeña, calentar a fuego lento la mantequilla, el aceite, el chocolate y el café, moviendo constantemente, hasta que se derrita el chocolate. En un tazón grande, mezclar la harina, el bicarbonato, el azúcar, el *buttermilk*, los huevos, la canela y la vainilla. Añadir la mezcla de chocolate e integrar bien. Vaciar en el molde previamente engrasado y hornear durante 35 minutos o hasta que el pastel esté listo.

Jarabe para bañar el pastel
Poco antes de que el pastel salga del horno, preparar el betún. En una cacerola, a fuego medio-bajo, calentar la mantequilla, el chocolate y la leche, moviendo constantemente, hasta que se derrita el chocolate (cuidando que no se pegue).
Retirar del fuego.

En un tazón, mezclar el azúcar glass, la vainilla y las nueces. Añadir la mezcla de chocolate y batir. Cubrir el pastel con el betún mientras está en el molde y todavía caliente y después desmoldar.

Porciones: 8-10

*Si no encuentra *buttermilk* haga una mezcla con una taza de leche y dos cucharadas de vinagre blanco.

Mexican Chocolate Cake

Rum Cake with Butter Rum Glaze

Rum Cake with Butter Rum Glaze

Occasionally, rum is for more than drinking. This cake is even better the second day as it soaks up all the syrup. A dessert that will make your guests beg for the recipe or a breakfast that will make you happy you woke up!

Cake
3 cups all-purpose flour
1/2 teaspoon baking powder
1/2 teaspoon baking soda
1 pinch salt
1 cup (2 sticks) butter
2 cups sugar
4 eggs
1 cup buttermilk
1 teaspoon vanilla extract
1 teaspoon rum extract

Glaze
1 cup (2 sticks) butter
1 cup sugar
1/2 cup dark rum
1/4 cup Amaretto

Cake
Preheat oven to 350 degrees. Grease and flour a 9 or 10 inch bundt pan. In a medium bowl, sift together flour, baking powder, baking soda and salt. Set aside. Using an electric mixer, cream butter and sugar until light and fluffy. Add eggs one at a time, mixing well after each one. Alternately, add flour mixture and buttermilk until blended. Stir in vanilla and rum extract. Pour batter into prepared pan and bake for 50 minutes.

Glaze
In a small saucepan, melt butter and sugar over low heat. Remove from stove and stir in dark rum and Amaretto. Remove cake from oven and pour glaze over it while still warm. Let soak in pan for 2 hours before inverting onto a serving plate.

Serves: 8-10

Tip: The glaze may seem as though it will never fit in the pan, but it is the secret to the cake. Take your time and pour slowly in intervals. As the glaze soaks into the cake, add more until all glaze has been used.

Pastel de Ron Glaseado con Mantequilla de Ron

Ocasionalmente, el ron sirve para algo más que para beberse. Este pastel es aun mejor si se consume al día siguiente de su elaboración, pues habrá absorbido toda la miel. Sin lugar a dudas, es un postre que hará que sus invitados le pidan la receta.

Pastel
3 tazas de harina de trigo
1/2 cucharadita de polvo para hornear
1/2 cucharadita de bicarbonato de sodio
1 pizca de sal
1 taza (2 barras) de mantequilla sin sal
2 tazas de azúcar
4 huevos
1 taza de *buttermilk**
1 cucharadita de extracto de vainilla
1 cucharadita de extracto de ron

Glaseado
1 taza (2 barras) de mantequilla sin sal
1 taza de azúcar
1/2 taza de ron oscuro
1/4 de taza de Amaretto (licor de almendra)

Pastel
Precalentar el horno a 175°C (350°F). Engrasar y enharinar un molde de rosca de 9 ó 10 pulgadas.

Cernir juntos la harina, el polvo para hornear, el bicarbonato y la sal. En otro tazón, con batidora eléctrica, suavizar la mantequilla con el azúcar hasta esponjar. Agregar los huevos uno a uno batiendo muy bien después de cada uno. Alternando la harina y el *buttermilk*, incorporarlos a la pasta hasta que estén bien mezclados. Añadir la vainilla y el extracto de ron. Vaciar la mezcla en el molde engrasado y hornear durante 50 minutos.

Glaseado
En una cacerola pequeña, derretir la mantequilla con el azúcar a fuego lento, moviendo hasta que ésta se haya disuelto. Retirar del fuego y agregar el ron y el Amaretto. Bañar el panqué con el jarabe de ron en cuanto éste salga del horno. Dejar reposar 2 horas en el molde antes de voltearlo sobre un platón.

Porciones: 8-10

Tip: Puede parecer que el jarabe no va a caber en el molde de rosca, pero éste es precisamente el secreto del pastel. Tómese su tiempo al verter el jarabe y hágalo en intervalos. A medida que el jarabe se va absorbiendo, añada más hasta consumirse todo.

*Si no encuentra *buttermilk* haga una mezcla con una taza de leche y dos cucharadas de vinagre blanco.

Raspberry Cakes

A lovely dessert for a bridal luncheon or baby shower brunch. The floating raspberries throughout the rich batter are the perfect complement to a springtime celebration.

4 cups raspberries
3/4 cup orange juice
5 teaspoons sugar
1 cup (2 sticks) butter, at room temperature
1 cup sugar
1 egg
1/2 teaspoon vanilla extract
1 cup all-purpose flour
1/2 teaspoon baking powder
1/8 teaspoon salt
8 individual baking cups or molds, buttered

Marinate raspberries in orange juice and sugar and set aside.

Preheat oven to 375 degrees. Butter, 8 one cup ramakins or baking cups. In a mixing bowl, cream butter and sugar. Stir egg and vanilla together, and add to butter mixture. Combine flour, baking powder and salt, and gradually add to butter mixture until combined.

Drain raspberries and distribute among baking cups. Pour cake batter on top without filling molds completely. Bake for 15 to 20 minutes, or until a toothpick comes out clean.

Serves: 8

Pastelillos de Frambuesas

Un postre ideal para servir en una despedida de soltera o un baby shower. El fresco sabor de las frambuesas en combinación con la rica masa de este pastelillo cerrarán con broche de oro cualquier ocasión.

4 tazas de frambuesas
3/4 de taza de jugo de naranja
5 cucharaditas de azúcar
1 taza (2 barras) de mantequilla a temperatura ambiente
1 taza de azúcar
1 huevo
1/2 cucharadita de extracto de vainilla
1 taza de harina de trigo
1/2 cucharadita de polvo para hornear
1/8 cucharadita de sal
8 moldes refractarios individuales engrasados con mantequilla

Marinar las frambuesas en el jugo de naranja y el azúcar mientras se preparan los pastelillos.

Precalentar el horno a 175°C (375°F). Utilizando una batidora eléctrica, batir la mantequilla con el azúcar hasta suavizar. Mezclar el huevo y la vainilla e incorporar a la mantequilla en velocidad baja. Combinar el polvo para hornear y la sal con la harina y agregar poco a poco a la mezcla sin dejar de batir.

Escurrir las frambuesas y repartir entre los moldes. Verter encima un poco de la mezcla, sin llenar el molde y hornear de 15 a 20 minutos.

Porciones: 8

Pecan Polvorones

A wonderful cookie to make with the kids, allowing them to practice their kneading, rolling and cookie-cutting skills. Eat these as soon as they cool down or dip them in your milk or coffee. Warning: These may be addicting.

2 1/4 cups (4 1/2 sticks) butter, at room temperature
4 tablespoons powdered sugar
2 teaspoons vanilla extract
4 1/3 cups all-purpose flour
2 teaspoons baking powder
1/2 pouch Atole de Maizena, pecan flavor
1 cup finely chopped pecans
Powdered sugar to decorate

Preheat oven to 375 degrees. Using an electric mixer, cream butter and sugar; add vanilla. Sift flour with baking powder and mix with butter, using your fingertips. Add Maizena and chopped pecans, kneading slightly. On a floured surface, roll dough to a 1/2 inch thickness and cut to desired shape using a cookie cutter. Place on a cookie sheet and bake until light golden brown, 20 to 25 minutes. Let cool and sprinkle with powdered sugar.

Yields: 4-5 dozen cookies

Tip: Atole de Maizena can be hard to find in your local grocery store, but ask the store manager to order it. No American substitution exists for this unique Mexican ingredient.

Polvorones de Nuez

Deliciosos polvorones para hacerlos con ayuda de los niños y dejarlos que practiquen su habilidad para amasar y cortar galletas. Una vez que estén listos podrá disfrutarlos con un vaso de leche o su café. Aviso: pueden resultar adictivos.

2 1/4 de tazas (4 1/4 barras) de mantequilla a temperatura ambiente
4 cucharadas de azúcar glass
2 cucharaditas de extracto de vainilla
4 1/3 de tazas de harina de trigo
2 cucharaditas de polvo para hornear
1/2 a de atole de Maizena sabor nuez
1 taza de nuez finamente picada
Azúcar glass para decorar

Precalentar el horno a 190°C (375°F). Suavizar la mantequilla con el azúcar y añadir la vainilla. Cernir la harina con el polvo para hornear e integrarla a la mezcla de mantequilla utilizando la punta de los dedos. Integrar el atole y por último la nuez picada. Amasar ligeramente y extender con un rodillo sobre una superficie ligeramente enharinada, hasta lograr un espesor de 1/2 pulgada. Cortar los polvorones de la forma deseada y colocarlos en una charola para hornear engrasada. Hornear de 20 a 25 minutos o hasta que empiecen a dorar. Una vez que hayan enfriado, espolvorear con azúcar glass.

Porciones: 4-5 docenas

Tip: Los sobres de atole de Maizena pueden ser difíciles de obtener en su supermercado local, por lo que se recomienda comprarlos en un supermercado latino.

Coconut Cupcakes

Coconut Cupcakes

Big, small or any size these will satisfy the child in you! Rich and creamy frosting on top of a light and fluffy cake. Satisfaction is guaranteed.

Cupcakes

2 cups (4 sticks) butter, softened
2 cups sugar
4 large eggs
1 1/2 teaspoons vanilla extract
1 1/2 teaspoons almond extract
3 cups all-purpose flour
1/2 teaspoon baking powder
1/2 teaspoon baking soda
1/2 teaspoon salt
1 cup coconut milk
1 cup flaked coconut

Icing

8 ounces cream cheese, softened
3/4 cup butter, softened
1/2 teaspoon vanilla extract
1/2 teaspoon almond extract
3 cups powdered sugar
1/2 cup flaked coconut, plus a little more for sprinkling

Cupcakes

Preheat oven to 350 degrees. In a large mixing bowl, cream butter and sugar until fluffy. Add eggs, one at a time, beating well after each addition. Add vanilla and almond extract and mix.

In another bowl, combine flour, baking powder, baking soda and salt. Add to butter mixture in 3 batches, alternating with coconut milk. Stir flaked coconut into batter.

Fill paper-lined muffin cups 2/3 full with batter. Bake until toothpick comes out clean, 15 to 20 minutes. Cool completely before icing.

Icing

In a medium bowl, beat cream cheese, butter, vanilla and almond extract until smooth. Gradually beat in powdered sugar and flaked coconut. Frost cupcakes and sprinkle with remaining coconut.

Yields: 30 cupcakes

Tip: Colored sugar sprinkles also make a festive topping for these cupcakes.

Mantecadas de Coco

Grandes, pequeñas o de cualquier tamaño, estas ricas y cremosas mantecadas le recordarán a su niñez. Su satisfacción está garantizada

Masa

2 tazas (4 barras) de mantequilla sin sal suavizada
2 tazas de azúcar
4 huevos grandes
1 1/2 cucharaditas de extracto de vainilla
1 1/2 cucharaditas de extracto de almendras
3 tazas de harina de trigo
1/2 cucharadita de polvo para hornear
1/2 cucharadita de bicarbonato de sodio
1/2 cucharadita de sal
1 taza de leche de coco
1 taza de coco rallado

Betún

8 onzas de queso crema suavizado
3/4 de taza de mantequilla sin sal suavizada
1/2 cucharadita de extracto de vainilla
1/2 cucharadita de extracto de almendra
3 tazas de azúcar glass
1/2 taza de coco rallado más el necesario para espolvorear

Masa

Precalentar el horno a 175°C (350°F). En un tazón grande, suavizar la mantequilla con el azúcar hasta esponjar. Agregar los huevos, uno a uno, batiendo bien después de cada uno. Añadir los extractos de vainilla y almendra y mezclar bien.

En otro tazón, combinar la harina, el polvo para hornear, el bicarbonato y la sal. Mezclar con la mantequilla en 3 tantos, alternando con la leche de coco e integrando el coco rallado al final.

Vaciar la mezcla en moldes de papel colocados en una charola de horno para mantecadas individuales, hasta 2/3 de su capacidad. Hornear de 15 a 20 minutos o hasta que un palillo insertado salga limpio. Enfriar completamente antes de cubrirlos con betún.

Betún

En un tazón mediano, batir el queso crema, la mantequilla y los extractos de vainilla y almendra hasta obtener una pasta suave. Gradualmente, agregar el azúcar glass, cubrir las mantecadas con el betún y espolvorear con el coco restante.

Rinde: 30 mantecadas

Tip: El azúcar de colores como toque final les da a las mantecadas una apariencia festiva.

Vanilla beans

Double Iced Brownies

If you were stranded on a desert island and could only take one dessert, this would be it. Not only are they beautiful, but the icing and chewy bottom will leave you begging for more.

Brownies
1 cup (2 sticks) butter
4 squares (1 ounce each) unsweetened chocolate
4 eggs
2 cups sugar
1 cup all-purpose flour
1 1/2 teaspoon vanilla extract

Icing
1/2 cup (1 stick) butter, at room temperature
3 cups powdered sugar
2-4 tablespoons heavy whipping cream
1 teaspoon vanilla extract

Drizzle
2 tablespoons butter
1 square (1 ounce) unsweetened chocolate

Brownies
Preheat oven to 350 degrees. Grease a non-stick jelly roll pan and set aside. In a small saucepan, melt butter and chocolate together. Pour into a mixing bowl and let cool. Add eggs, sugar, flour and vanilla and mix well. Pour into pan and bake for 20 to 25 minutes. Cool completely before frosting.

Icing
Using an electric mixer, beat butter, sugar, cream and vanilla until smooth. Evenly frost brownies.

Drizzle
In a small saucepan, melt butter and chocolate together then drizzle over frosting. Chill until set. Cut into square 2 inch pieces.

Yields: 36-48 brownies

Tip: Store these in the freezer for a rainy day when a little chocolate pick-me-up is needed. They will keep there, unless eaten, for weeks.

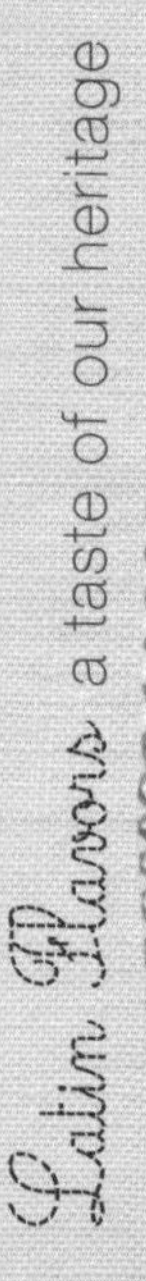

Brownies con Doble Glaseado

Si estuviera atrapado en una isla desierta y tuviera la oportunidad de pedir un postre, sin duda sería este. No solamente su apariencia es atractiva sino el betún y el fondo chicloso, lo dejarán con ganas de servirse más.

Brownies
1 taza (2 barras) de mantequilla sin sal
4 cuadritos (1 onza c/u) de chocolate amargo
4 huevos
2 tazas de azúcar
1 taza de harina de trigo
1 1/2 cucharadita de extracto de vainilla

Betún blanco
1/2 taza (1 barra) de mantequilla sin sal a temperatura ambiente
3 tazas de azúcar glass
2-4 cucharadas de crema espesa dulce para batir
1 cucharadita de extracto de vainilla

Jarabe de chocolate
2 cucharadas de mantequilla sin sal
1 cuadrito (1 onza) de chocolate amargo

Brownies
Precalentar el horno a 175°C (350°F) y engrasar una charola de horno con bordes de 1 pulgada. En una cacerola pequeña, derretir la mantequilla con el chocolate. Vaciar la mezcla en un tazón, dejar enfriar y agregar los demás ingredientes mezclando todo muy bien. Extender la masa en la charola de horno y hornear de 20 a 25 minutos. Enfriar totalmente antes de cubrir con el betún.

Betún
Suavizar la mantequilla con el azúcar, la crema y la vainilla y cubrir los brownies.

Jarabe de chocolate
Derretir la mantequilla con el chocolate, enfriar ligeramente y chorrear en hilo delgado sobre los brownies. Refrigerar hasta que endurezca el chocolate y cortar en cuadros de 2 pulgadas.

Rinde: 36-48 brownies

Tip: Se pueden guardar en el congelador por varias semanas, siempre y cuando nadie se los coma antes.

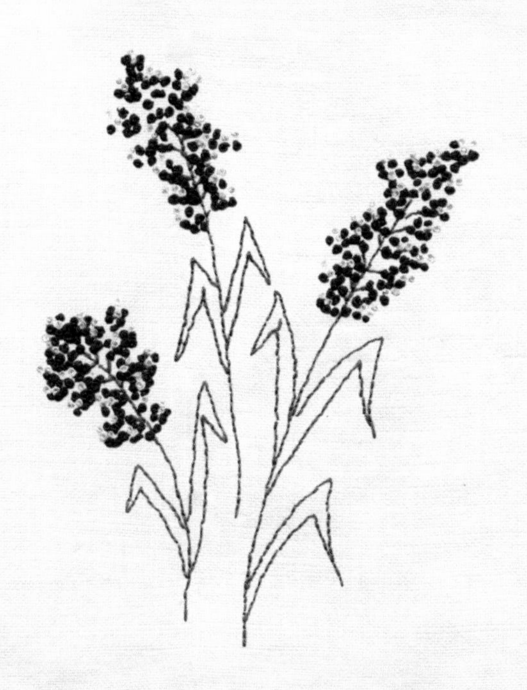

Fruit Empanadas
Chocolate Fudge Drops
Peach-Filled Butter Cookies

Chocolate Fudge Drops

Why choose between chocolate and caramel? This quick and easy recipe will satisfy your need for both!

1 cup sugar
1/2 cup evaporated milk
14 caramels
3/4 cup (6 ounces) milk chocolate chips
1 cup of any kind of nut, coarsely chopped
1/2 teaspoon vanilla extract

In a 3 quart saucepan over medium high heat, bring sugar, milk and caramels to a boil. Boil for 4 minutes, stirring constantly. Remove from heat. Immediately add chocolate chips, chopped nuts and vanilla. Stir until well blended and chocolate is melted. Quickly drop by spoonfuls onto waxed paper and allow to cool.

Yields: 3-4 dozen drops

Gotas de Fudge de Chocolate

¿Por qué escoger entre chocolate y caramelo? Esta receta rápida y fácil satisfará el antojo de ambos.

1 taza de azúcar
1/2 taza de leche evaporada
14 chiclosos de vainilla
3/4 de taza (6 onzas) de chispas de chocolate de leche
1 taza de cualquier tipo de nuez picada en grueso
1/2 cucharadita de extracto de vainilla

En una cacerola grande (de 3 cuartos) calentar a fuego medio alto, el azúcar, la leche y los chiclosos, moviendo constantemente hasta que suelte el hervor. Hervir durante 4 minutos sin dejar de mover. Retirar del fuego e inmediatamente agregar las chispas de chocolate, las nueces picadas y la vainilla mezclando todo muy bien y rápidamente. Ir sirviendo cucharadas separadas sobre papel encerado y dejar enfriar.

Rinde: 3-4 docenas

Peach-Filled Butter Cookies

Alfajores have been a popular cookie in Spain for centuries. Served usually around the holidays, they also make a delicious cookie for any lunchbox.

1 1/2 cups (3 sticks) butter, at room temperature
1 cup powdered sugar, plus extra for sprinkling
1 teaspoon almond extract
2 eggs
4 cups all-purpose flour
1 teaspoon baking powder
Pinch of salt
1 cup peach jam

Preheat oven to 350 degrees. Grease a cookie sheet and set aside. Using an electric mixer, beat butter and sugar until creamy. Continue beating and add almond extract and eggs, one at a time. Lower speed and add flour, baking powder and salt, mixing until smooth.

Roll out dough on a floured surface to 1/4 inch thick. With a round cookie cutter (2 inches diameter), cut as many circles as possible. With a smaller cutter (1/2 inch diameter), cut out centers from half the cookies. Transfer to a cookie sheet and bake until golden, 12 to 15 minutes. Cool completely.

Sprinkle cookies that have a hole with powdered sugar, and spread whole circles with jam. Place sugar sprinkled cookies on top of jam-covered cookies.

Yields: 2 dozen cookies

Tip: Peach jam can be replaced with any of your favorite preserves. Cajeta or dulce de leche.

Alfajores de Mermelada de Durazno

La popularidad de los alfajores data de cientos de años atrás y aunque tradicionalmente se sirven durante los días de fiesta, también son una deliciosa galleta para disfrutar en cualquier ocasión.

1 1/2 tazas (3 barras) de mantequilla sin sal a temperatura ambiente
1 taza azúcar glass, más la necesaria para espolvorear
1 cucharadita de extracto de almendra
2 huevos
4 tazas de harina de trigo cernida
1 cucharadita de polvo para hornear
Una pizca de sal
1 taza de mermelada de durazno o chabacano

Calentar el horno a 175°C (350°F). Batir la mantequilla y el azúcar hasta suavizar y, sin dejar de batir, agregar el extracto de almendra y los huevos uno a uno. Bajar la velocidad e incorporar la harina cernida y la sal hasta obtener una pasta uniforme.

En una superficie espolvoreada con harina, extender la masa con la ayuda de un rodillo hasta lograr un espesor de 1/4 de pulgada. Cortar el mayor número posible de círculos con un cortador de galletas de 2 pulgadas de diámetro. Retirar cuidadosamente los recortes de masa y a la mitad de las piezas redondas restantes, cortarles un centro circular con cortador de 1/2 pulgada de diámetro. Transferir las figuras cortadas a una charola de horno para galletas.

Con los recortes obtenidos, incluyendo los centros, repetir el proceso hasta terminar con toda la masa. Hornear de 12 a 15 minutos o hasta que empiecen a dorar ligeramente. Retirar del horno y dejar enfriar completamente. Espolvorear con azúcar glass las galletas con agujero y cubrir con mermelada las redondas completas. Colocar las primeras sobre las galletas con mermelada.

Rinde: 2 docenas

Tip: El relleno puede variarse usando cualquier sabor de mermelada, dulce de leche o cajeta.

Fruit Empanadas

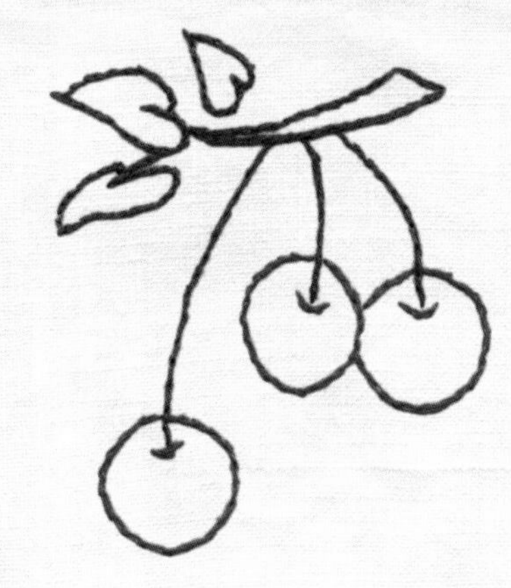

An empanada is a Spanish and Portuguese stuffed bread or pastry. The name comes from the verb *empanar,* meaning "to wrap or coat in bread." Empanadas are made by folding a dough or bread patty around a stuffing, which often includes meat, fruit or vegetables. Our fruit empanadas are made with a pastry that will satisfy even the grumpiest of palates.

8 ounces cream cheese, softened
1 cup (2 sticks) butter, softened
3 cups all-purpose flour
Fruit preserves, flavor of your choice
1 cup sugar

Using an electric mixer, beat cream cheese and butter. Reduce speed and add flour, 1 cup at a time, until mixed well. Divide mixture into 30 to 36 1 inch balls.

Preheat oven to 350 degrees. Line a cookie sheet with parchment paper. Place one ball at a time in between two pieces of waxed paper and press with a tortilla press to about 1/8 inch. Carefully remove and place on cookie sheet. Spoon preserves on half of circle making sure to keep filling at least 1/3 inch away from edges. Fold over top, press all around with your fingers and press again with tip of a fork. Make sure not to overfill. Bake until golden brown, 20 to 25 minutes. Roll in sugar before they cool.

Yields: 30-36 empanadas

Tip: If you don't have a tortilla press, a flat cutting board, trivet or plate with a flat bottom surface will work just fine.

Empanadas de Fruta

Una empanada significa 'masa de pan con algún relleno cocida en el horno.' El nombre viene del verbo empanar o envolver en pan. Las empanadas se hacen doblando por la mitad una pieza redonda de masa, dejando en el centro el relleno que puede ser de carne, verduras o fruta, y sellando las orillas con los dedos o con un tenedor. La pasta de nuestras empanadas satisface hasta el paladar más delicado.

8 onzas de queso crema suavizado
1 taza (2 barras) de mantequilla suavizada
3 tazas de harina de trigo
Conserva o mermelada de frutas, del sabor de su preferencia
1 taza de azúcar granulada

Utilizando la batidora eléctrica, batir el queso crema con la mantequilla hasta suavizar. Reducir la velocidad y agregar la harina, taza por taza hasta incorporar bien. Dividir la masa en 30 a 36 bolas de 1 pulgada.

Precalentar el horno a 175°C (350°F). Forrar una charola de horno con papel encerado para hornear. Colocar una bola entre dos pedazos de papel encerado y prensarla en una tortilladora hasta tener 1/8 de pulgada de espesor. Desprender del papel y colocarla en la charola para horno previamente forrada. Esparcir el relleno en la mitad del círculo cuidando de no invadir las orillas o poner demasiado. Doblar y sellar la orilla con los dedos y después presionar con los dientes de un tenedor. Hornear de 20 a 25 minutos o hasta que las empanadas se doren. Revolcar en azúcar antes de que se enfríen.

Rinde: 30-36 empanadas

Tip: Si no se cuenta con una tortilladora, una tabla de cortar o un simple plato con superficie inferior plana, harán muy bien el trabajo.

Cajeta Crepes
(Goat's Milk Caramel Crepes)

Cajeta Crepes (Goat's Milk Caramel Crepes)

Many would say this is the most popular dessert of Mexico. This versatile dish is best served while sipping milk, espresso or an anejo tequila.

Crepes
1 1/2 cups milk
3/4 cup all-purpose flour
1 egg
1 tablespoon oil
Butter

Sauce
2 tablespoons butter
1 cup (8 ounces) cajeta (cajeta can be found in the Latin section of the grocery store or bought via the Internet)
1/2 cup orange juice
1 tablespoon white tequila
3/4 cup walnuts or pecans, chopped

Crepes
Using an electric mixer, beat milk, flour, egg and oil together until smooth. Let rest for 5 minutes. Lightly butter a non-stick crepe pan and set over medium heat. Pour 1 1/2 tablespoons of mixture into pan and tilt it to cover bottom. As soon as edges of crepe begin to dry out, turn it over. When second side is lightly browned, transfer crepe to a plate. Repeat until all mixture has been used, making sure to butter pan before each crepe. There should be about 12 crepes. Set aside.

Sauce
In a small saucepan, heat butter, cajeta, orange juice and tequila, mixing well but making sure not to bring to a boil. Place crepe on a plate, add some caramel sauce and fold over twice to form a triangle. Repeat process so each plate has two crepes; add caramel sauce on top and sprinkle with nuts.

Serves: 6

Tip: Pure cajeta comes in 3 classic flavors, wine, burnt and vanilla. The variety of products made with it include lollipops, wafers, sweets and ice cream, though its domestic and culinary use is inexhaustible. There are several brands on the market but their quality varies accordingly. If it is going to be used undiluted, it is recommended to look for quality instead of price.

Crepas de Cajeta

Muchos dirán que este es el postre más popular en México. Se disfruta más acompañado de un vaso de leche, un café expreso o un caballito de tequila añejo.

Crepas
1 1/2 tazas de leche
3/4 de taza de harina
1 huevo
1 cucharada de aceite vegetal
Mantequilla sin sal

Salsa
2 cucharadas de mantequilla sin sal
1 taza de cajeta (8 onzas) (La cajeta mexicana se encuentra en la sección latina de los supermercados o se puede adquirir vía Internet)
1/2 taza de jugo de naranja fresco
1 cucharada de tequila blanco
3/4 de taza de nuez de castilla o encarcelada, picada

Crepas
Utilizando una batidora eléctrica, batir la leche con la harina, el huevo y el aceite hasta que desaparezcan los grumos y dejar reposar durante 5 minutos. Engrasar ligeramente con mantequilla una sartén antiadherente y calentar a fuego medio. Poner 1 1/2 cucharadas de la mezcla en la sartén e inclinarlo de un lado y de otro de manera que la mezcla cubra el fondo. Cuando las orillas empiecen a dorar, voltear la crepa con una espátula. Cuando el segundo lado empiece a dorar, transferir la crepa a un plato. Repetir hasta terminar la mezcla, recordando untar la sartén con mantequilla antes de cada crepa. Deben salir aproximadamente 12 crepas. Reservar.

Salsa
Calentar en una olla mediana la mantequilla, la cajeta, el jugo de naranja y el tequila, mezclando bien y sin dejar que hierva. Colocar una crepa en un plato, cubrir con un poco de la salsa de cajeta y doblarla dos veces para formar un triángulo. Servir dos crepas por plato bañadas con más salsa y espolvoreadas con la nuez.

Porciones: 6

Tip: Además de la cajeta pura en sus 3 sabores clásicos, envinada, quemada o de vainilla, la variedad de productos derivados de la misma incluye paletas, obleas, chiclosos y helado. Su uso doméstico y culinario es interminable. Existen varias marcas de cajeta pero su calidad varía de igual manera. Si se va a consumir sin diluir se recomienda se busque calidad y no precio.

Cajeta Gelatin Mold

Cajeta is a confection of thickened syrup usually made of sweetened caramelized goat's milk, that can be served as a spread or as an ingredient in a variety of desserts. It is considered a specialty of the city of Celaya in the state of Guanajuato, Mexico, although it is also produced using the traditional method in several parts of the country.

6 egg yolks
4 cups milk
4 envelopes gelatin
1/2 cup cold water
1 jar (11 ounces) cajeta, any flavor (Mexican cajeta can be found in the Latin section of the grocery store)
1 can (7.6 ounces) Nestlé table cream

Spray mold with no-stick cooking spray. In a medium saucepan, beat egg yolks and milk. Bring to a boil, stirring constantly. Remove from heat. In a small bowl, mix gelatin in water and add to milk mixture. Let cool slightly and stir in cajeta and cream. Pour into a large mold and refrigerate until set.

Serves: 8-10

Gelatina de Cajeta

La cajeta es un dulce hecho principalmente con leche de cabra y azúcar que se puede servir sola, para untar en galletas o pan, o como ingrediente de postres. Está considerada como la especialidad de la ciudad de Celaya, en el estado de Guanajuato, México, aunque también se produce en otros estados de la República siguiendo el mismo método.

6 yemas de huevo
4 tazas de leche
4 sobres de grenetina
1/2 taza de agua fría
1 frasco (11 onzas) de cajeta (sabor al gusto). La cajeta puede encontrarse en la sección latina de los supermercados
1 lata (7.6 onzas) de crema Nestlé

En una cacerola mediana batir las yemas y mezclar con la leche. Dejar que hierva moviendo constantemente y retirar del fuego. En un tazón pequeño mezclar la grenetina con agua fría y disolver en la leche caliente, dejar hervir durante 1 minuto. Enfriar ligeramente y agregar la cajeta y la crema moviendo para integrarlas muy bien. Vaciar en un molde para gelatina y refrigerar hasta que cuaje.

Porciones: 8–10

Arroz con Leche (Rice Pudding)

Historians believe rice pudding was created by the soldiers of Marco Polo. While in China, the troops found it odd that the Chinese ate hot rice for breakfast, so they decided to add milk, making the rice pudding dish we know today.

1 cup long grain rice
8 cups boiling water
8 cups milk
4 sticks cinnamon, each 4 inches long, tied together with cotton string
1 1/2 cups sugar
Raisins (optional)
Ground cinnamon

In a large bowl, soak rice in boiling water until water is completely cold, about 1 1/2 hours. Drain.

In a large pot, combine rice, milk, cinnamon sticks and sugar, and bring to a boil over medium high heat, stirring constantly. As soon as milk begins to rise, reduce heat to low and simmer, stirring frequently, until rice has burst and mixture thickens, approximately 1 hour. Remove from heat and add raisins if desired. Let cool and refrigerate. Can be served warm, at room temperature or chilled. Sprinkle with ground cinnamon.

Serves: 8

Arroz con Leche

Los historiadores opinan que el arroz con leche fue creado por los soldados de Marco Polo. Durante su estancia en China les pareció raro que los chinos comieran arroz en el desayuno y decidieron añadir leche, naciendo de esta manera el arroz con leche que conocemos ahora.

1 taza de arroz de grano largo
8 tazas de agua hirviendo
8 tazas de leche
4 rajas de canela, de 3 a 4 pulgadas de largo, amarradas con cordón de algodón
1 1/2 taza de azúcar
Uvas pasas (pasitas, opcional)
Canela en polvo

Remojar el arroz con el agua hirviendo en un tazón grande, hasta que el agua se haya enfriado completamente, aproximadamente 1 1/2 horas. Escurrir.

En una olla grande, calentar la leche con las rajas de canela, el arroz y el azúcar a fuego medio-alto, moviendo constantemente. En cuanto empiece a soltar el hervor, reducir de inmediato el fuego a bajo. Cocer, moviendo frecuentemente, hasta que el arroz haya reventado y la mezcla haya espesado, aproximadamente 1 hora. Si se van a utilizar pasitas, agregarlas al momento de retirar el arroz del fuego, dejar enfriar y refrigerar. Se puede servir cuando todavía está tibio, a temperatura ambiente o frío, en un plato hondo y espolvoreado con canela.

Porciones: 8

Flan Cubano

Flan is a rich custard dish that has spread across Europe and the world. Both crème caramel and flan (from Old German *flado* meaning "cake") are French names, but have come to have different meanings in different regions. In Spanish-speaking countries and in North America, flan refers to crème caramel.

1 cup sugar
2 tablespoons water
4 eggs
1 can (14 ounces) sweetened condensed milk
1 cup whole milk
1 tablespoon vanilla extract
1/8 teaspoon salt

Preheat oven to 350 degrees. Fill a large ovenproof pan with water for a water bath. Water should come halfway up flan pan once placed inside.

In a small saucepan, heat sugar and water, stirring frequently, until sugar dissolves. Bring to a boil and simmer gently, stirring constantly, until sugar caramelizes into a golden brown syrup. Immediately pour syrup into a 2 quart pan or mold. Swirl to coat bottom and at least 1/2 inch of sides of pan. Let cool at room temperature for at least 10 minutes.

In a blender, mix eggs, condensed milk, milk, vanilla and salt until well combined. Pour mixture into caramelized pan and set into water bath. Place both in the oven. Bake until a toothpick inserted in middle of flan comes out clean, about 1 hour. Remove flan from water bath, cool to room temperature, cover and refrigerate overnight. To unmold, run a knife around edges of mold and invert onto a serving platter. Spoon caramel from bottom of pan over flan. Slice and serve.

Serves: 8

Tip: For coconut flan, replace condensed milk with a can (12 ounces) of coconut cream.

Flan Cubano

El Flan es un platillo de natilla cuajada en el horno que se ha extendido en todo Europa y el resto del mundo. Tanto *crème caramel* como flan (del alemán antiguo *flado* que quiere decir pastel) son nombres franceses que han cambiado el significado de acuerdo con diferentes regiones. En los países donde se habla el castellano y en América del Norte, flan se refiere al *crème caramel*.

1 taza de azúcar
2 cucharadas de agua
4 huevos
1 lata (14 onzas) de leche condensada
1 taza de leche entera
1 cucharada de extracto de vainilla
1/8 de cucharadita de sal

Precalentar el horno a 175°C (350°F). Preparar un refractario grande con agua para baño maría. El agua deberá llegar a la mitad del refractario que contiene el flan al colocarlo en el agua.

En una cacerola pequeña, calentar el agua con el azúcar, moviendo frecuentemente hasta que se disuelva. Dejar que suelte el hervor y sin dejar de mover, cocinar a fuego lento, hasta que el azúcar se caramelice y adquiera un color dorado. Inmediatamente, vaciar el caramelo en un traste refractario de 2 cuartos de galón, volteando el traste para que el caramelo cubra el fondo y cuando menos 1/2 pulgada de los lados. Dejar enfriar a temperatura ambiente un mínimo de 10 minutos.

En la licuadora, batir los huevos, la leche condensada, la leche entera, la vainilla y la sal hasta estar bien integrados. Vaciar la mezcla en el traste con el caramelo, colocarlo en el agua para el baño maría y meterlo al horno. Hornear 1 hora o hasta que al insertar un palillo en el centro, éste salga limpio. Retirar del baño maría, enfriar a temperatura ambiente, tapar y refrigerar de un día para otro. Para desmoldar, pasar un cuchillo por la orilla y voltear a un platón. Bañar el flan con el caramelo que quedó en el fondo del molde, cortarlo en rebanadas y servir.

Porciones: 8

Tip: Para un flan de coco, sustituir la leche condensada con una lata (12 onzas) de crema de coco.

Eggnog Custard Pie

In Mexico, the ingredients in this pie are often found in a traditional drink called rompope: eggs, milk, vanilla and rum or brandy. In the United States, eggnog is usually served during the Christmas holidays, but in other parts of the Latin culture, it is a year-round treat.

1 9 inch deep dish piecrust
1 cup sugar
4 large eggs
1 can (12 ounces) evaporated milk
2/3 cup water
1/3 cup light rum
1/8 teaspoon salt
1/2 teaspoon ground nutmeg
1/4 teaspoon ground cinnamon
Whipped cream (optional)

Preheat oven to 350 degrees. Poke holes in bottom of piecrust. In a large mixing bowl, beat sugar and eggs until well combined. Add milk, water, rum and salt. Mix well and pour into crust. Sprinkle top of pie with nutmeg and cinnamon. Place pie on a rimmed baking sheet. Add 1/4 to 1/2 inch hot water to baking sheet. Bake until a toothpick inserted in center comes out clean, about 55 minutes. Slice and garnish with whipped cream if desired.

Serves: 6-8

Pay de Natilla de Rompope

En México, los ingredientes de este pay se encuentran frecuentemente en una tradicional y muy común bebida llamada Rompope la cual lleva huevos, leche, vainilla y ron. En Estados Unidos, el eggnog es servido solamente en Navidad pero en el mundo latino el Rompope se consume todo el año.

1 corteza para pay de 9 pulgadas
1 taza de azúcar
4 huevos grandes
1 lata (12 onzas) de leche evaporada
2/3 de taza de agua
1/3 de taza de ron suave
1/8 de cucharadita de sal
1/2 cucharadita de nuez moscada
1/4 de cucharadita de canela en polvo
Crema batida (opcional)

Precalentar el horno a 175°C (350°F). Con un tenedor picar el fondo de la corteza para pay. En un tazón grande batir el azúcar y los huevos hasta estar bien integrados. Agregar la leche, el agua, el ron y la sal. Mezclar bien y vaciar en la corteza para pay. Espolvorear con nuez moscada y canela en polvo. En una charola de hornear lo suficientemente honda (2 pulgadas aproximadamente) poner agua caliente (1/4 a 1/2 pulgadas) y colocar el pay. Hornear aproximadamente por 55 minutos o hasta que un palillo de dientes se inserte y salga limpio. Cortarlo en rebanadas y si se desea, se puede adornar con crema batida.

Porciones: 6-8

Delicioso

9 chapter nine

weights & measurements
acknowledgements & Index

Pasilla
Ancho
Habanero
Guajillo
Chipotle
Árbol

Conversions

Always remember to double check your recipe. There is a big difference between Fluid Ounces and Dry Ounces.
Fluid Ounces = Volume Measurement

Dry Ounces = Weight Measurement

Liquid (Fluid or Volume) Measurements (approximate):			
1 teaspoon		1/3 tablespoon	5 ml
1 tablespoon	1/2 fluid ounce	3 teaspoons	15 ml, 15 cc
2 tablespoons	1 fluid ounce	1/8 cup, 6 teaspoons	30 ml, 30 cc
1/4 cup	2 fluid ounces	4 tablespoons	59 ml
1/3 cup	2 2/3 fluid ounces	5 tablespoons + 1 teaspoon	79 ml
1/2 cup	4 fluid ounces	8 tablespoons	118 ml
2/3 cup	5 1/3 fluid ounces	10 tablespoons + 2 teaspoons	158 ml
3/4 cup	6 fluid ounces	12 tablespoons	177 ml
7/8 cup	7 fluid ounces	14 tablespoons	207 ml
1 cup	8 fluid ounces/ 1/2 pint	16 tablespoons	237 ml
2 cups	16 fluid ounces/ 1 pint	32 tablespoons	473 ml
4 cups	32 fluid ounces	1 quart	946 ml
1 pint	16 fluid ounces/ 1 pint	32 tablespoons	473 ml
2 pints	32 fluid ounces	1 quart	946 ml, 0.946 liters
8 pints	1 gallon/ 128 fluid ounces		3785 ml, 3.78 liters
4 quarts	1 gallon/ 128 fluid ounces		3785 ml, 3.78 liters
1 liter	1.057 quarts		1000 ml
1 gallon	128 fluid ounces		3785 ml, 3.78 liters
Dry (Weight) Measurements (approximate):			
1 ounce		30 grams (28.35 g)	
2 ounces		55 grams	
3 ounces		85 grams	
4 ounces	1/4 pound	125 grams	
8 ounces	1/2 pound	240 grams	
12 ounces	3/4 pound	375 grams	
16 ounces	1 pound	454 grams	
32 ounces	2 pounds	907 grams	
1 kilogram	2.2 pounds/ 35.2 ounces	1000 gram	

Temperature Conversion:	
Fahrenheit: to Celsius	Celsius to Fahrenheit:
Subtract 32	Multiply by 9
Multiply by 5	Divide by 5
Divide by 9	Add 32

METRIC TO U.S. CONVERSIONS (LIQUID)

1 ml = 0.033814 fluid ounces
1 ml = 0.061024 cubic inches
1 ml = 0.2029 teaspoons
1 ml = 0.0676 tablespoons
1 deciliter = 3.3814 fluid ounces
1 deciliter = 6.1024 cubic inches
1 deciliter = 20.29 teaspoons
1 deciliter = 6.76 tablespoons
1 deciliter = 27.05 drams
1 deciliter = 0.423 cups
1 deciliter = 0.845 gills
1 deciliter = 0.21134 pints
1 deciliter = 0.10567 quarts
1 liter = 33.814 fluid ounces
1 liter = 61.024 cubic inches
1 liter = 67.6 tablespoons
1 liter = 270.5 drams
1 liter = 4.23 cups
1 liter = 8.45 gills
1 liter = 2.1134 pints
1 liter = 1.0567 quarts
1 liter = 0.26417 gallons
1 liter = 0.029353 firkins

(DRY)

1 liter = 1.8162 pints
1 liter = 0.9081 quarts

(WEIGHTS)

1 gram = 0.035274 ounces
1 gram = 0.0022046 pounds
1 kg = 35.274 ounces
1 kg = 2.2046 pounds

(LENGTH)

1 millimeter = 0.03937 inches
1 cm = 0.3937 inches
1 meter = 39.37 inches
1 meter = 3.281 feet
1 meter = 1.0936 yards

U.S. TO METRIC CONVERSIONS (LIQUID)

1 teaspoon = 4.929 ml (milliliters)
1 tablespoon = 14.787 ml
1 dram = 3.6967 ml
1 fluid ounce = 29.57353 ml
1 cup = 236.59 ml
1 cup = 2.366 deciliters
1 cup = 0.2366 liters
1 gill = 118.294 ml
1 gill = 1.18294 deciliters
1 gill = 0.118294 liters
1 pint = 473.1765 ml
1 pint = 4.731765 deciliters
1 pint = 0.4731765 liters
1 quart = 9.4635 deciliters
1 quart = 0.94635 liters
1 gallon = 37.854 deciliters
1 gallon = 3.7854 liters
1 firkin = 34.069 liters
1 hogshead = 238.48 liters

(DRY)

1 pint = 0.551 liters
1 quart = 1.101 liters
1 peck = 8.81 liters
1 bushel = 35.25 liters

(WEIGHT)

1 ounce = 28.35 grams
1 pound = 453.59 grams
1 pound = 0.454 kg

(LENGTH)

1 inch = 25.4 millimeters
1 inch = 2.54 cm
1 foot = 304.8 millimeters
1 foot = 30.48 cm
1 yard = 914.4 millimeters
1 yard = 91.44 cm

a note about kitchen measurements:

Not all tablespoons are the same. The Australian tablespoon is 20 ml; the British tablespoon is 17.7 ml. In most Canadian recipes, the tablespoon is 15 ml., while the American tablespoon is 14.2 ml. In British, Australian and sometimes Canadian recipes, the "imperial pint" is used which is 20 fluid ounces. American and sometimes Canadian recipes use the American pint of 16 fluid ounces.

latin women's initiative xxxxxxxxxxxxxxxxxxxxxxxx

acknowledges with great appreciation the generosity of the following underwriters*

premium sponsor 

churrasco

Mary Tere and Ricardo Perusquia

 Northwestern Mutual®

paella

Claudia and Roberto Contreras

pozole

Georgia and Mike Foulard
Micheline and Germán Newall
Heather and Mike Simpson
Trini Mendenhall Sosa and Frank Sosa
Joan Stedman/Beth and Schuyler Tilney

ceviche

Karla and Gonzalo Barrutieta
Scott A. Bayley – Accumyn Consulting
Cathy and Giorgio Borlenghi
Kara and Ray Childress
Barbara and Arland Coleman
Sheri and Robert Fleishman
Cherie and Jim Flores
Vesta and Pedro Frommer
Susan A. Hunt
Ericka and Edino Levante
Lilia Cristina and José Antonio González Blanco
Pily and Alejandro Simon
The Smith Foundation
Texas Fine Home Builders
Mary Jane and Bob Wakefield

*as of November 2010

arepas

Anamaria and Mauricio Arboleda
Roni and Doug Atnipp
Avangard Innovative LP
Tamara Klosz Bonar
Patricia and Ed Britt
Kathy Jensen and Wayne Case
Denise Carrera Delgado
Patty and Francisco Dominguez
Dinorah Flores
Marilyn Greiner
Jonathan Green
Rosita and Jorge Hernandez
Patricia Herrera
Kay and Howard House
Paola and Kris Kapetanakis
Adriana and Mark Kardoush
Jorge and Marisol Leiva
Karina Manzur-Barbieri
Ana Luisa and Abelardo Matamoros
Lenny Matuszewski
MW Design Group
Esther Perrine
Planet One Travel
The Reade-Gross Family
Laura Rodriguez
Betty Romo
The Salomon Said Family
Brenda S. Schroeder
Armanda P. Simon
Lynda Transier
Lisa and Joseph Turano
Kim and Glen Wind

taquitos

Sofia Adrogue
State Representative Carol Alvarado
Cristiana and Mark Anderson
Nini Bekhradi
Heidi and Todd Binet
M. Helen Cavazos
Jeannie Rich Chandler
Chris Chung
Meredith Cooley
Crisis Intervention
Julie Crosswell
Angi Demeris
Letícia Fallick
Florence Gautier-Winther
Franny Gray
Susie Green
Romelia V. Herrera
Sara and Jeff McParland
Paula and Hal Mentz
Terry Morales
Jovita Rodriguez Munoz
Natex Architects
Yolanda Black Navarro
Donna and Joseph Perillo
Gilda Ramirez
Elise and James Reckling
Maria T. Ritchey - Accumyn Consulting
Amarillis Vega Rodriguez MD
Nathalie and Charles Roff
Maribel Reuter
Ellen Shaffer
Ann Short (in honor of Mary Tere Perusquia)
Elizabetta Silva
Sara Dodd Spickelmier
Marisa Tellez
Tootsies
Susan Vick
Lisa and Storm Wilson
Karen Winston

latin women's initiative *recipe contributions*

Rosa Mary L. de Alverde
Margarita Amelio
Emma Ampudia
Albert W. Angulo
Anamaria Arboleda
Roni Atnipp
April Bailey
Karina Manzur Barbieri
Karen Barbieri
Thelma Bissat
Lilia Cristina S. de Gonzalez-Blanco
Patricia Ortiz M. de Gonzalez-Blanco
Patricia Gonzalez-Blanco
Cathy Borlenghi
Claudia Bouchez
Carrie Bozkurt
Vicki Bullers
Brenda Benzar Butler
Claudia Caglianone
Barbara Coleman
Meredith Cooley
Michael Cordua
Maria Elena Cortez
Gina Curry
Debbie Dalton
Cecilia Diaz Ceballos de Dominguez
Francisco Dominguez
Patty Herrera Dominguez
Lorenza Echeverria de Dominguez
Carmen E. de Elizondo
Leticia Odriozola de Fallick
Tere Sada de Farias
Elisabeth Rueb Feerick
Esther Fidalgo
Sheri Fleishman
Dinorah Flores
Enriqueta Garcia
Margaret Garza
Maru C. de la Garza
Arabela Gay
Ana Ginebra
Lorena Gomez
Francel Gray
Marlyn Greiner
Claudia Hartmann
Patricia Herrera
Julie Hettiger
Pam Holm
Kathy Jensen
Martha Johnson
Adriana Kardoush
Janet Kavanagh
Lucy Keeper
Stephen Kolkmeier
Shari Koziol
Sylvia Kurczyn
Elena Laviada
Paty Lessa
Erika Herro Levante
Lauren Levicki
Carolina Garza de Lopez
Tere M. de Losada
Rocio Marron
Stephanie Martinez
Ana Matamoros
Itza Maynez
Martha Salinas de Ortiz Mena
Nadia Michel
Ma. Luisa Margain de Mijares
Tiffani Miller
Silvia Garza de Navarro
Joy Neely
Darri Ofczarzak
Marilupe Old
Margarita Olivero
Sylvia Olivero
Mary Alice De La Rosa Palomares
Santos Garza De La Rosa
Laura Parra
Amy Peck
Minerva Perez
Esther Perrine
Mary Tere Perusquia
Ricardo Perusquia
Marzi Petris
Meline Pineda
Cristina Priwin
Maria Eugenia Regunega
Maribel Reuter
Cecilia Garza de Rodriguez
Mayra Rubalcaba
Martha Ortiz Mena Salinas
Gela Segovia
Sara Selber
Vannessa Sendukas
Kitty Najera de Serrano
Heather Simpson
Mike Simpson
Judy Singleton
Kenneth Singleton
Betty Urquidi
Balyn Uzcategui
Carla Valencia
Marieliz Garcia Lopez de Victoria
Gilda Villegas
Guadalupe Martinez Vizcaya
Patty Voss
Barby Weiner
Mayte Weitzman
Marcela Cisne Zadik
Vicky Martinez de Zambrano
Angelina Garza de Zorilla

tasting party hostesses

April Bailey
Kara Childress
Debbie Dalton
Micheline Newell
Vanessa Sendukas

recipe testers

Annie Amante
Margarita Amelio
Anamaria Arboleda
Roni Atnipp
April Bailey
Tracy Banks
Meg Basu
Carolina Bell
Pat Berry
Claudia Bouchez
Melissa Carbajal
Karen Case
Kara Childress
Mouni Chouban
Barbara Coleman
Claudia Contreras
Meredith Cooley
Tam Cooper
Adriana Cornejo
Maria Elena Cortez
Joann Crassas
Lisa Currie
Debbie Dalton
Kathy Davis
Anu Davis
Silvia Diaz
Lorenza Echeverria de Dominguez
Patty Dominguez
Leticia Fallick
Rosa Ferrand
Sheri Fleishman
Dinorah Flores
Veronica Foley
Laurie Fondren
Gracie Garcia
Enriqueta Garcia
Ruth Gay
Lilia Cristina S. de González-Blanco
Franny Gray
Susie Green
Marlyn Greiner
Raquel Guerrero
Sandra Ha
Terri Hairston
Marie Hall
Josie Herrera
Patricia Herrera
Lisa Higgins
Kay House
Martha Johnson
Paola Kapetanakis
Adriana Kardoush
Hoda Kardoush
Shari Koziol
Blayne Laborde
Lola Lin
Concepcion Lopez
Shelle MacKay
Ana Matamoros
Martha Melody
Paula Mentz
Tiffani Miller
Lourdes Montoya
Laura Mudd
Claudia Nasr
Cynthia Navarro
Micheline Newell
Darri Ofczarzak
Margarita Olivero
Kari Parsons
Gina Pavon
Donna Perillo
Esther Perrine
Mary Tere Perusquia
Rochy Prentice
Shari Provenzano
Ceci Ramirez
Adriana Robles
Sara Selber
Terrell Shermann
Heather Simpson
Joan Stedman
Lisa Stone
Diane Stout
Patty Susarrey
Rubina Syed
Marisa Tellez
Rebecca Thibodeaux
Beth Tilney
Kim Trevino
Carla Valencia
Yudith Vides
Patty Voss
Grace Weatherly
Barby Weiner
Kim Wind
Alejandra Worthington

2009-2010
latin women's initiative
board of directors

President
Mary Tere Perusquia

Past President
Claudia Contreras

Membership VP
Kathy Jensen

Financial VP
Terry Morales

Development VP
Michelle Perez

Community VP
Ana Matamoros

Media
Carla Valencia

Chief Editorial
Annie Culligan

Director Special Events
Ericka Bagwell

Secretary
Mariuz Saiz

Assistant Development
Dinorah Flores

Fashion Show VP
Patty Dominguez

Event Coordinator
Barby Weiner

Assistant Membership
Lorena Gomez

Community Chairs
Cristina Gonzalez-Blanco
Anamaria Arboleda
Adriana Kardoush
Joy Neely
Stephanie Martinez
Betty Perez

2009-2010 Advisory Board
Ellie Francisco
Patricia Herrera
Carmen Maria Lechin
Dr. Laura Murillo
Maribel Reuter
Gracie Saenz
Sara Speer Selber
Susana Brener de Stern
Patricia Voss
Lorena Karpen
Betty Urquidi
Leticia Fallick
Linda Gonzalez

2010-2011
latin women's initiative
board of directors

President
Mary Tere Perusquia

President-elect
Ana Matamoros

Finance VP
Terry Morales

Membership VP
Kathy Jensen

Development VP
Michelle Perez

Special Events VP
Dinorah Flores

Secretary
Anamanaria Arboleda

Strategic Planning VP
Lisset Garza

Honorary 2011 Fashion Show
Cyndy Garza Roberts

Board Members at Large
Chriselda Barrientes
Cristina Gonzalez-Blanco
Marlyn Greiner
Rosie Hernandez
Barby Weiner

2010-2011 Advisory Board
Margarita Amelio
Patty Dominquez
Leticia Fallick
Linda Gonzalez
Patricia Herrera
Lorena Karpen
Carmen Maria Lechin
Dr. Laura Murillo
Maribel Reuter
Susana Brener de Stern
Betty Urquidi

Muchas Gracias xxxxxxxxxxxxxxxxxxxxxxxxxxxxxx

To the following individuals, without whose generous time and energy, *Latin Flavors* would not be the book it is:

Limb Design
For your never ending enthusiasm, patience, and creativity from the beginning of this project to its completion. Thank you to your entire staff for loving this project and putting true heart and soul into making it spectacular.

Lorenza Dominguez, Sheri Fleishman, Darri Ofczarzak and Margarita Olivera
For their tremendous help testing and evaluating recipes.

April Bailey, Kara Childress, Debbie Dalton, Micheline Newell and Vanessa Sendukas
For hosting tasting parties in their beautiful homes.

Gonzalo Barrutieta
For welcoming our photography team into your home and going above and beyond in making them feel at ease.

Kara and Ray Childress, Ruth and Jack Gay, Mary Tere and Ricardo Perusquia
To Our dear friends who allowed us into their lovely homes to take the beautiful photography creating a book that is elegant and sophisticated.

Enriqueta "Teta" Garcia, Raquel Guerrero, Concepcion Lopez, Annie McBath and Ceci Ramirez
For helping make our visits to the Childress and Gay homes so easy, fun and effortless.

Angeles Pérez, Linda Rodríguez Martínez, Luisa Sánchez and Félix Alvarado
For helping with photography at the Perusquia's home. Everyday your smiles welcomed us and made the longs days of working with a pleasure. The stunning photographs are thanks to your help and support.

Patricia Herrera, Linda Gonzalez, Kathy Jensen, Adriana Kardoush, Ana Matamoros and Micheline Newall
For providing delicious lunches during the weeks of photography and helping make our days more enjoyable.

Anamaria Arboleda, Cristina Serrano González-Blanco, Sheri Fleishman, Rocío Marrón and Sara Speer Selber
Our true and constant friends who gave willingly and generously of their time and talent to make Latin Flavors perfect. Thank you.

Our Families
Our love and affection goes to our patient families for all their endless support and encouragement for this enormous project.

Cookbook Committee:

Veronica "Roni" Atnipp
Patty Dominguez
Mary Tere Perusquia
Heather Simpson

Professional Credits:

Publishing Consultant
Veronica "Roni" Atnipp

Concept, Design and Art Direction
Limb Design - Linda Limb
Guillermo Cubillos
Elise DeSilva
Lou Girouard
Erum Sheikh

Photography
Ignacio Urquiza

Food Styling
Laura Cordera
Julie Hettinger
Sharon Kuhner

Photo Styling
Mercedes Bezauri

Spanish/English Translation
Gabriela Old
Marilupe Old

English Proofreading
Polly Koch

Spanish Proofreading
Esteban Longoria
Ana Cuellar

Business Coordinators
Tany James
Teresa Morales

Recipe titles in bold. *Photographs in red italic.*

a

Achiote, in **Chicken Pibil, 169,** *168*
Almonds
- **Almond, Arugula and Goat Cheese Salad, 69**
- **Poblano Chiles in Walnut Sauce (Nogada), 176**
- **Romaine and Watercress Salad with Tangy Garlic Vinaigrette, 78**

Almond, Arugula and Goat Cheese Salad, 69
Amaretto, in **Rum Cake with Butter Rum Glaze, 235**
Ancho Chile Soup with Poblano Meatballs, 119, *121*
Appetizers:
- **Bacon-Wrapped Jalapeño Shrimp, 54**
- **Black Bean and Goat Cheese Terrine, 31**
- **Black Bean Croquettes with Pasilla Salsa, 35**
- **Chicken Liver Mousse, 46**
- **Chicken Wings in Sweet and Sour Blackberry Sauce, 48**
- **Cilantro Lime Shrimp, 59**
- **Cilantro Mousse, 30**
- **Corn Dip with Vinaigrette, 32**
- **Corn, Goat Cheese and Jalapeño Bars, 36**
- **Goat Cheese-Stuffed Dates, 49**
- **Guacamole, 43**
- **Jalapeño Pimento Cheese Dip, 33**
- **Marinated Smoked Salmon, 53**
- **Poolside Veggies with Chile Piquin, 39**
- **Shrimp and Poblano Quesadillas, 58**
- **Shrimp in Escabeche, 57**
- **Sopes, 42**
- **Spiced Fried Garbanzos, 39**
- **Taquitos, 44**
- **Tostones (Fried Plantains), 41**
- **Traditional Latin Ceviche, 51**

Apples
- **Apple Salad, 79**
- **Poblano Chiles in Walnut Sauce (Nogada), 176**

Apple Salad, 79
Apricot Breakfast Pastry, 221, *220*
Arepas, 226, *226*
Arroz con Leche (Rice Pudding), 248
Arroz con Pollo, 172
Artichoke hearts, in **Award-Winning Paella, 130**
Arugula, in **Almond, Arugula and Goat Cheese Salad, 69**
Asparagus, in **Award-Winning Paella, 130**
Avocados
- **Avocado Salsa Verde, 92**
- **Avocado, Cilantro and Red Onion Salad, 64**
- **Black Bean and Chorizo Tortas, 247**
- **Chile Pasilla and Queso Blanco Salad, 76**
- **Chilled Avocado Soup, 99**
- **Corn Dip with Vinaigrette, 32**
- **Guacamole, 43**
- **Lentil Soup, 113**
- **Mango and Avocado Salsa, 140**
- **Mango, Avocado and Shrimp Salad, 86**
- **Mexican Chicken Salad, 84**
- **Pork Tinga, 164**
- **Romaine and Avocado Salad with Soy Lime Vinaigrette, 73**
- **Romaine and Watercress Salad with Tangy Garlic Vinaigrette, 78**
- **Tortilla Soup, 109**
- **Traditional Latin Ceviche, 51**

Avocado, Cilantro and Red Onion Salad, 64, *63*
Avocado Salsa Verde, 92, *93*
Aztec Pudding, 162

b

Bacon
- **Bacon-Wrapped Jalapeño Shrimp, 54**
- **Carrot Jalapeño Soup, 100**
- **Frijoles Charros with Poblano Peppers, 250**
- **Goat Cheese-Stuffed Dates, 49**

Bacon-Wrapped Jalapeño Shrimp, 54, *55*
Baked Chiles Rellenos, 215, *214*
Baked Eggs with Cheese Sauce, 210
Baked Polenta with Tomato Sauce, 184, *185*
Bananas
- **Banana Bread, 223**
- **Burros, 26**

Banana Bread, 223
Basil, in **Basil, Mint and Cilantro Salad, 134**
Beans, black
- **Black Bean and Goat Cheese Terrine, 31**
- **Black Bean Croquettes, 35**
- **Corn Dip with Vinaigrette, 32**
- **Traditional Beans, 203**

Beans, lentil
- **Frijoles Charros with Poblano Peppers, 250**

Beans, pinto
- **Frijoles Charros with Poblano Peppers, 250**
- **Traditional Beans, 203**

Beans, refried
- **Black Bean and Chorizo Tortas, 247**
- **Refried Beans, 204**

Beef, dried, in **Machaca con Huevo, 211**
Beef, ground
- **Ancho Chile Soup with Poblano Meatballs, 119**
- **Aztec Pudding, 162**
- **Chipotle Meatballs, 148**
- **Poblano Chiles in Walnut Sauce (Nogada), 176**

Beef shanks, in **Mole de Olla, 118**
Beef steak
- **Cuban Crispy Beef, 151**
- **Filet Mignon with Chipotle Chile Sauce, 152**
- **Sirloin Tacos, 149**

Beef tenderloin
- **Beef Churrasco, 155**
- **Beef Tenderloin with Chipotle Garlic Butter, 156**

Beef Churrasco, 155, *154*
Beef Tenderloin with Chipotle Garlic Butter, 156
Beer, in **Michelada, 15**
Black Bean and Chorizo Tortas, 219
Black Bean and Goat Cheese Terrine, 31
Black Bean Croquettes with Pasilla Salsa, 35, *34*
Bloody Maria, 13, *12*
Brandy, in **Sangria, 14**
Bread:
- **Apricot Breakfast Pastry, 221**
- **Arepas, 226**
- **Banana Bread, 223**
- **Black Bean and Chorizo Tortas, 247**
- **Black Bean and Chorizo Tortas, 247**
- **Cinnamon Pecan Coffee Cake, 225**
- **Poached Eggs in Red Salsa, 212**
- **Sausage and Cheese Breakfast Bread, 218**

Breadcrumbs, in **Black Bean Croquettes, 35**
Brie with Green Chile Soup, 102
Brunch:
- **Baked Chiles Rellenos, 243**
- **Baked Eggs with Cheese Sauce, 210**
- **Chile and Cheese Quiche, 216**
- **Machaca con Huevo, 211**
- **Mexican Scrambled Eggs, 237**
- **Morning Yogurt with Strawberry Compote, 222**
- **Poached Eggs in Red Salsa, 212**
- **Red Chilaquiles, 208**

Burros, 26

Butter, in **Chipotle Garlic Butter, 156**
Buttermilk
Banana Bread, 223
Mexican Chocolate Cake, 232
Rum Cake with Butter Rum Glaze, 235

C

Cabbage
Chipotle Coleslaw, 145
Jicama Slaw, 68
Caipirinha, 14
Cajeta
Cajeta Crepes (Goat's Milk Caramel Crepes), 247
Cajeta Gelatin Mold, 248
Cajeta Crepes (Goat's Milk Caramel Crepes), 247, *246*
Cajeta Gelatin Mold, 248
Cake, coffee: **Cinnamon Pecan Coffee Cake, 225**
Cakes:
Coconut Cupcakes, 239
Mexican Chocolate Cake, 232
Raspberry Cakes, 236
Rum Cake with Butter Rum Glaze, 235
Vanilla Bean Tres Leches Cake, 230
Cantaloupe, in **Cantalope Water, 10**
Cantalope Water, 10, *8*
Capers, in **Marinated Smoked Salmon, 53**
Caramels, in **Chocolate Fudge Drops, 243**
Carnitas (Pork) Tacos, 160, *161*
Carrots
Baked Polenta with Tomato Sauce, 184
Carrot Jalapeño Soup, 100
Jicama Slaw, 68
Lentil Soup, 113
Mexican Rice, 244
Romaine and Avocado Salad with Soy Lime Vinaigrette, 73
Shrimp in Escabeche, 57
Venezuelan Rice, 196
Carrot Jalapeño Soup, 100, *101*
Cauliflower, in **Romaine and Watercress Salad with Tangy Garlic Vinaigrette, 78**
Celery, in **Baked Polenta with Tomato Sauce, 184**
Champagne or sparkling wine, in **Cranberry Grapefruit Mimosa, 13**
Cheese, añejo
Chile Ancho Enchiladas, 175
Stuffed Ancho Peppers, 186
Cheese, blue, in **Hearts of Palm Salad, 70**
Cheese, brie, in **Brie with Green Chile Soup, 102**
Cheese, cheddar
Carrot Jalapeño Soup, 100
Jalapeño Pimento Cheese Dip, 33
Sausage and Cheese Breakfast Bread, 218
Taquitos, 44
Cheese, Colby Jack, in **Sausage and Cheese Breakfast Bread, 218**
Cheese, cotija
Baked Chiles Rellenos, 243
Black Bean Croquettes, 35
Cheese, cream
Apricot Breakfast Pastry, 221
Bacon-Wrapped Jalapeño Shrimp, 54
Cilantro Mousse, 30
Cilantro Soup, 110
Coconut Cupcakes, 239
Cream of Poblano Soup, 103
Fruit Empanadas, 237
Jalapeño Pimento Cheese Dip, 33
Marinated Smoked Salmon, 53
Morning Yogurt with Strawberry Compote, 222
Shrimp and Poblano Quesadillas, 58
Cheese, feta
Cucumber and Tomatillo Salad, 72
Nopales Salad, 74
Romaine and Avocado Salad with Soy Lime Vinaigrette, 73
Stuffed Eggplant, 182
Cheese, goat
Almond, Arugula and Goat Cheese Salad, 69
Black Bean and Chorizo Tortas, 247
Black Bean and Goat Cheese Terrine, 31
Corn, Goat Cheese and Jalapeño Bars, 36
Goat Cheese-Stuffed Dates, 49
Nogada Sauce, 176
Cheese, Monterey Jack
Aztec Pudding, 162
Flor de Calabaza Casserole, 167
Corn and Poblano Rice, 245
Baked Chiles Rellenos, 243
Baked Eggs with Cheese Sauce, 210
Chicken Breasts with Jalapeño Sauce, 170
Chile and Cheese Quiche, 216
Cream of Poblano Soup, 103
Enchiladas Verdes de Pollo, 173
Pasta Poblano, 124
Poached Eggs in Red Salsa, 212
Poblano Pepper Soufflé, 189
Rajas con Crema, 240
Shrimp and Poblano Quesadillas, 58
Cheese, panela
Chile Pasilla and Queso Blanco Salad, 76
Pork Tinga, 164
Cheese, Parmesan
Baked Eggs with Cheese Sauce, 210
Baked Polenta with Tomato Sauce, 184
Pasta Vodka, 126
Cheese, pepper jack, in **Carrot Jalapeño Soup, 100**
Cheese, queso fresco
Refried Beans, 204
Cucumber and Tomatillo Salad, 72
Nopales Salad, 74
Red Chilaquiles, 208
Cheese, Swiss, in **Packets of Sole, 144**
Chicken
Arroz con Pollo, 172
Chicken Stock, 112
Chicken Wings in Sweet and Sour Blackberry Sauce, 48
Chile Ancho Enchiladas, 175
Cream of Olives, 105
Green Pozole with Chicken, 117
Mexican Chicken Salad, 84
Pozole Rojo, 116
Chicken breasts
Award-Winning Paella, 130
Spinach and Raspberry Salad with Grilled Chicken or Tofu, 82
Chicken Breasts with Jalapeño Sauce, 170
Chicken Pibil, 169
Enchiladas Verdes de Pollo, 173
Flor de Calabaza Casserole, 167
Chicken livers, in **Chicken Liver Mousse, 46**
Chicken wings, in **Chicken Wings in Sweet and Sour Blackberry Sauce, 48**
Chicken Breasts with Jalapeño Sauce, 170, *171*
Chicken Liver Mousse, 46
Chicken Pibil, 169, *168*
Chicken Stock, 112
Chicken Wings in Sweet and Sour Blackberry Sauce, 48
Chickpeas, in **Spiced Fried Garbanzos, 39**
Chiles, see Peppers.
Chile Ancho Enchiladas, 175, *174*
Chile and Cheese Quiche, 216 *217*

Chile de Árbol and Sesame Salsa, 88, *90*
Chile Morita and Sesame Salsa, 88
Chile Pasilla and Queso Blanco Salad, 76, *77*
Chilled Avocado Soup, 99
Chipotle Meatballs, 148
Chocolate
- **Chocolate Fudge Drops, 243**
- **Double Iced Brownies, 240**
- **Mexican Chocolate Cake, 232**
- **Stuffed Ancho Peppers, 186**

Chocolate Fudge Drops, 243, *242*
Chorizo
- **Baked Chiles Rellenos, 243**
- **Award-Winning Paella, 130**
- **Sausage and Cheese Breakfast Bread, 218**

Christmas Salad, 80, *81*
Cilantro
- **Avocado, Cilantro and Red Onion Salad, 64**
- **Basil, Mint and Cilantro Salad, 134**
- **Black Bean Croquettes, 35**
- **Chimichurri Sauce, 163**
- **Chipotle Coleslaw, 145**
- **Cilantro Dressing, 65**
- **Cilantro Lime Shrimp, 60**
- **Cilantro Mousse, 30**
- **Cilantro Soup, 110**
- **Corn Dip with Vinaigrette, 32**
- **Fideo Seco, 123**
- **Green Pozole with Chicken, 117**
- **Guacamole, 43**
- **Mexican Chicken Salad, 84**
- **New Potatoes with Cilantro, 240**
- **Nopales Salad, 74**
- **Pico De Gallo, 88**
- **Salsa Verde, 89**

Cilantro Lime Shrimp, 60
Cilantro Mousse, 30, *28*
Cilantro Soup, 110, *111*
Cinnamon Pecan Coffee Cake, 225 *224*
Coconut
- **Coconut Cupcakes, 239**
- **Burros, 26**

Coconut Cupcakes, 239, *238*
Coffee liquor, in **Burros, 26**
Coffee, in **Mexican Chocolate Cake, 232**
Cointreau, in **Sangria, 14**
Cookies or brownies:
- **Chocolate Fudge Drops, 243**
- **Double Iced Brownies, 240**
- **Fruit Empanadas, 237**
- **Peach-Filled Butter Cookies, 244**
- **Pecan Polvorones, 245**

Corn
- **Corn and Poblano Rice, 245**
- **Corn Dip with Vinaigrette, 32**
- **Corn, Goat Cheese and Jalapeño Bars, 36**
- **Grilled Chili Lime Corn on the Cob, 249**
- **Mole de Olla, 118**

Corn and Poblano Rice,195
Corn Dip with Vinaigrette, 32
Corn, Goat Cheese and Jalapeño Bars, 36
Cranberry juice, in **Cranberry Grapefruit Mimosa, 13**
Cranberry Grapefruit Mimosa, 13, *248*
Cream of Olives, 105, *104*
Cream of Pecan Soup, 106, *107*
Cream of Poblano Soup, 103
Cream, whipping
- **Apple Salad, 79**
- **Burros, 26**
- **Chilled Avocado Soup, 99**
- **Cream of Olives, 105**
- **Cream of Pecan Soup, 106**
- **Cream of Poblano Soup, 103**
- **Double Iced Brownies, 240**
- **Pasta Poblano, 124**
- **Rajas con Crema, 240**
- **Vanilla Bean Tres Leches Cake, 230**

Crepes: **Cajeta Crepes (Goat's Milk Caramel Crepes), 247**
Crispy Cuban Beef, 151, *150*
Cucumbers
- **Cucumber and Tomatillo Salad, 72**
- **Gazpacho, 98**
- **Green Salad with Cilantro Dressing, 65**
- **Poolside Veggies with Chile Piquin, 39**

Cucumber and Tomatillo Salad, 72

d

Dates, in **Goat Cheese-Stuffed Dates, 49**
Double Iced Brownies, 240
Dough, pastry
- **Apricot Breakfast Pastry, 221**
- **Corn, Goat Cheese and Jalapeño Bars, 36**

Dough, pizza, in **Sausage and Cheese Breakfast Bread, 218**
Dressings, salad:
- **Cilantro Dressing, 65**
- **Soy Lime Vinaigrette, 73**
- **Tamarind Vinaigrette, 67**
- **Tangy Garlic Vinaigrette, 78**

Drinks:
- **Bloody Maria, 13**
- **Burros, 26**
- **Caipirinha, 14**
- **Cantalope Water, 10**
- **Cranberry Grapefruit Mimosa, 13**
- **Jamaica Water, 10**
- **Margarita, 18**
- **Mexitinis, 21**
- **Michelada, 15**
- **Orangerita, 18**
- **Pisco Sour, 26**
- **Sangria, 14**
- **Sparkling Mojito, 24**
- **Tequila en Bandera, 17**
- **Tomatequila, 23**

e

Eggnog Custard Pie, 250
Eggplant, in **Stuffed Eggplant, 182**
Eggs
- **Baked Chiles Rellenos, 243**
- **Baked Eggs with Cheese Sauce, 210**
- **Cajeta Gelatin Mold, 248**
- **Chile and Cheese Quiche, 216**
- **Cilantro Dressing, 65**
- **Eggnog Custard Pie, 250**
- **Flan Cubano, 249**
- **Machaca con Huevo, 211**
- **Mexican Scrambled Eggs, 237**
- **Poached Eggs in Red Salsa, 212**
- **Poblano Pepper Soufflé, 189**
- **Stuffed Ancho Peppers, 186**

Enchiladas
- **Chile Ancho Enchiladas, 175**
- **Enchiladas Verdes de Pollo, 173**

Enchiladas Verdes de Pollo, 173
Endive, Belgian, in **Almond, Arugula and Goat Cheese Salad, 69**
Ensalada de Noche Buena (Christmas Salad), 80, *81*
Epazote
    Green Pozole with Chicken, 117
    Mole de Olla, 118
    Poached Eggs in Red Salsa, 212
    Tortilla Soup, 109

f

Fideo (vermicelli)
    Fideo Seco, 123
    Sopa de Fideo (Vermicelli Soup), 108
Fideo Seco, 123, *122*
Filet Mignon with Chipotle Chile Sauce, 152
Fish, see also Shellfish
    Traditional Latin Ceviche, 51
    Salmon in Guajillo Sauce, 146
    Marinated Smoked Salmon, 53
    Sea Bass with Red Chiles, 143
    Packets of Sole, 144
    Award-Winning Paella, 130
    Fish Tacos, 145
    Seared Tuna with Mango and Avocado Salsa, 140
Fish Tacos, 145
Flan Cubano, 249
Flor de calabaza, in **Flor de Calabaza Casserole, 167**
Flor de Calabaza Casserole, 167
Frijoles Charros with Poblano Peppers, 200, *201*
Fruit Empanadas, 245
Fruit, assorted; see **Cantalope Water, Sangria**

g

Gazpacho, 98, *96*
Gelatin
    Cajeta Gelatin Mold, 248
    Chicken Liver Mousse, 46
    Cilantro Mousse, 30
    Morning Yogurt with Strawberry Compote, 222
Gin, in **Sangria, 14**
Goat Cheese-Stuffed Dates, 49
Grand Marnier, in **Strawberry Compote, 222**
Grapefruit, in **Ensalada de Noche Buena (Christmas Salad), 80**
Grapefruit juice, in **Cranberry Grapefruit Mimosa, 13**
Green Pozole with Chicken, 117
Green Salad with Cilantro Dressing, 65
Greens, salad
    Chile Pasilla and Queso Blanco Salad, 76
    Green Salad with Cilantro Dressing, 65
Grilled Chili Lime Corn on the Cob, 199, *198*
Grilled Lobster with Roasted Chile Salsa, 132, *133*
Guacamole, 43, *45*
Guajillo Salsa, 89, *90*

h

Hearts of Palm Salad, 70, *71*
Hearts of palm
    Hearts of Palm Salad, 70
    Romaine and Avocado Salad with Soy Lime Vinaigrette, 73
Hominy
    Green Pozole with Chicken, 117
    Pozole Rojo, 116
    Shrimp and Scallop Pozole, 115

j

Chiles jalapeños, see Peppers.
Jalapeño Pimento Cheese Dip, 33
Jalapeño Roasted Potatoes, 192, *193*
Jamaica, in **Jamaica Water, 10**
Jamaica Water, 10, *11*
Jelly: **Spicy Mint Jelly, 158**
Jicama
    Ensalada de Noche Buena (Christmas Salad), 80
    Jicama Salad with Tamarind Vinaigrette, 67
    Jicama Slaw, 68
    Mexican Chicken Salad, 84
    Poolside Veggies with Chile Piquin, 39
Jicama Salad with Tamarind Vinaigrette, 67, *66*
Jicama Slaw, 68

l

Lamb: **Leg of Lamb with Spicy Mint Jelly, 158**
Leek, in **Stuffed Eggplant, 182**
Leg of Lamb with Spicy Mint Jelly, 158, *159*
Lemongrass, in **Lemongrass Sauce, 134**
Lentil Soup, 113
Lentils, see Beans.
Lettuce
    Black Bean and Chorizo Tortas, 247
    Ensalada de Noche Buena (Christmas Salad), 80
    Jicama Salad with Tamarind Vinaigrette, 67
    Mexican Chicken Salad, 84
    Nopales Salad, 74
    Romaine and Avocado Salad with Soy Lime Vinaigrette, 73
    Romaine and Watercress Salad with Tangy Garlic Vinaigrette, 78
Limes or lime juice
    Avocado Salsa Verde, 92
    Cilantro Lime Shrimp, 60
    Ensalada de Noche Buena (Christmas Salad), 80
    Grilled Chili Lime Corn on the Cob, 249
    Mango, Avocado and Shrimp Salad, 86
    Margarita, 18
    Marinated Smoked Salmon, 53
    Mexican Chicken Salad, 84
    Poolside Veggies with Chile Piquin, 39
    Sangrita, 17
    Shrimp in Escabeche, 57
    Soy Lime Vinaigrette, 73
    Tequila en Bandera, 17
    Traditional Latin Ceviche, 51
Limoncello, in **Margarita, 18**

m

Machaca with Eggs, 211
Mangos
    Mango and Avocado Salsa, 140
    Mango, Avocado and Shrimp Salad, 86
Mango, Avocado and Shrimp Salad, 86, *87*
Margarita, 18, *19*
Marinated Smoked Salmon, 53, *52*
Mexican Chicken Salad, 84
Mexican Chocolate Cake, 232, *233*
Mexican crema
    Chile and Cheese Quiche, 216
    Chilled Avocado Soup, 99
    Corn and Poblano Rice, 245
    Jalapeño Sauce, 170
    Pasta Vodka, 126
    Red Chilaquiles, 208
    Sopa de Fideo (Vermicelli Soup), 108
    Tortilla Soup, 109
Mexican Rice, 194, *194*
Mexican Scrambled Eggs, 209
Mexitinis, 21, *20*
Michelada, 15, *15*

Milk
- **Arroz con Leche (Rice Pudding), 248**
- **Flan Cubano, 249**

Milk, condensed
- **Flan Cubano, 249**
- **Vanilla Bean Tres Leches Cake, 230**

Milk, evaporated
- **Chocolate Fudge Drops, 243**
- **Eggnog Custard Pie, 250**
- **Poblano Pepper Soufflé, 189**
- **Vanilla Bean Tres Leches Cake, 230**

Mint
- **Basil, Mint and Cilantro Salad, 134**
- **Spicy Mint Jelly, 158**

Mole de Olla, 118
Morning Yogurt with Strawberry Compote, 222

n

New Potatoes with Cilantro, 190
Nopales, in **Nopales Salad, 74**
Nopales Salad, 74, *75*
Nuts, in **Chocolate Fudge Drops, 243**

o

Olives, black, in **Chicken Liver Mousse, 46**
Olives, green, in **Cream of Olives, 105**
Onions
- **Avocado Salsa Verde, 92**
- **Chile Morita and Sesame Salsa, 88**
- **Cuban Crispy Beef, 151**
- **Cucumber and Tomatillo Salad, 72**
- **Guajillo Salsa, 89**
- **Mexican Rice, 244**
- **Pasilla Salsa, 35**
- **Pork Tinga, 164**
- **Refried Beans, 204**
- **Salsa Verde, 89**
- **Sautéed Onions and Chiles, 183**
- **Shrimp in Escabeche, 57**
- **Traditional Beans, 203**

Onions, red
- **Avocado, Cilantro and Red Onion Salad, 64**
- **Jicama Slaw, 68**
- **Marinated Smoked Salmon, 53**
- **Pico De Gallo, 88**
- **Romaine and Avocado Salad with Soy Lime Vinaigrette, 73**
- **Stuffed Eggplant, 182**

Onions, green
- **Avocado Salsa Verde, 92**
- **Chipotle Coleslaw, 145**
- **Mango, Avocado and Shrimp Salad, 86**
- **Mexican Chicken Salad, 84**
- **Nopales Salad, 74**
- **Spinach and Raspberry Salad with Grilled Chicken or Tofu, 82**

Orange juice
- **Cajeta Crepes (Goat's Milk Caramel Crepes), 247**
- **Chicken Pibil, 169**
- **Mexitinis, 21**
- **Raspberry Cakes, 236**
- **Sangria, 14**
- **Sangrita, 17**

Oranges
- **Ensalada de Noche Buena (Christmas Salad), 80**
- **Orangerita, 18**
- **Shrimp with Orange Buttered Sauce and Tequila Flambé, 137**

Orangerita, 18

p

Packets of Sole, 144
Paella, 130, *129*
Panko, in **Ancho Chile Soup with Poblano Meatballs, 119**
Parsley, in **Chimichurri Sauce, 155 and 163**
Pasta
- **Fideo Seco, 123**
- **Pasta Poblano, 124**
- **Pasta Vodka,126**

Pasta Poblano, 124
Pasta Vodka, 126
Peach-Filled Butter Cookies, 244, *242*
Peanuts, in **Stuffed Ancho Peppers, 186** Peas
- **Arroz con Pollo, 172**
- **Mexican Rice, 244**

Pecans
- **Banana Bread, 223**
- **Cinnamon Pecan Coffee Cake, 225**
- **Cream of Pecan Soup, 106**
- **Pecan Polvorones, 237**

Pecan Polvorones, 237, *242*
Peppercorns
- **Chicken Liver Mousse, 46**
- **Shrimp in Escabeche, 57**

Peppers, ancho chile
- **Chile Ancho Enchiladas, 175**
- **Chile Ancho Sauce, 166**
- **Chipotle Chile Sauce, 152**
- **Sangrita, 17**
- **Sea Bass with Red Chiles, 143**
- **Shrimp with Dried Chiles, 138**
- **Stuffed Ancho Peppers, 186**

Peppers, chile de arbol
- **Chile de Arbol and Sesame Salsa, 91**
- **Pasta Vodka, 126**
- **Poached Eggs in Red Salsa, 212**
- **Potatoes with Chile de Árbol, 191**

Peppers, chiles piquin, in **Poolside Veggies with Chile Piquin, 39**
Peppers, green chile
- **Avocado Salsa Verde, 92**
- **Brie with Green Chile Soup, 102**

Peppers, chipotle chile in adobo sauce
- **Chicken Pibil, 169**
- **Chipotle Chile Sauce, 152**
- **Chipotle Coleslaw, 145**
- **Chipotle Garlic Butter, 156**
- **Chipotle Meatballs, 148**
- **Pork Tinga, 164**

Peppers, green bell
- **Arroz con Pollo, 172**
- **Cuban Crispy Beef, 151**
- **Gazpacho, 98**
- **Green Salad with Cilantro Dressing, 65**

Peppers, guajillo chile
- **Guajillo Salsa, 89**
- **Guajillo Sauce, 146**
- **Pozole Rojo, 116**
- **Sea Bass with Red Chiles, 143**
- **Shrimp with Dried Chiles, 138**

Peppers, jalapeño
- **Avocado Salsa Verde, 92**
- **Bacon-Wrapped Jalapeño Shrimp, 54**
- **Carrot Jalapeño Soup, 100**
- **Corn Dip with Vinaigrette, 32**
- **Corn, Goat Cheese and Jalapeño Bars, 36**
- **Green Pozole with Chicken, 117**
- **Jalapeño Roasted Potatoes, 192**
- **Lentil Soup, 113**

- **Mango, Avocado and Shrimp Salad, 86**
  - **Mexican Chicken Salad, 84**
  - **Packets of Sole, 144**
  - **Sautéed Onions and Chiles, 183**
  - **Spicy Mint Jelly, 158**
- Peppers, chiles jalapeños, pickled
  - **Black Bean and Chorizo Tortas, 247**
  - **Jalapeño Pimento Cheese Dip, 33**
  - **Jalapeño Sauce, 170**
  - **Shrimp in Escabeche, 57**
- Peppers, morita chile, in **Chile Morita and Sesame Salsa, 88**
- Peppers, mulatto, in **Sea Bass with Red Chiles, 143**
- Peppers, pasilla chile
  - **Chile Pasilla and Queso Blanco Salad, 76**
  - **Mole de Olla, 118**
  - **Pasilla Salsa, 35**
  - **Shrimp with Dried Chiles, 138**
  - **Tortilla Soup, 109**
- Peppers, piquillo, in **Award-Winning Paella, 130**
- Peppers, poblano chile, how to roast, 59
- Peppers, poblano chile
  - **Ancho Chile Soup with Poblano Meatballs, 119**
  - **Aztec Pudding, 162**
  - **Baked Chiles Rellenos, 243**
  - **Chile and Cheese Quiche, 216**
  - **Corn and Poblano Rice, 245**
  - **Cream of Poblano Soup, 103**
  - **Frijoles Charros with Poblano Peppers, 250**
  - **Pasta Poblano, 124**
  - **Poblano Chiles in Walnut Sauce (Nogada), 176**
  - **Poblano Pepper Soufflé, 189**
  - **Rajas con Crema, 240**
  - **Shrimp and Poblano Quesadillas, 58**
- Peppers, red bell
  - **Jicama Slaw, 68**
  - **Venezuelan Rice, 196**
- Peppers, serrano chile
  - **Chilled Avocado Soup, 99**
  - **Cilantro Mousse, 30**
  - **Enchiladas Verdes de Pollo, 173**
  - **Guacamole, 43**
  - **Machaca con Huevo, 211**
  - **Marinated Smoked Salmon, 53**
  - **Mexican Chicken Salad, 84**
  - **Mexican Scrambled Eggs, 237**
  - **New Potatoes with Cilantro, 240**
  - **Nopales Salad, 74**
  - **Pico De Gallo, 88**
  - **Red Chilaquiles, 208**
  - **Roasted Chile Salsa, 218**
  - **Salsa Roja, 94**
  - **Salsa Verde, 89**
  - **Sautéed Onions and Chiles, 183**
  - **Shrimp with Orange Buttered Sauce and Tequila Flambé, 137**
  - **Spicy Mint Jelly, 158**
- Peppers, Thai bird chile, in **Lemongrass Sauce, 134**
- Peppers, yellow bell, in **Venezuelan Rice, 196**
- **Pico De Gallo, 88**
- Pico de Gallo, in **Traditional Latin Ceviche, 51**
- Piecrust
  - **Chile and Cheese Quiche, 216**
  - **Eggnog Custard Pie, 250**
- Pies: **Eggnog Custard Pie, 250**
- Pimentos
  - **Arroz con Pollo, 172**
  - **Jalapeño Pimento Cheese Dip, 33**
- Pine nuts
  - **Apple Salad, 79**
  - **Poblano Chiles in Walnut Sauce (Nogada), 176**
- Pineapple and pineapple juice
  - **Apple Salad, 79**
  - **Poblano Chiles in Walnut Sauce (Nogada), 176**
  - **Sangria, 14**
- Pisco, in **Pisco Sour, 26**
- **Pisco Sour, 26**
- Plantains
  - **Poblano Chiles in Walnut Sauce (Nogada), 176**
  - **Tostones (Fried Plantains), 41**
- **Poached Eggs in Red Salsa, 212,** *213*
- **Poblano Chiles in Walnut Sauce (Nogada), 176,** *177*
- **Poblano Pepper Soufflé, 189,** *188*
- Polenta, in **Baked Polenta with Tomato Sauce, 184**
- **Poolside Veggies with Chile Piquin, 39,** *38*
- Pork, in **Pozole Rojo, 116**
- Pork, ground
  - **Aztec Pudding, 162**
  - **Poblano Chiles in Walnut Sauce (Nogada), 176**
- Pork loin roast
  - **Carnitas (Pork) Tacos, 160**
  - **Pork Loin with Chile Ancho Sauce, 166**
  - **Pork Tinga, 164**
- Pork sausage, in **Sausage and Cheese Breakfast Bread, 218**
- Pork tenderloin
  - **Pork Tenderloin with Chimichurri Sauce, 163**
  - **Award-Winning Paella, 130**
- **Pork Loin with Chile Ancho Sauce, 166**
- **Pork Tenderloin with Chimichurri Sauce, 163**
- **Pork Tinga, 164,** *165*
- Port wine, in **Chicken Liver Mousse, 46**
- Potatoes
  - **Jalapeño Roasted Potatoes, 192**
  - **New Potatoes with Cilantro, 190**
  - **Potatoes with Chile de Árbol, 191**
  - **Sea Bass with Red Chiles, 143**
- **Potatoes with Chile de Árbol, 191**
- **Pozole Rojo, 116**
- Preserves, fruit
  - **Apricot Breakfast Pastry, 221,** *134*
  - **Cilantro Lime Shrimp, 60**
  - **Fruit Empanadas, 237**
  - **Peach-Filled Butter Cookies, 244**
  - **Sweet and Sour Blackberry Sauce, 48**
- Prunes, in **Shrimp with Dried Chiles, 138**
- Pudding or custards:
  - **Arroz con Leche (Rice Pudding), 248**
  - **Cajeta Gelatin Mold, 248**
  - **Eggnog Custard Pie, 250**
  - **Flan Cubano, 249**
- Pumpkin seeds
  - **Ensalada de Noche Buena (Christmas Salad), 80**
  - **Green Pozole with Chicken, 117**

q

- Queso fresco
  - **Fideo Seco, 123**
  - **Romaine and Avocado Salad with Soy Lime Vinaigrette, 73**
  - **Shrimp and Scallop Pozole, 115**
  - **Tortilla Soup, 109**

r

- Radicchio, in **Almond, Arugula and Goat Cheese Salad, 69**
- Radishes, in **Ensalada de Noche Buena (Christmas Salad), 80**
- Raisins, in **Poblano Chiles in Walnut Sauce (Nogada), 176**
- **Rajas con Crema, 190**
- Raspberries
  - **Raspberry Cakes, 236**
  - **Spinach and Raspberry Salad with Grilled Chicken or Tofu, 82**
- **Raspberry Cakes, 236**

Red Chilaquiles, 208, *207*
Red wine, in **Sangria, 14**
Refried Beans, 204
Award-Winning Paella, 130, *129*
Rice
- **Ancho Chile Soup with Poblano Meatballs, 119**
- **Arroz con Leche (Rice Pudding), 248**
- **Arroz con Pollo, 172**
- **Corn and Poblano Rice, 245**
- **Mexican Rice, 244**
- **Award-Winning Paella, 130**
- **Venezuelan Rice, 196**

Romaine and Avocado Salad with Soy Lime Vinaigrette, 73
Romaine and Watercress Salad with Tangy Garlic Vinaigrette, 78
Rum
- **Burros, 26**
- **Eggnog Custard Pie, 250**
- **Rum Cake with Butter Rum Glaze, 235**
- **Sangria, 14**
- **Sparkling Mojito, 24**

Rum Cake with Butter Rum Glaze, 235, *234*

S

Salads:
- **Almond, Arugula and Goat Cheese Salad, 69**
- **Apple Salad, 79**
- **Avocado, Cilantro and Red Onion Salad, 64**
- **Basil, Mint and Cilantro Salad, 134**
- **Chile Pasilla and Queso Blanco Salad, 76**
- **Chipotle Coleslaw, 145**
- **Cucumber and Tomatillo Salad, 72**
- **Ensalada de Noche Buena (Christmas Salad), 80**
- **Green Salad with Cilantro Dressing, 65**
- **Hearts of Palm Salad, 70**
- **Jicama Salad with Tamarind Vinaigrette, 67**
- **Jicama Slaw, 68**
- **Mango, Avocado and Shrimp Salad, 86**
- **Mexican Chicken Salad, 84**
- **Nopales Salad, 74**
- **Romaine and Avocado Salad with Soy Lime Vinaigrette, 73**
- **Romaine and Watercress Salad with Tangy Garlic Vinaigrette, 78**
- **Spinach and Raspberry Salad with Grilled Chicken or Tofu, 82**

Salmon in Guajillo Sauce, 146, *147*
Salsas:
- **Avocado Salsa Verde, 92**
- **Chile de Arbol and Sesame Salsa, 91**
- **Chile Morita and Sesame Salsa, 88**
- **Guajillo Salsa, 89**
- **Mango and Avocado Salsa, 140**
- **Pasilla Salsa, 35**
- **Pico De Gallo, 88**
- **Roasted Chile Salsa, 218**
- **Salsa Roja, 94**
- **Salsa Verde** in **Shrimp and Scallop Pozole, 115**
- **Salsa Verde, 89**

Salsa Roja, 94
Salsa Verde, 89, *90*
Sangria, 14
Sangrita
- **Michelada, 15**
- **Sangrita, 17**
- **Tequila en Bandera, 17**

Sangrita, 17
Sauces:
- **Chile Ancho Sauce, 166**
- **Chimichurri Sauce, 155**
- **Chimichurri Sauce, 163**
- **Chipotle Chile Sauce, 152**
- **Chipotle Garlic Butter, 156**
- **Guajillo Sauce, 146**
- **Jalapeño Sauce, 170**
- **Lemongrass Sauce, 134**
- **Nogada Sauce, 176**
- **Strawberry Compote, 222**
- **Sweet and Sour Blackberry Sauce, 48**
- **Velouté Sauce, 106**

Sausage and Cheese Breakfast Bread, 218
Sautéed Onions and Chiles, 183
Sea Bass with Red Chiles, 143, *142*
Seared Sea Scallops with Lemongrass Sauce and Basil, Mint and Cilantro Salad, 134
Seared Tuna with Mango and Avocado Salsa, 140, *141*
Sesame seeds
- **Chile de Arbol and Sesame Salsa, 91**
- **Chile Morita and Sesame Salsa, 88**
- **Stuffed Ancho Peppers,186**

Shallots, in **Almond, Arugula and Goat Cheese Salad, 69**
Shellfish, see also Shrimp
- **Award-Winning Paella, 130**
- **Grilled Lobster with Roasted Chile Salsa, 132**
- **Seared Sea Scallops with Lemongrass Sauce and Basil, Mint and Cilantro Salad, 134**
- **Shrimp and Scallop Pozole, 115**

Shrimp
- **Bacon-Wrapped Jalapeño Shrimp, 54**
- **Cilantro Lime Shrimp, 60**
- **Mango, Avocado and Shrimp Salad, 86**
- **Packets of Sole, 144**
- **Award-Winning Paella, 130**
- **Shrimp and Poblano Quesadillas, 58**
- **Shrimp and Scallop Pozole, 115**
- **Shrimp in Escabeche, 57**
- **Shrimp with Dried Chiles, 138**
- **Shrimp with Orange Butter Sauce and Tequila Flambé, 137**

Shrimp and Poblano Quesadillas, 58
Shrimp and Scallop Pozole, 115, *114*
Shrimp in Escabeche, 57, *56*
Shrimp with Dried Chiles, 138
Shrimp with Orange Butter Sauce and Tequila Flambé, 137, *136*
Side dishes:
- **Baked Polenta with Tomato Sauce, 184**
- **Corn and Poblano Rice, 245**
- **Frijoles Charros with Poblano Peppers, 250**
- **Grilled Chili Lime Corn on the Cob, 249**
- **Jalapeño Roasted Potatoes, 192**
- **Mexican Rice, 244**
- **New Potatoes with Cilantro, 240**
- **Poblano Pepper Soufflé, 189**
- **Potatoes with Chile de Árbol, 191**
- **Rajas con Crema, 240**
- **Refried Beans, 204**
- **Sautéed Onions and Chiles, 183**
- **Stuffed Ancho Peppers, 186**
- **Stuffed Eggplant, 182**
- **Traditional Beans, 203**
- **Venezuelan Rice, 196**

Sirloin Tacos, 149
Sopa de Fideo (Vermicelli Soup), 108
Sopes, 42
Soups:
- **Ancho Chile Soup with Poblano Meatballs, 119**
- **Brie with Green Chile Soup, 102**
- **Carrot Jalapeño Soup, 100**
- **Chicken Stock, 112**
- **Chilled Avocado Soup, 99**
- **Cilantro Soup, 110**

Cream of Olives, 105
Cream of Pecan Soup, 106
Cream of Poblano Soup, 103
Gazpacho, 98
Green Pozole with Chicken, 117
Lentil Soup, 113
Mole de Olla, 118
Pozole Rojo, 116
Shrimp and Scallop Pozole, 115
Sopa de Fideo (Vermicelli Soup), 108
Tortilla Soup, 109
Sour cream, in **Mexican Chicken Salad, 84**
Sparkling Mojito, 24, *25*
Spiced Fried Garbanzos, 39
Spinach, in **Spinach and Raspberry Salad with Grilled Chicken or Tofu, 82**
Spinach and Raspberry Salad with Grilled Chicken or Tofu, 82
Strawberries, in **Strawberry Compote, 222**
Strawberry Compote, 222
Stuffed Ancho Peppers, 186
Stuffed Eggplant, 182, *180*
Sweet and sour mix, in **Mexitinis, 21**

t

Taquitos, 44, *45*
Tequila en Bandera, 17, *16*
Tequila
Bloody Maria, 13
Cajeta Crepes (Goat's Milk Caramel Crepes), 247
Margarita, 18
Mexitinis, 21
Orangerita, 18
Shrimp with Orange Butter Sauce and Tequila Flambé, 137
Tequila en Bandera, 17
Tomatequila, 23
Tofu, in **Spinach and Raspberry Salad with Grilled Chicken or Tofu, 82**
Tomatequila, 23, *22*
Tomatillos
Avocado Salsa Verde, 92
Chipotle Chile Sauce, 152
Cucumber and Tomatillo Salad, 72
Enchiladas Verdes de Pollo, 173
Green Pozole with Chicken, 117
Pork Tinga, 164
Salsa Verde, 89
Tomato juice, in **Sangrita, 17**
Tomatoes
Baked Polenta with Tomato Sauce, 184
Chile de Arbol and Sesame Salsa, 91
Chipotle Meatballs, 148
Fideo Seco,123
Frijoles Charros with Poblano Peppers, 250
Gazpacho, 98
Green Salad with Cilantro Dressing, 65
Guacamole, 43
Lentil Soup, 113
Mexican Rice, 244
Mexican Scrambled Eggs, 237
Nopales Salad, 74
Pasilla Salsa, 35
Pasta Vodka, 126
Pico De Gallo, 88
Red Chilaquiles, 208
Romaine and Watercress Salad with Tangy Garlic Vinaigrette, 78
Salsa Roja, 94
Sopa de Fideo (Vermicelli Soup), 108
Stuffed Ancho Peppers, 186
Stuffed Eggplant, 182
Tomatequila, 23
Tortilla Soup, 109
Tomatoes, cherry
Hearts of Palm Salad, 70
Spinach and Raspberry Salad with Grilled Chicken or Tofu, 82
Tomatoes, sun-dried, in **Shrimp and Scallop Pozole, 115**
Tortillas
Cream of Poblano Soup, 103
Enchiladas Verdes de Pollo, 173
Tortilla Soup, 109
Tortillas, corn
Carnitas (Pork) Tacos, 160
Chile Ancho Enchiladas, 175
Chile Pasilla and Queso Blanco Salad, 76
Mexican Scrambled Eggs, 237
Red Chilaquiles, 208
Sirloin Tacos, 149
Taquitos, 44
Tortillas, flour
Fish Tacos, 145
Flor de Calabaza Casserole, 167
Machaca con Huevo, 211
Shrimp and Poblano Quesadillas, 58
Tortilla chips, in **Aztec Pudding, 162**
Tortilla dough, see Sopes
Tortilla strips, in **Jicama Salad with Tamarind Vinaigrette, 67**
Tortilla Soup, 109
Tostones (Fried Plantains), 41, *40*
Traditional Beans, 203, *202*
Traditional Latin Ceviche, 51, *50*
Triple Sec
Mexitinis, 21
Sangria, 14

v

Vanilla Bean Tres Leches Cake, 230, *229*
Venezuelan Rice, 196, *197*
Vermicelli soup, 108
Vodka, in **Pasta Vodka, 126**

w

Walnuts
Cajeta Crepes (Goat's Milk Caramel Crepes), 247
Nogada Sauce, 176
Spinach and Raspberry Salad with Grilled Chicken or Tofu, 82
Watercress, in **Romaine and Watercress Salad with Tangy Garlic Vinaigrette, 78**
White wine
Lemongrass Sauce, 134
Award-Winning Paella, 130
Sangria, 14
Sea Bass with Red Chiles, 143

y

Yogurt, in **Morning Yogurt with Strawberry Compote, 222**

z

Zucchini
Ancho Chile Soup with Poblano Meatballs, 119
Hearts of Palm Salad, 70
Lentil Soup, 113
Mole de Olla, 118

Títulos de recetas en letra obscura. *Fotografías en letra italica roja.*

a

Aceitunas, negras, en **Mousse de Hígados de Pollo, 47**
Aceitunas, verdes, en **Crema de Aceitunas, 105,** *104*
Achicoria, en Ensalada de Almendras, Arúgula y Queso de Cabra, 69
Achiote, en **Pollo Pibil, 169,** *168*
Agua de Jamaica, 10, *11*
Agua de Melón, 10, *8*
Aguacate
Ceviche Tradicional Latino, 51, *50*
Dip de Elote a la Vinagreta, 32
Ensalada de Aguacate, Cilantro y Cebolla Morada, 64, *63*
Ensalada de Chile Pasilla y Queso Blanco, 76, *77*
Ensalada de Mango, Aguacate y Camarón, 86, *87*
Ensalada de Pollo Mexicana, 84
Ensalada de Lechuga Romana y Aguacate con Vinagreta de Soya y Limón, 73
Ensalada de Lechuga Romana y Berro con Vinagreta de Ajo, 78
Guacamole, 43, *45*
Salsa de Mango y Aguacate, 140, *141*
Salsa Verde con Aguacate, 92, *93*
Sopa Fría de Aguacate, 99
Sopa de Lentejas, 113
Sopa de Tortilla, 109
Tinga de Puerco, 164, *165*
Tortas de Frijol Negro con Chorizo, 219
Ajonjolí
Chiles Anchos Rellenos, 187
Salsa de Chile de Árbol y Ajonjolí, 91
Salsa de Chile Morita y Ajonjolí, 88
Albahaca, en **Callos de Hacha en Salsa de Zacate Limón y Ensalada de Albahaca, Menta y Cilantro, 135**
Albóndigas Enchipotladas, 148
Alcaparras, en **Salmón Ahumado Marinado, 53,** *52*
Alfajores de Mermelada de Durazno, 244
Alitas en Salsa Agridulce de Zarzamora, 48
Almendras
Chiles en Nogada, 178, *177*
Ensalada de Almendras, Arúgula y Queso de Cabra, 69
Ensalada de Lechuga Romana y Berro con Vinagreta de Ajo Agridulce, 69
Amaretto, en **Pastel de Ron con Glaseado de Mantequilla y Ron, 235,** *234*
Apio, en **Polenta Horneada en Salsa de Jitomate, 184,** *185*
Arepas, 226, *226*
Arroz
Arroz a la Mexicana, 194, *194*
Arroz con Elote y Poblano, 195
Arroz con Leche, 248
Arroz con Pollo, 172
Arroz Venezolano, 196, *197*
Paella, 131, *129*
Arúgula, en **Ensalada de Almendras, Arúgula y Queso de Cabra, 69**
Atún Sellado con Salsa de Mango y Aguacate, 140, *141*

b

Barras de Elote, Queso de Cabra y Jalapeño, 37
Bebidas
Agua de Jamaica, 10, *11*
Agua de Melón, 10, *9*
Bloody María, 13, *12*
Burros, 26
Caipirinha, 14
Margarita, 19, *19*
Mexitinis, 21, *20*
Michelada, 15, *15*
Mimosa de Arándano y Toronja, 13
Orangerita, 18
Pisco Sour, 26
Sangría, 14
Mojito Espumoso, 24, *25*
Tequila en Bandera, 17, *16*
Tomatequila, 23, *22*
Berenjenas Rellenas, 182, *180*
Berro, en **Ensalada de Lechuga Romana y Berro con Vinagreta de Ajo, 78**
Bloody María, 13, *12*
Brandy, en **Sangría, 14**
Brownies con Doble Glaseado, 241
Budines o natillas:
Arroz con Leche, 248
Flan Cubano, 249
Gelatina de Cajeta, 248
Pay de Natilla de Rompope, 250
Budín Azteca, 162
Budín de Flor de Calabaza, 167
Burros, 26
Buttermilk
Pan de Plátano, 223
Pastel de Chocolate Mexicano, 232
Pastel de Ron con Glaseado de Mantequilla y Ron, 235

c

Café, en **Pastel de Chocolate Mexicano, 232,** *233*
Caipirinha, 14
Cajeta
Crepas de Cajeta, 247, *246*
Gelatina de Cajeta, 248
Calabacitas, en **Sopa de Chile Ancho con Albóndigas de Poblano, 120,** *121*
Caldo de Pollo, 112
Callos de Hacha en Salsa de Zacate Limón y Ensalada de Albahaca, Menta y Cilantro, 135
Camarones
Camarones con Cilantro y Limón, 60
Camarones con Jalapeño Envueltos en Tocino, 54, *55*
Camarones en Chile Seco, 138, *139*
Camarones en Escabeche, 57, *56*
Camarones en Salsa de Mantequilla, Naranja y Flameados con Tequila, 137, *136*
Ensalada de Mango, Aquacate y Camarón, 86, *87*
Paella, 131, *129*
Paquetitos de Lenguado, 144
Pozole de Camarón y Callo de Hacha (Vieira), 115, *114*
Quesadillas de Camaron y Poblano, 58
Carne de Res, seca, en **Machaca con Huevo, 211**
Carne de Res, molida
Albóndigas Enchipotladas, 148
Budín Azteca, 162
Chiles (Poblanos) en Nogada, 178, *177*
Sopa de Chile Ancho con Albóndigas de Poblano, 120, *121*
Cebolla
Arroz a la Mexicana, 194
Camarones en Escabeche, 57, *56*
Chiles con Cebolla Salteados, 183
Ensalada de Pepino y Tomatillos, 72
Frijoles Refritos, 204
Frijoles Tradicionales, 203, *202*
Salsa de Chile Morita y Ajonjolí, 88
Salsa de Guajillo, 89, *90*
Salsa de Pasilla, 35
Salsa Verde, 89, *90*
Salsa Verde con Aguacate, 92, *93*
Tinga de Puerco, 164, *165*
Vaca Frita, 151, *150*
Cebolla, morada
Berenjenas Rellenas, 182, *181*
Ensalada de Aguacate, Cilantro con Cebolla 64, *63*
Ensalada de Jícama, 68
Ensalada de Lechuga Romana y Aguacate con Vinagreta de Soya y Limón, 73
Pico de Gallo, 88
Salmón Ahumado Marinado, 53, *52*

Cebollín, verde
Ensalada de Espinaca y Frambuesa con Pollo Asado o Tofu, 83
Ensalada de Mango, Aguacate y Camarón, 86, *87*
Ensalada de Nopales, 74, *75*
Ensalada de Pollo a la Mexicana, 84
Salsa Verde con Aguacate, 92, *93*
Tacos de Pescado, 145
Cerveza, en **Michelada, 15,** *15*
Ceviche Tradicional Latino, 51, *50*
Coliflor, en **Ensalada de Lechuga Romana y Berro con Vinagreta de Ajo, 78**
Corazones de alcachofa, en **Paella, 129,** *131*
Chalotes, en **Ensalada de Almendras, Arúgula y Queso de Cabra, 69**
Champaña o vino espumoso, en **Mimosa de Arándano y Toronja, 13**
Chícharos
Arroz con Pollo, 172
Arroz a la Mexicana, 194
Chiclosos, en **Gotas de Fudge de Chocolate, 243,** *242*
Chilaquiles Rojos, 208, *207*
Chile
-Ancho
Camarones con Chiles Secos, 138
Chiles Anchos Rellenos, 187
Enchiladas de Chile Ancho, 175, *174*
Filete Mignon con Salsa de Chipotle, 152
Lomo de Puerco en Salsa de Chile Ancho,166
Robalo con Chile Rojo, 143, *142*
Sangrita (Tequila en Bandera), 17
-De árbol
Huevos Escalfados en Salsa Roja (Pochés), 212, *213*
Papitas con Chile de Árbol, 191
Pasta Vodka, 126
Salsa de Chile de Árbol y Ajonjolí, 91, *90*
-Chipotle
Albóndigas Enchipotladas, 148
Filete de Res con Mantiquilla de Chipotle, 157
Filete Mignon con Salsa de Chile Chipotle y Ajo, 157
Pollo Píbil, 169, *168*
Tacos de Pescado, 145
Tinga de Puerco, 164, *165*
-Guajillo
Camarón con Chiles Secos, 138
Pozole Rojo, 116
Robalo con Salsa Roja, 143, *142*
Salmón en Salsa de Guajillo, 146, *147*
Salsa de Chile Guajillo, 89, *90*
-Jalapeño
Barras de Elote, Queso de Cabra y Jalapeño, 37
Camarones con Jalapeño Envueltos en Tocino, 54, *55*
Chiles con Cebolla Salteados, 183
Dip de Elote a la Vinagreta, 32
Ensalada de Mango, Aguacate y Camarón, 86, *87*
Ensalada de Pollo a la Mexicana, 84
Papas Asadas con Chiles Jalapeños, 192, *193*
Paquetitos de Lenguado, 144
Pierna de Cordero con Jalea Picante de Menta, 158, *159*
Pozole Verde con Pollo, 117
Salsa Verde con Aguacate, 92, *93*
Sopa de Lentejas, 113
Sopa de Zanahoria con Jalapeños, 100, *101*
-Jalapeños, en escabeche
Camarones en Escabeche, 57, *56*
Dip de Queso con Jalapeños y Pimientos Morrones, 33
Pechugas Rellenas a la Jalapeña, 170, *171*
Tortas de Frijol Negro y Chorizo, 219
-Morita
Robalo con Chile Rojo, 143, *142*
Salsa de Chile Morita y Ajonjolí, 88
-Pasilla
Camarón con Chiles Secos, 138, *139*
Croquetas de Frijol con Salsaq de Chile Pasilla, 35, *34*
Ensalada de Chile Pasilla y Queso Blanco, 76, *77*
Mole de Olla, 118
Sopa de Tortilla, 109
-Pimiento Morrón rojo
Arroz Venezolano, 196, *197*
Ensalada de Jícama, 68
-Pimiento Morrón verde
Arroz Venezolano, 196
Arroz con Pollo, 172
Dip de Queso con Jalapeños y Pimientos Morrones, 33
Ensalada Verde con Aderezo de Cilantro, 65
Gazpacho, 98, *96*
Vaca Frita, 151, *150*
-Piquillo, en **Paella, 131,** *129*
-Piquin, en **Verduras Frescas con Chile Piquín, 39,** *38*
-Poblano
Arroz con Elote y Chiles Poblanos, 195
Budín Azteca, 162
Chiles en Nogada, 178, *177*
Chiles Rellenos Horneados, 215, *214*
Cómo Asar Chiles Poblanos, 59
Crema de Poblano, 103
Frijoles Charros con Chiles Poblanos, 200, *201*
Pasta Poblana, 124, *125*
Quesadillas de Camarón con Chile Poblano, 58
Quiche de Chile y Queso, 216, *217*
Rajas con Crema, 190
Sopa de Chile Ancho con Albóndigas de Poblano, 120, *121*
Soufflé de Rajas Poblanas, 189, *188*
-Serrano
Camarones en Salsa de Mantequilla y Naranja y Flameados con Tequila, 137, *138*
Chiles con Cebolla Salteados, 183
Chilaquiles Rojos, 208, *207*
Enchiladas Verdes de Pollo, 173
Ensalada de Nopales, 74, *75*
Ensalada de Pollo a la Mexicana, 84
Guacamole, 43, *45*
Huevos a la Mexicana, 209
Langosta a la Parrilla con Salsa de Chiles Asados, 132, *133*
Machaca con Huevo, 211
Mousse de Cilantro, 30, *29*
Papitas de Cambray al Cilantro, 190
Pico de Gallo, 88
Pierna de Cordero con Jalea de Menta Picante, 158, *159*
Salmón Ahumado Marinado, 53, *52*
Salsa Roja, 94
Salsa Verde, 89
Salsa Verde con Aquacate, 92, *93*
Sopa de Aguacate Fría, 99
Sopa de Queso Brie con Chile Verde, 102
-Pájaro tailandés, en **Callos de Hacha en Salsa de Zacate Limón y Ensalada de Albahaca, Menta y Cilantro, 134**
Chocolate
Brownies con Doble Glaseado, 241
Chiles Anchos Rellenos, 187
Gotas de Fudge de Chocolate, 243, *242*
Pastel de Chocolate Mexicano, 232, *233*
Chorizo
Chiles Rellenos Horneados, 215, *214*
Paella, 131, *129*
Rollo de Salchicha y Queso para el Desayuno, 218
Tortas de Chorizo y Frijol Negro, 219
Churrasco, 155, *154*

Cilantro
Callos de Hacha en Salsa de Zacate Limón y Ensalada de Albahaca, Menta y Cilantro, 135
Camarones con Cilantro y Limón, 60
Croquetas de Frijol Negro con Salsa de Chile Pasilla, 35, *34*
Dip de Elote a la Vinagreta, 32
Ensalada de Aguacate, Cilantro y Cebolla Morada, 64
Ensalada de Nopales, 74, *75*
Ensalada de Pollo a la Mexicana, 84
Ensalada Verde con Aderezo de Cilantro, 65
Fideo Seco, 123, *122*
Guacamole, 43, *45*
Lomo de Puerco con Chimichurri, 163
Mousse de Cilantro, 30
Papitas de Cambray al Cilantro, 190
Pico de Gallo, 88
Pozole Verde con Pollo, 117
Salsa Verde, 89
Sopa de Cilantro, 110, *111*
Tacos de Pescado, 145
Ciruelas, en **Camarones con Chiles Secos, 138**
Coco
Burros, 26
Mantecadas de Coco, 239, *238*
Cointreau, en **Sangría, 14**
Col
Tacos de Pescado, 145
Ensalada de Jícama, 68
Compota de Fresa, 222
Conservas, frutas
Alfajores de Mermelada de Durazno, 244
Alitas en Salsa Agridulce de Zarzamora, 48
Camarones con Cilantro y Limón, 60
Empanadas de Fruta, 245
Tarta de Chabacano para Desayuno, 221, *220*
Corazones de Palmito
Ensalada de Corazones de Palmito, 70, *71*
Ensalada de Lechuga Romana y Aguacate con Vinagreta de Soya y Limón, 73
Crema de Aceitunas, 105, *104*
Crema de Nuez, 106, *107*
Crema, para batir
Brownies con Doble Glaseado, 241
Burros, 26
Crema de Aceitunas, 105, *104*
Crema de Nuez, 106, *107*
Crema de Poblano, 103
Ensalada de Manzana, 79
Pasta Poblana, 124
Pastel de Tres Leches, 231, *229*
Rajas con Crema, 190
Sopa de Aguacate Fría, 99
Crema Mexicana
Arroz con Elote y Chiles Poblanos, 195
Chilaquiles Rojos, 208, *207*
Pasta Vodka, 126
Pechugas Rellenas a la Jalapeña, 170, *171*
Quiche de Chile y Queso, 216, *217*
Sopa de Aguacate Fría, 99
Sopa de Fideo, 108
Sopa de Tortilla, 109
Crepas de Cajeta, 247, *246*
Croquetas de Frijol Negro en Salsa de Chile Pasilla, 35, *34*

d

Dátiles Rellenos de Queso de Cabra, 49
Desayunos
Chilaquiles Rojos, 208, *207*
Chiles Rellenos Horneados, 215, *214*
Gelatina de Yogurt con Compota de Fresa, 222
Huevos al Horno en Salsa de Queso, 210
Huevos Escalfados en Salsa Roja (Pochés), 212, *213*
Huevos a la Mexicana, 209
Machaca con Huevo, 211
Quiche de Chile y Queso, 216, *217*
Dip de Elote a la Vinagreta, 32
Dip de Queso con Jalapeños y Pimientos Morrones, 33

e

Elote
Arroz con Elote y Chiles Poblanos, 195
Barras de Elote, Queso de Cabra y Jalapeño, 37
Dip de Elote a la Vinagreta, 32
Elotes a la Parrilla con Chile y Limón, 199, *198*
Mole de Olla, 118
Empanadas de Fruta, 245, *242*
Enchiladas
Enchiladas de Chile Ancho, 175, *174*
Enchiladas Verdes de Pollo, 173
Endivia, Belga, en **Ensalada de Almendras, Arúgula y Queso de Cabra, 69**
Ensaladas
Callos de Hacha en Salsa de Zacate Limón y Ensalada de Albahaca, Menta y Cilantro, 135
Ensalada de Aguacate, Cilantro y Cebolla Morada, 64
Ensalada de Almendras, Arúgula y Queso de Cabra, 69
Ensalada de Chile Pasilla y Queso Blanco, 76, *77*
Ensalada de Corazones de Palmito, 70, *71*
Ensalada de Espinaca y Frambuesa con Pollo Asado o Tofu, 82
Ensalada de Jícama, 68
Ensalada de Jícama con Vinagreta de Tamarindo, 67, *66*
Ensalada de Mango, Aguacate y Camarón, 86
Ensalada de Manzana, 79
Ensalada de Noche Buena, 80, *81*
Ensalada de Nopales, 74, *75*
Ensalada de Pepino y Tomatillos, 72
Ensalada de Pollo a la Mexicana, 84
Ensalada de Lechuga Romana y Aguacate con Vinagreta de Soya y Limón, 73
Ensalada de Lechuga Romana y Berro con Vinagreta de Ajo, 78
Ensalada Verde con Aderezo de Cilantro, 65
Entradas
Alitas en Salsa Agridulce de Zarzamora, 48
Barras de Elote, Queso de Cabra y Jalapeños, 37
Camarones con Cilantro y Limón, 60
Camarones con Jalapeño Envueltos en Tocino, 54, *55*
Camarones en Escabeche, 57, *56*
Creviche Tradicional Latino 51, *50*
Croquetas de Frijol Negro con Salsa de Chile Pasilla, 35, *34*
Dátiles Rellenos de Queso de Cabra, 49
Dip de Elote a la Vinagreta, 32
Dip de Queso con Jalapeños y Pimientos Morrones, 33
Garbanzos Fritos con Especias, 39
Guacamole, 43, *45*
Mousse de Cilantro, 30, *29*
Mousse de Hígados de Pollo, 47
Quesadillas de Camarón con Chile Poblano, 58
Salmón Ahumado Marinado, 53, *52*
Sopes, 42
Taquitos, 44, *45*
Terrina de Frijol Negro y Queso de Cabra, 31
Tostones (Plátanos Fritos), 41, *40*
Verduras Frescas con Chile Piquín, 39, *38*

Epazote
Huevos Escalfados en Salsa Roja (Pochés), 212
Mole de Olla, 118
Pozole Verde con Pollo, 117
Sopa de Tortilla, 109
Espárragos, en **Paella, 131,** *129*

f

Fideo
Fideo Seco, 123, *122*
Sopa de Fideo, 108
Filete de Res
Churrasco, 155
Filete de Res con Mantequilla de Chipotle y Ajo, 157
Filete Mignon con Salsa de Chipotle, 153
Tacos de Sirloin, 149
Vaca Frita Cubana, 151
Flan Cubano, 249
Flor de Calabaza, en **Budín de Flor de Calabaza, 167**
Frambuesas
Ensalada de Espinaca y Frambuesa con Pollo Asado o Tofu, 83
Pastelillos de Frambuesa, 236
Frijoles
-Negros
Croquetas de Frijol Negro, 35, *34*
Dip de Elote a la Vinagreta, 32
Frijoles Tradicionales, 203, *202*
Terrina de Frijol Negro y Queso de Cabra, 31
-Pintos
Frijoles Charros con Chiles Poblanos, 200, *201*
Frijoles Tradicionales, 203
-Refritos
Frijoles Refritos, 204
Tortas de Frijoles Negros con Chorizo, 219
Fruta, variada; ver **Agua de Melón, Sangría**

g

Galletas o Brownies:
Brownies con Doble Glaseado, 241
Empanadas de Fruta, 245
Gotas de Fudge de Chocolate, 243
Polvorones de Nuez, 237
Garbanzos Fritos en Especias, 39
Gazpacho, 98, *96*
Gelatina
Gelatina de Cajeta, 248
Gelatina de Yogurt, 222
Mousse de Cilantro, 30, *29*
Mousse de Hígados de Pollo, 47
Ginebra, en **Sangría, 14**
Gotas de Fudge de Chocolate, 243, *242*
Grand Marnier, en **Gelatina de Yogurt, 222**
Guacamole, 43, *45*
Guarniciones
Arroz a la Mexicana, 194, *194*
Arroz con Elote y Chiles Poblanos, 195
Arroz Venezolano, 196, *197*
Berenjena Rellena, 182, *181*
Chiles con Cebolla Salteados, 183
Chiles Anchos Rellenos, 187
Elotes a la Parrilla con Chile y Limón, 199, *198*
Frijoles Charros con Chiles Poblanos, 200, *201*
Frijoles Refritos, 204
Frijoles Tradicionales, 203, *202*
Papas Asadas con Chiles Jalapeños, 192, *193*
Papitas con Chile de Árbol, 191
Papitas de Cambray con Cilantro, 190
Polenta Horneada en Salsa de Jitomate, 184, *185*
Rajas con Crema, 190
Soufflé de Rajas Poblanas, 189, *188*

h

Hígados de pollo, en **Mousse de Hígados de Pollo, 47**
Huevos
Chiles Rellenos Horneados, 215, *214*
Flan Cubano, 249
Gelatina de Cajeta, 248
Huevos al Horno en Salsa de Queso, 210
Huevos a la Mexicana, 209
Huevos Escalfados en Salsa Roja, 212, *213*
Machaca con Huevo, 211
Pay de Natilla de Rompope, 250
Quiche de Chile y Queso, 216, *217*
Soufflé de Rajas Poblanas, 189, *188*

j

Jalapeños, ver Chiles
Jalea, en **Pierna de Cordero con Jalea de Menta Picante, 158,** *159*
Jamaica, en **Agua de Jamaica, 10**
Jícama
Ensalada de Jícama, 68
Ensalada de Jícama con Vinagreta de Tamarindo, 67, *66*
Ensalada de Noche Buena, 80
Ensalada de Pollo a la Mexicana, 84
Verduras Frescas con Chile Piquín, 39
Jitomates
Albóndigas Enchipotladas, 148
Arroz a la Mexicana, 194
Berenjenas Rellenas, 182, *181*
Chilaquiles Rojos, 208, *207*
Ensalada de Nopales, 74, *75*
Ensalada de Lechuga Romana y Berro con Vinagreta de Ajo, 78
Ensalada Verde con Aderezo de Cilantro, 98
Fideo Seco, 123, *122*
Frijoles Charros con Chiles Poblanos, 199, *200*
Gazpacho, 98
Guacamole, 43
Huevos a la Mexicana, 209
Polenta Horneada en Salsa de Jitomate, 184, *185*
Salsa de Chile de Árbol y Ajonjolí, 91, *90*
Pasta Vodka, 126
Pico de Gallo, 88
Salsa de Pasilla, 35
Salsa Roja, 94
Sopa de Fideo, 108
Sopa de Lentejas, 113
Sopa de Tortilla, 109
Tomatequila, 23, *22*
Jitomates, cherry
Ensalada de Corazones de Palmito, 70
Ensalada de Espinacas y Frambuesas con Pollo o Tofu, 83
Jitomates, deshidratados, en **Pozole de Camarón y Callo de Hacha (Vieira), 115,** *114*
Jugo de Naranja
Crepas de Cajeta, 247, *246*
Mexitinis, 21
Pastelillos de Frambuesa, 236
Pollo Pibil, 169, *168*
Sangría, 14
Tequila en Bandera, 17, *16*
Jugo de toronja, en **Mimosa de Arándano y Toronja, 13**

l

Langosta a la Parrilla con Salsa de Chiles Asados, 132, *133*
Leche
Arepas, 226, *226*
Arroz con Leche, 248
Chiles en Nogada, 178, *177*
Crepas de Cajeta, 247, *246*
Flan Cubano, 249
Gelatina de Cajeta, 248
Pastel de Chocolate Mexicano, 232, *233*
Pastel de Tres Leches, 231, *229*
Pechugas Rellenas a la Jalapeña, 170
Quiche de Chile y Queso, 216, *217*
Leche, condensada
Flan Cubano, 249
Pastel de Tres Leches, 231, *229*
Leche de coco, en **Mantecadas de Coco, 239**
Leche, evaporada
Budín Azteca, 162
Gotas de Fudge de Chocolate, 243, *242*
Pastel de Tres Leches, 231
Pay de Natilla de Rompope, 250
Soufflé de Rajas Poblanas, 189, *188*
Lechuga
Ensalada de Chile Pasilla y Queso Blanco, 76, *77*
Ensalada de Jícama con Vinagreta de Tamarindo, 67, *66*
Ensalada de Lechuga Romana y Aguacate con Vinagreta de Soya y Limón, 73
Ensalada de Lechuga Romana y Berro con Vinagreta de Ajo, 78
Ensalada de Noche Buena, 80, *81*
Ensalada de Nopales, 74, *75*
Ensalada de Pollo a la Mexicana, 84
Ensalada Verde con Aderezo de Cilantro, 65
Tortas de Frijol Negro y Chorizo, 219
Lentejas
Frijoles Charros con Chiles Poblanos, 200, *201*
Sopa de Lentejas, 113
Licor de Café, en **Burros, 26**
Limones o jugo de limón
Camarones con Cilantro y Limón, 60
Camarones en Escabeche, 57
Ceviche Tradicional Latino, 51, *50*
Ensalada de Noche Buena, 80
Elotes a la Parrilla con Chile y Limón, 199
Ensalada de Pollo a la Mexicana, 84
Ensalada de Mango, Aguacate y Camarón, 86
Margarita, 19, *19*
Salmón Ahumado Marinado, 53, *52*
Salsa Verde con Aguacate, 92, *93*
Sangrita, 17
Tequila en Bandera, 17
Verduras Frescas con Chili Piquín, 39
Vinagreta de Soya y Limón, 73
Limoncello, en **Margarita, 19,** *19*
Lomo de puerco
Lomo de Puerco en Chile Ancho, 166
Lomo de Puerco con Salsa de Chimichurri, 163
Paella, 131, *129*
Tacos de Carnitas (Puerco), 160, *161*
Tinga de Puerco, 164, *165*

m

Machaca con Huevo, 211
Maíz Cacahuazintle
Pozole de Camarón y Callo de Hacha (Vieira), 115, *114*
Pozole Rojo, 116
Pozole Verde con Pollo, 117
Mangos
Ensalada de Mango, Aguacate y Camarón, 86, *87*
Atún Sellado con Salsa de Mango y Aguacate, 140, *141*
Mantecadas de Coco, 239, *238*
Margarita, 19, *19*
Mantequilla, en **Filete de Res con Mantequilla de Chipotle y Ajo, 156**
Pastel de Ron Glaseado con Mantequilla de Ron, 235, *234*
Camarones en Salsa de Mantequilla, Naranja y Flameados con Tequila, 137, *136*
Manzanas
Chiles en Nogada, 178, *177*
Ensalada de Manzana, 79
Mariscos, ver también Camarones
Callos de Hacha en Salsa de Zacate Limón y Ensalada de Albahaca, Menta y Cilantro, 135
Camarones con Cilantro y Limón, 60
Camarones con Jalapeño Envueltos en Tocino, 54
Camarones en Chile Seco, 138, *139*
Camarones en Escabeche, 57, *56*
Camarones en Salsa de Mantequilla, Naranja y Flameados con Tequila, 137, *136*
Ensalada de Mango, Aquacate y Camarón, 86, *87*
Langosta a la Parrilla con Salsa de Chiles Asados, 132, *133*
Paella, 131, *129*
Paquetitos de Lenguado, 144
Pozole de Camarón y Callo de Hacha (Vieira), 115, *114*
Quesadillas de Camaron y Poblano, 58
Melón, en **Agua de Melón, 10,** *9*
Menta
Callos de Hacha en Salsa de Zacate Limón y Ensalada de Albahaca, Menta y Cilantro, 135
Mojito Espumoso, 24, *25*
Pierna de Cordero con Jalea Picante de Menta, 158, *159*
Mexitinis, 21, *20*
Michelada, 15, *15*
Mimosa de Arándano y Toronja, 13, *220*
Mojito Espumoso, 24, *25*
Mole de Olla, 118
Mousse de Cilantro, 30, *28*
Mousse de Hígados de Pollo, 46

n

Naranjas
Camarones en Salsa de Mantequilla y Naranja y Flameados con Tequila, 137, *136*
Ensalada de Noche Buena, 80, *81*
Orangerita, 18
Nopales, en **Ensalada de Nopales, 74,** *75*
Nuez de Castilla
Chiles en Nogada, 178, *177*
Ensalada de Espinacas y Frambuesas con Pollo o Tofu, 83
Paella, 131, *129*
Salsa de Nogada, 176
Nuez encarcelada
Crema de Nuez, 106
Crepas de Cajeta, 247
Gotas de Fudge de Chocolate, 243, *242*
Pan de Plátano, 223
Pastel de Nuez y Canela, 225, *224*
Polvorones de Nuez, 237

o

Oporto, en **Mousse de Hígados de Pollo, 47**

p

Paella, 131, *129*
Pan
- **Arepas, 226**
- **Huevos Escalfados en Salsa Roja (Pochés), 212,** *213*
- **Pan de Plátano, 223**
- **Pastel de Nuez y Canela, 225,** *224*
- **Rollo de Salchicha y Queso para el Desayuno, 218**
- **Tarta de Chabacano para el Desayuno, 221,** *220*
- **Tortas de Frijoles Negros con Chorizo, 247**

Pan Molido, en
- **Abondigas Enchipotladas, 148**
- **Croquetas de Frijol Negro, 35,** *34*

Panko, en
- **Sopa de Chile Ancho con Albóndigas de Poblano, 120,** *121*
- **Tacos Pescado, 145**

Papas
- **Papas Asadas con Chiles Jalapeños, 192,** *193*
- **Papitas con Chile de Árbol, 191**
- **Papitas de Cambray al Cilantro, 190**
- **Robalo con Chiles Rojos, 143,** *142*

Papas Asadas con Chiles Jalapeños, 192, *193*
Papitas con Chile de Árbol, 191
Papitas de Cambray al Cilantro, 190
Paquetitos de Lenguado, 144
Pasas
- **Arroz con Leche, 248**
- **Chiles en Nogada, 178,** *177*

Pasta
- **Fideo Seco, 123,** *122*
- **Pasta Poblana, 124**
- **Pasta Vodka, 126**
- **Sopa de Fideo, 108**

Pasteles de Chocolate Mexicano, 232, *233*
Pastel de Nuez y Canela, 225, *224*
Pastel de Ron Glaseado con Mantequilla de Ron, 235, *234*
Pastel de Tres Leches, 231, *229*
Pastelillos de Frambuesa, 236
Pasteles:
- **Mantecadas de Coco, 239**
- **Pastel de Chocolate Mexicano, 232,** *233*
- **Pastel de Ron con Glaseado de Mantequilla y Ron, 235**
- **Pastel Tres Leches, 230,** *229*
- **Pastelillos de Frambuesa, 236**

Pay de Natilla de Rompope, 250
Pepinos
- **Ensalada de Pepino y Tomatillos, 72**
- **Ensalada Verde con Aderezo de Cilantro, 65**
- **Gazpacho, 98, 98**
- **Verduras Frescas con Chile Piquin, 39,** *38*

Perejil
- **Caldo de Pollo, 112**
- **Churrasco, 155,** *154*
- **Crema de Nuez, 106,** *107*
- **Lomo de Puerco con Chimichurri, 163**
- **Paella, 131,** *129*
- **Robalo con Chiles Rojos 143,** *142*
- **Salmón Ahumado Marinado, 53,** *52*

Pescado, ver también mariscos
- **Atún Sellado con Salsa de Mango y Aguacate, 140,** *141*
- **Ceviche Tradicional Latino, 51**
- **Paella, 131,** *129*
- **Paquetitos de Lenguado, 144**
- **Robalo con Chile Rojo, 143,** *142*
- **Salmón Ahumado Marinado, 53,** *52*
- **Salmón en Salsa de Guajillo, 146,** *147*
- **Tacos de Pescado, 145**

Pico de Gallo, 88
Pierna de Cordero con Jalea de Menta Picante, 158, *159*
Pierna de Res, en **Mole de Olla, 118**
Pimienta Entera
- **Camarones en Escabeche, 57**
- **Mousse de Hígados de Pollo, 46**

Piña y jugo de Piña
- **Chiles en Nogada, 178,** *177*
- **Ensalada de Manzana, 79**
- **Sangría, 14**

Piñones
- **Chiles en Nogada, 178,** *177*
- **Ensalada de Manzana, 79**

Pisco Sour, 26
Plátano
- **Burros, 26**

Plátano Macho
- **Chiles en Nogada, 178,** *177*
- **Tostones (Plátanos Fritos), 41,** *40*
- **Pan de Plátano, 223**

Polenta Horneada en Salsa de Jitomate, 184, *185*
Pollo
- **Arroz con Pollo, 172**
- **Caldo de Pollo, 112**
- **Enchiladas de Chile Ancho, 175,** *174*
- **Ensalada de Pollo a la Mexicana, 84**
- **Pollo Pibil, 169**
- **Pozole Rojo, 116**

-Alitas
- **Alitas en Salsa Agridulce de Zarzamora, 48**

-Muslos
- **Pozole Verde con Pollo, 117**

-Pechugas
- **Budín de Flor de Calabaza, 167**
- **Crema de Aceitunas, 105,** *104*
- **Enchiladas Verdes de Pollo, 173**
- **Ensalada de Espinaca y Frambuesa con Pollo Asado o Tofu, 83**
- **Paella, 131,** *129*
- **Pechugas Rellenas a la Jalapeña, 170,** *171*
- **Pollo Pibil, 169,** *168*

Pollo Pibil, 169, *168*
Polvorones de Nuez, 237, *242*
Pozole de Camarón y Callo de Hacha (Vieira), 115, *114*
Pozole Rojo, 116
Pozole Verde con Pollo, 117
Puerco, molido
- **Budín Azteca, 162**

q

Queso
-Añejo
- **Chiles Anchos Rellenos, 187**
- **Enchiladas de Chile Ancho, 175,** *174*

-Brie, en **Sopa de Queso Brie con Chile Verde, 102**
-De cabra
- **Barras de Elote, Queso de Cabra y Jalapeño, 37**
- **Chiles en Nogada, 178,** *177*
- **Dátiles Rellenos de Queso de Cabra, 49**
- **Ensalada de Almendras, Arúgula y Queso de Cabra, 69**
- **Salsa de Nogada, 176**
- **Terrina de Frijol Negro y Queso de Cabra, 31**
- **Tortas de Frijoles Negros con Chorizo, 219**

-Cheddar
- **Dip de Queso con Jalapeños y Pimientos Morrones, 33**
- **Rollo de Salchicha y Queso para el Desayuno, 218**
- **Sopa de Zanahoria con Jalapeños, 100,** *101*
- **Taquitos, 44, 45**

-Colby Jack, en **Rollo de Salchicha y Queso para el Desayuno, 218**

-Cotija
Chiles Rellenos Horneados, 215, *214*
Croquetas de Frijol Negro con Salsa de Chile Pasilla, 35
-Crema
Barras de Elote, Queso de Cabra y Jalapeño, 37
Crema de Poblano, 103
Dip de Queso con Jalapeños y Pimientos Morrones, 33
Empanadas de Fruta, 245, *242*
Gelatina de Yogurt, 222
Camarones con Jalapeño Envueltos en Tocino, 54, *55*
Mantecadas de Coco, 239, *238*
Mousse de Cilantro, 30, *29*
Quesadillas de Camarón con Chile Poblano, 58
Salmón Ahumado Marinado, 53, *52*
Sopa de Cilantro, 110, *111*
Tarta de Chabacano para Desayuno, 221, *220*
-Feta
Berenjenas Rellenas, 182, *181*
Ensalada de Nopales, 74, *75*
Ensalada de Pepino y Tomatillos, 72
Ensalada de Lechuga Romana y Aguacate con Vinagreta de Soya y Limón, 73
-Fresco
Chilaquiles Rojos, 208, *207*
Ensalada de Nopales, 74, *75*
Ensalada de Pepino y Tomatillos, 72
Ensalada de Lechuga Romana y Aguacate con Vinagreta de Soya y Limón, 73
Fideo Seco, 123, *122*
Frijoles Refritos, 204
Pozole de Camarón y Callo de Hacha (Vieira), 115, *114*
Sopa de Tortilla, 109
-Monterey Jack
Arroz con Elote y Poblanos, 195
Budín Azteca, 162
Budín de Flor de Calabaza, 167
Crema de Poblano, 103
Chiles Anchos Rellenos, 187
Chiles Rellenos Horneados, 215, *214*
Enchiladas Verdes de Pollo, 173
Filete Mignon con Salsa de Chipotle, 153
Huevos al Horno en Salsa de Queso, 210
Huevos Escalfados en Salsa Roja, 212, *213*
Pasta Poblana, 124
Pechugas Rellenas a la Jalapeña, 170, *171*
Quesadillas de Camarón con Chile Poblano, 58
Quiche de Chile y Queso, 216, *217*
Rajas con Crema, 190
Soufflé de Rajas Poblanas, 189
-Panela
Ensalada de Chile Pasilla y Queso Blanco, 76 , *77*
Tinga de Puerco, 164, *165*
-Parmesano
Huevos al Horno en Salsa de Queso, 210
Pasta Vodka, 126
Polenta Horneada en Salsa de Jitomate, 184, *185*
-Pepper Jack, en **Sopa de Zanahoria con Jalapeños, 100,** *101*
-Roqueort, en **Ensalada de Corazones de Palmito, 70,** *71*
- Suizo, en **Paquetitos de Lenguado, 144**
Quiche de Chile y Queso, 216, *217*

r

Rábanos, en **Ensalada de Noche Buena, 80,** *81*
Rajas con Crema, 190
Ron
Burros, 26
Mojito de Espumoso, 24, *25*
Pastel de Ron con Glaseado de Mantequilla y Ron, 235, *234*
Pay de Natilla de Rompope, 250
Sangría, 14
Robalo con Chiles Rojos, 143, *142*
Rollo de Salchicha y Queso para Desayuno, 218

S

Salmón Ahumado Marinado, 53, *52*
Salmón en Salsa de Guajillo, 146, *147*
Salsas:
Compota de Fresa en Gelatina de Yogurt, 222
Pico de Gallo, 88
Salsa Agridulce de Zarzamora, 48
Salsa de Chile Ancho, 166
Salsa de Chile de Árbol y Ajonjolí, 91, *90*
Salsa de Chiles Asados, 183
Salsa de Chile Morita y Ajonjolí, 88
Salsa de Chile Pasilla, 35
Salsa de Chimichurri, 155, *154*
Salsa de Chimichurri, 163
Salsa de Chile Chipotle, 153
Salsa de Guajillo, 146, *147*
Salsa de Jalapeño, 170
Salsa de Mango y Aguacate, 140
Salsa de Nogada, 178, *177*
Salsa de Zacate Limón, 135
Salsa Roja, 94
Salsa Velouté, 106
Salsa Verde con Aguacate, 92, *93*
Salsa Verde, en Pozole de Camarón y Callo de Hacha (Vieira), 115
Salsa Verde, 89, *90*
Sangría, 14
Tequila en Bandera, 17, *16*
Sangrita, 17
Semillas de calabaza
Ensalada de Noche Buena, 80
Pozole Verde con Pollo, 117
Sopas:
Caldo de Pollo, 112
Crema de Aceitunas, 105, *104*
Crema de Nuez, 106, *107*
Crema de Poblano, 103
Gazpacho, 98, *96*
Mole de Olla, 118
Pozole de Camarón y Callo de Hacha (Vieira), 115, *114*
Pozole Rojo, 116
Pozole Verde con Pollo, 117
Sopa de Aguacate Fría, 99
Sopa de Chile Ancho con Albóndigas de Poblano, 120, *121*
Sopa de Cilanro, 110, *111*
Sopa de Fideo, 108
Sopa de Lentejas, 113
Sopa de Queso Brie con Chile Verde, 102
Sopa de Tortilla, 109
Sopa de Zanahoria con Jalapeños, 100, *101*
Sopes, 42
Soufflé de Rajas Poblanas, 189, *188*

t

Tacos de Carnitas (Puerco), 160, 161
Tacos de Pescado, 145
Tacos de Sirloin, 149
Taquitos, 44, *45*
Tarta de Chabacano para el Desayuno, 221, *220*
Tequila en Bandera, 17, *16*

Tequila
- **Bloody María, 13**
- **Camarones en Salsa de Mantequilla y Naranja y Flameados con Tequila, 137,** *136*
- **Crepas de Cajeta, 247**
- **Margarita, 19,** *19*
- **Mexitinis, 21,** *20*
- **Orangerita, 18**
- **Tequila en Bandera, 17,** *16*
- **Tomatequila, 23,** *22*

Terrina de Frijol Negro y Queso de Cabra, 31
Tinga de Puerco,164, *165*
Tortas de Frijol Negro con Chorizo, 219
Tocino
- **Camarones con Jalapeño Envueltos en Tocino, 54,** *55*
- **Dátiles Rellenos de Queso de Cabra, 49**
- **Frijoles Charros con Chiles Poblanos, 200,** *201*
- **Sopa de Zanahoria con Jalapeños, 100,** *101*

Tofu, en **Ensalada de Espinaca y Frambuesa con Pollo Asado o Tofu, 83**
Tomatequila, 23, *22*
Tomatillos
- **Ensalada de Pepino y Tomatillos, 72**
- **Enchiladas Verdes de Pollo, 173**
- **Filete Mignon con Salsa de Chipotle, 153**
- **Pozole Verde con Pollo, 117**
- **Salsa de Chipotle, 153**
- **Salsa Verde, 89**
- **Salsa Verde con Aguacate, 92**
- **Tinga de Puerco, 164,** *165*

Toronja, en **Ensalada de Noche Buena, 80**
Tortillas, de maíz
- **Chilaquiles Rojos, 208**
- **Crema de Poblano, 103**
- **Enchiladas de Chile Ancho, 175**
- **Enchiladas Verdes de Pollo, 173**
- **Ensalada de Chile Pasilla con Queso Blanco, 76**
- **Sopa de Tortilla, 109**
- **Huevos a la Mexicana, 209**
- **Tacos de Carnitas (Puerco), 160,** *161*
- **Tacos de Sirloin, 149**
- **Taquitos, 44,** *45*

Tortillas, de harina
- **Budín de Flor de Calabaza, 167**
- **Machaca con Huevo, 211**
- **Quesadillas de Camarón con Chile Poblano, 58**
- **Tacos de Pescado, 145**

Totopos, en **Budín Azteca, 162**
Tostones (Plátanos Fritos) 41, *40*
Triple Sec
- **Mexitinis, 21**
- **Sangría, 14**

V

Vaca Frita, 151, *150*
Verduras Frescas con Chile Piquín, 39, *38*
Vodka, en **Pasta Vodka, 126**

y

Yogurt, en **Gelatina de Yogurt, 222**

Z

Zacate Limón, en **Callos de Hacha en Salsa de Zacate Limón y Ensalada de Albahaca, Menta y Cilantro, 135**

Zanahorias
- **Arroz a la Mexicana, 194,** *194*
- **Arroz Venezolano, 196**
- **Camarones en Escabeche, 57**
- **Ensalada de Corazones de Palmito, 70,** *71*
- **Ensalada de Jícama, 68**
- **Ensalada de Lechuga Romana y Aguacate con Vinagreta de Soya y Limón, 73**
- **Mole de Olla, 118**
- **Polenta Horneada en Salsa de Jitomate, 184,** *185*
- **Sopa de Lentejas, 113**
- **Sopa de Zanahoria con Jalapeños, 100,** *101*